THÉATRE COMPLET

DE

JULES RENARD

JULES RENARD par P. E. Colin.

JULES RENARD

THÉATRE

COMPLET

PRÉFACE ET NOTES DE LOUIS PAUWELS

LE BÉLIER
26, rue Desbordes-Valmore, Paris
1957

Il a été tiré de cet ouvrage
deux cents exemplaires sur vergé
d'Arches, numérotés de 1 à 179 et
de I à XX.

SOMMAIRE

INTRODUCTION

Lorsque *Jules Renard aborde le théâtre, Henri Becque va mourir. Dans la clinique du docteur Defaut, l'auteur de* La Parisienne *fait des mots, juste avant l'agonie. Il dit à ses amis : « Quand je serai guéri, je ferai une pièce sur les maisons de santé, une pièce gaie. » A demi renversé dans le tombeau, il cherche encore l'anecdote, le trait. Il demeure étranger à l'inquiétude intérieure. Tout pour l'observation, et rien pour la méditation. Il incarne jusqu'au bout l'esprit de l'époque, qui est « l'esprit fort ».*

Le naturalisme a atteint la gloire. Pour une école littéraire comme pour un homme, la gloire, c'est enfin la permission d'être banal. Et, par un échange de bons procédés, la banalité donne à la gloire ce que les sportifs nomment « la grande forme », ou, plus précisément, « le second souffle ».

Ce qu'il y avait de révolte et de désespoir chez Flaubert contemplant et peignant des êtres limités aux impulsions de la matière donnait aux descriptions les plus appuyées, aux jugements les plus cruels, un rythme secret, un accompagnement poétique, un déchirant prolongement. Cette musique inquiète, qu'on entendait aussi chez Maupassant, s'est tue. Les descendants, pareils à des photographes sous le voile noir, la lavallière artiste bien nouée, seulement attentifs à ne pas ciller, tentent de fixer « la vie, rien que la vie », avec une bonne conscience d'artisans. Ils mènent cette tâche désolante avec honnêteté et courage. Mais il ne leur est échu que les résidus de la révolte et du désespoir : le scepticisme et le sarcasme.

Singulière époque, où le conformisme bourgeois le plus épais et l'anarchisme « artiste » ont une égale opacité, où les bourgeois et leurs censeurs ont en commun l'essentiel : un serein éloignement de toute signification spirituelle de l'existence.

Scepticisme et sarcasme sont les mamelles d'une nation spirituellement exsangue : ce qu'était la France au début du XXᵉ siècle. Le chansonnier s'est substitué au prophète. Il y a du chansonnier dans les épigones du naturalisme : leurs flèches picotent, elles ne transpercent pas, et tout le monde est content, picoté et picoteur.

L'honneur des écrivains héritiers des rogatons de Flaubert, c'est le style. Ils écrivent bien. Ils n'en auront même jamais fini avec l'écriture : il s'agit pour eux de corseter au plus juste des sujets de plus en plus menus. Ils s'enfoncent dans l'infiniment petit, comme on le verra exemplairement dans le Jules Renard des Histoires Naturelles, qui mènera à la perfection l'art de faire, d'une comparaison, une réduction.

Le naturalisme, à l'origine, libérait l'art, au son des orgues lointaines du romantisme. Quand il acquiert son second souffle et sa légion d'honneur, avec Jules Renard, il est devenu une forme de l'art engagé : c'est la littérature au service du radicalisme.

Dans cet état, il va occuper longtemps le théâtre, l'essai et le roman, en France, et il n'a pas tout à fait achevé sa carrière. Il fait partie du matériel républicain, avec le poêle de Descartes, le bon rôt du bonhomme Chrysale, les rosiers d'Alain, la barbe de Tristan Bernard et le galurin de Léautaud. Il est la courte vue élevée au rang de l'un des Beaux-Arts. Et il n'est pas dit qu'il ne s'y élève pas, par un miracle d'habileté et d'élégance dont bénéficie très spécialement le génie français.

Telle est, à mes yeux tout au moins, la situation de l'œuvre de Jules Renard, si je tente de faire un vaste survol. Mais les vertus timidement humaines de Renard, si on ne les distingue pas de haut, n'en sont pas moins réelles, et c'est pourquoi l'on comprendra que je ne m'attarde pas à ce survol.

A y regarder de plus près, la période 1890-1910 est pleine de richesses, et donc d'excès. C'est le moment où Antoine, qui veut tuer l'éloquence et le flou, qui ne sont pas un effet de l'art, mais de l'insolente bonne santé de Monsieur Homais, commande chaque jour à La Villette des quartiers de bœuf frais quand la pièce se déroule devant l'étal d'un boucher. Ce théâtre, qu'il veut si étroitement assujetti au réel, se nomme, curieusement, le Théâtre Libre. Antoine, comme tout chef d'école, est bien obligé de confondre l'exemple et l'outrance, mais il parvient ainsi à introduire sur la scène un art plus dru, une littérature délivrée de l'emphase et de la fadeur. Jules Renard lui doit beaucoup. Il va se trouver chez lui en compagnie d'Octave Mirbeau et de Lucien Descaves qui seront plus tard ses collègues à l'Académie Goncourt. Et les Goncourt sont parmi les précurseurs du Théâtre Libre pour avoir fait jouer en 1865 la bien oubliée Henriette Maréchal. Je parlais tout à l'heure de chansonniers. Que l'on songe à l'une des dernières pièces de Mirbeau : Le Foyer. On y voit un académicien français scélérat. L'œuvre fit scandale. Voilà bien du non-conformisme à la petite semaine. Que l'on songe à Descaves, si « courageux » à l'époque et injouable aujourd'hui. Renard aura l'extrême mérite de préférer l'humain à l'anecdotique. L'humain médiocre, soit : mais il aura écrit des pièces, et les autres des revues.

10

Les grandes vedettes fin et début de siècle sont des psychologues d'alcôve, des boulevardiers et des penseurs du Dimanche. Psychologue d'alcôve: Georges de Porto-Riche; c'est le Marivaux du pauvre et l'annonciateur de Bernstein. Boulevardier: Alfred Capus. Penseurs du Dimanche: Paul Hervieu et Eugène Brieux, surplombés par François de Curel occupé à recenser les idéologies de l'époque.

Dans le même temps, Edmond Rostand s'empare du cœur des foules, fait passer le souffle épique sur l'épiderme des bourgeois qui ont bien dîné, les délivre d'eux-mêmes, repeint leur cœur aux couleurs d'Épinal, d'un pinceau qui n'est qu'habile, mais d'une habileté si amoureuse d'elle-même qu'elle rejoint le génie.

Enfin, à l'opposé du Théâtre Libre, s'est fondé en 1890 le Théâtre d'Art, dirigé par Paul Fort qui a dix-sept ans à peine. Les auteurs à qui ce jeune garçon fait appel se nomment Verlaine, Mallarmé, Verhaeren, Maeterlinck, Saint-Pol-Roux. Les peintres à qui il commande les décors sont Maurice Denis, Vuilliard, Bonnard. Il monte le Faust de Marlowe et adapte Le Corbeau, d'Edgar Poe. On est effaré, à distance, par la puissance de découverte de ce Théâtre d'Art fin de siècle qui, repris par Lugné Poe et transformé en Théâtre de l'Œuvre, va révéler Claudel. Avec Claudel, brusquement, le sentiment tragique et mystique va déferler sur la scène jusqu'ici uniquement occupée par l'anecdotique et le psychologique; le « cas » va faire place à l'archétype; la voix du Destin va couvrir la voix de la concierge.

Dans ce tumulte, dans ce carambolage extraordinaire et magnifique des genres, Jules Renard va avoir le mérite, l'extrême originalité, d'avoir le souffle court mais clair, d'emboucher une toute petite trompette, mais d'en jouer à la perfection. Tout le monde hurle en cinq actes. Il va non pas murmurer, mais grincer des dents en un ou deux actes. Il sera grand parce qu'il sera petit d'une manière exemplaire. C'est d'ailleurs ce que Claudel voyait, avec un mélange d'horreur et d'admiration, quand il reconnaissait en lui « le goût français »...

Jules Renard, qui aimait La Fontaine, savait qu'on a toujours besoin d'un plus petit que soi: il a eu Jules Renard. Grande chance pour faire carrière dans un pays qui a fait du mot « petit » l'indispensable passe-partout. On a une petite amie, à qui l'on fixe un petit rendez-vous, dans un petit bistrot où le petit vin blanc est excellent. Du petit coin au brave petit gars, bonheur de vivre et petitesse sont synonymes.

Cet homme qui écrivait superbement: « Le théâtre est le dépotoir de la littérature » tenait à jour, en compagnie de sa brave petite épouse, Marinette, le cahier de recettes de ses pièces, à cinquante petits centimes près. L'écriture est moulée et les colonnes de chiffres sont tirées à la règle.

Ce n'est pas par profonde, par dantesque avarice, comme on verra chez Claudel (« ce vieillard, me disait un jour Mauriac, se décompose dans une avarice essentielle »), c'est par vocation de comptable, par nature de petit employé. D'ailleurs, Jules Renard, qui comptait sur les boutades pour cerner une vérité qui pourrissait sous ses yeux en minuscules vérités successives, n'était pas du tout sûr que la littérature ait des dépotoirs. C'était un homme de lettres. Pour l'homme de lettres, il n'y a pas d'activités de seconde zone. Ce n'était pas un écrivain, c'est-à-dire un aventurier pour qui écrire n'est qu'une manière de dénouer des crises intérieures. Jules Renard vivait la main à la plume. Plume pour les contes. Plume pour les comptes. Quand il écrivait que le théâtre est le dépotoir de la littérature, il faisait encore, il éprouvait encore le besoin de faire de la littérature. Et, dans le même temps, il composait une version théâtrale de sa nouvelle : La Demande. *La pièce, représentée en 1895, n'est pas, au reste, sa version, mais celle de son ami Georges Docquois. Ses véritables débuts se situent en 1897 et 1898, avec* Le Plaisir de Rompre *et* Le Pain de Ménage.

Il se cache sans doute, derrière Le Plaisir de Rompre, *une confidence triste, l'adieu à une petite maîtresse par un monsieur sage, trop sage, qui se marie et qui eût aimé follement aimer, mais qui, de nature, est plus proche de Monsieur Prudhomme que de Tristan. L'amour, dans les pièces de Jules Renard, va rôder comme l'ombre d'un voleur. Ce n'est pas une réalité, c'est une idée que l'on caresse, avec précaution, de loin, et qui s'évanouit bien vite. L'amour, chez Jules Renard, est pareil à ces anneaux que les petits enfants, au manège des Tuileries, tentent de décrocher : ils tournent sur leurs chevaux de bois, raides et attentifs, une petite baguette de bois au poing, et la baguette passe toujours à côté de l'anneau... De même, Jules Renard, figé, passe à côté de l'amour. Non certes du brave amour conjugal, du brave petit amour, mais de l'amour passion qu'il faut avoir connu pour donner de l'air à la création. L'amertume de n'être que ce que l'on est, l'amertume d'avoir le cœur trop petit, mêlé au balourd contentement d'être comme la moyenne des gens, donne à Jules Renard, qui marivaude, de la saveur, du pataud touchant. L'extraordinaire est que ce petit homme trouve dans son intelligence et dans son humilité de quoi s'enchanter de cette petitesse, de cette médiocrité, ou plutôt de quoi utiliser cette petitesse, cette médiocrité comme un effet de l'art. D'emblée, il atteint au type. Il se regarde au-dessous de lui-même avec tant d'acuité qu'il se dépasse. C'est tout le secret de Jules Renard.*

Il croit faire, avec ces deux actes, des « œuvres parisiennes ». Elles sont « parisiennes », en effet, par le sujet. La manière de les traiter, qui cache un drame, les fait humaines.

Puis les confidences s'élargissent, car Jules Renard, l'œil fixé sur soi, n'agit qu'en s'avouant, et, avec le siècle, naît Poil de Carotte. *C'est, aux yeux de certains, le chef-d'œuvre. Mais les artistes qui l'interprètent savent que la rouerie y a une part. On y voit Jules Renard s'apitoyant sur Jules Renard, sachant en cours de route qu'il s'apitoie, s'en dégoûtant, et gommant ses larmes de crocodile artiste d'une façon pudique qui, elle, arrache les larmes.*

Avec Monsieur Vernet, *qui, à mon sens, l'emporte sur* Poil de Carotte, *nous touchons à ce que le naturalisme a produit de plus haut au théâtre. A cette réserve près que le théâtre, dans cette école, est toujours au roman ce que le plan d'un architecte est à la riche odeur d'un vieux grenier : la vie projetée par rapport à la vie vécue, l'idée en regard de l'expérience.* Monsieur Vernet, *c'est la défense et l'illustration du bon petit amour bourgeois. L'amour passion y est représenté sous les traits de l'écornifleur, comme dans* Tartuffe *la religion sous le masque du cafard lubrique. Ce n'est pas grand, mais c'est grandement émouvant, comme* Tartuffe *est grandement comique.* Monsieur Vernet *trouvera son achèvement, sa pleine force d'émotion contenue dans l'admirable pièce de Denys Amiel :* Monsieur et Madame Untel.

Négligeons Huit Jours à la Campagne *et* Le Cousin de Rose. *Il n'y a rien à en dire, sinon que c'est du Louis Pergaud en col dur. Négligeons*

12

aussi La Maîtresse, que nous n'avons pas fait figurer dans ce « théâtre complet » puisqu'il ne s'agit pas d'une pièce, mais d'un dialogue écrit avant que Jules Renard ait songé au théâtre. De même n'avons-nous pas fait figurer L'Écrivain aux Champs, pièce en un acte tirée par Jules Princet des Bucoliques et représentée le 2 août 1908 au Théâtre du Peuple de Bussang.

Retenons La Bigote. C'est la dernière pièce de Jules Renard. C'est une confidence aussi, mais confondante. Elle fut prise à tort pour une pièce à thèse en un temps où l'anticléricalisme n'avait pas mauvaise conscience d'être primaire. Or Jules Renard ne milite pas : il décrit son père, qui s'estimait moralement cocufié par le curé, et sa mère, soumise avec ravissement, avec une sorte de jouissance vengeresse, à la soutane. Après le petit chant, fier et pudique, désolé et valeureux, en l'honneur de l'amour conjugal, après ce joli petit chœur des enfants des écoles à la gloire du brave et petit amour des vieux époux, après cela, voici, à travers La Bigote, le drame du non amour, le drame du couple qui, « à force de silence, a fini par s'entendre ». Voilà les abîmes du non amour. Ce non amour conjugal emprunte les formes de la lutte entre l'Église et la Libre Pensée. Monsieur ne croit pas en Dieu et Madame est bigote. S'agit-il d'une pièce « sac à charbon », d'une pièce « croâ-croâ », d'une pièce au service de la séparation de l'Église et de l'État, d'une ode au petit père Combes ? Non pas, il s'agit d'un souvenir douloureux. Jules Renard n'en aura jamais fini de souffrir d'avoir vécu entre un père atrocement fier et une mère tragiquement dévote. Il redemande enfance, en revivant ce drame, dans son âge mûr.

Mais Jules Renard croyait à la Fée Électricité et au Socialisme. Il plaçait, avec un mélange de générosité et de madrerie, son fauteuil d'académicien Goncourt dans le sens de l'histoire.

Après Jules Renard, un ministre s'écriera, à la tribune de la Chambre : « Nous avons éteint dans le ciel, Messieurs, des lumières qu'on ne ral-lumera plus. » C'est, si je puis dire, à la faveur de ce politique éteignoir que La Bigote passa les feux de la rampe. Jules Renard, grâce à cette pièce, fit figure de dramaturge d'avant-garde. Les criailleries des cléri-caux l'y aidèrent. Cependant, La Bigote était, plus qu'une œuvre anti-cléricale, une tragédie de la solitude à deux. De cette solitude qui devait, un jour, précipiter le père de Jules Renard dans un puits, non à la recherche de la vérité, mais de l'oubli.

L'auteur avait assez d'intelligence, et une intelligence assez désabusée, pour voir ce qui, dans son œuvre, allait dans le sens de la propagande anticléricale et ce qui allait dans le sens de la confidence tragique, ce qui était du côté de l'émouvant aveu, et ce qui était du côté de l'air du temps. Mais il y avait avantage à passer pour un écrivain révolutionnaire, un héroïque défenseur de la laïcité. Depuis soixante ans, et plus, c'est à gauche que l'homme de lettres se fait les plus belles rentes.

La veille de la mort de Jules Renard, le 21 mai 1910, Louis Nasso, dans un article publié par le journal Comœdia, entretenait ses lecteurs de la pièce que l'auteur de La Bigote projetait d'écrire, cet Entêté qui n'a jamais été achevé. Jules Renard avait à la fois créé son style et sa légende : celle du bourru sarcastique, cousine de la légende qui entourait Lucien Descaves, et que nous retrouvons aujourd'hui chez Léautaud.

13

C'est une figure qui réussit dans les lettres. Chaque époque a besoin de son misogyne littéraire.

« Et maintenant, écrivait Louis Nasso, nous attendons L'Entêté, ces trois actes que Jules Renard nous annonce et qu'il nous doit. Nous nous plaisons à le reconnaître lui-même dans ce titre. Jules Renard confessait à M. Byvanck, Hollandais débarqué à Paris en 1891 pour y découvrir les auteurs français, son plus secret tourment : « Être le premier des écrivains français vivants. » Déjà, il s'acharnait à son œuvre, ardemment, comme un paysan à son champ. Depuis vingt années, il a retourné sa terre sans relâche, roulé, hersé, semé et fauché. Je ne suis pas, sans doute, un grand connaisseur, mais je crois que son vœu d'autrefois est aujourd'hui réalisé ou bien près de l'être. Jules Renard possède, à mon avis, pour le présent, les plus beaux blés en terre et ses granges sont les mieux remplies. »

L'hommage ressemble au pavé de l'ours. On décerne un premier prix d'application. En art, l'application n'est rien, ou tout au moins doit se garder secrète. On y révèle une ambition : « être le premier des écrivains français vivants », qui n'est pas grande. C'est un mot d'homme de lettres, ce n'est pas un mot d'écrivain. Jules Renard, sans doute, méritait mieux que cet éloge.

L'article de Louis Nasso était déjà un article nécrologique. Celui de Léon Blum, le jour des obsèques, c'est l'oraison funèbre dans le plus pur style républicain. On distingue, chez les couturières, en argot de métier, celles qui font les tailleurs, les robes ajustées, et les flouteuses. L'article de Léon Blum est d'une flouteuse :

« Les lettres françaises n'ont pas fait de perte plus grave depuis Goncourt et Verlaine. Ce n'est pas seulement un grand écrivain qui vient de mourir, c'est un maître. Son œuvre, qui touche à la perfection d'aussi près qu'aucune production littéraire de ce temps, ne fut nullement une œuvre close, figée, confinée en elle-même. Ce fut une œuvre fécondante, agissante... Elle durera par son importance, par la valeur d'exemple qu'elle représentait, par la force d'influence qu'elle contient. »

Coup de chapeau à l'artiste incontestable, mais surtout éloge de l'œuvre militant en faveur du rationalisme, de l'anticléricalisme et du progrès social. Cet art de Léon Blum, art de développer vaguement, mélodieusement, généreusement, des arguments de partisan strict, cet art est à l'opposé de celui qu'il célèbre. Jules Renard dit nettement, avec sécheresse, des vérités qui n'ont pas de parti, sinon le parti pris de préférer l'immédiat, le fragmentaire, l'apparent, au transcendant, à la signification secrète. L'amour, la guerre, la mort, qui sont les thèmes de toute haute littérature, sont absents de l'œuvre de Renard, ou bien présents à l'état squelettique. Et c'est cependant une œuvre qui nous touche, car on y voit l'absolue honnêteté de la pensée à ras de terre.

Jules Renard a rompu, lui qui prenait la fonction de l'homme de lettres plus qu'au sérieux, avec le vice des hommes de lettres de son époque, qui était l'éloquence. Une éloquence telle qu'elle rendait inaudible le théâtre. Puisqu'il s'agissait de travailler dans l'humble, il a compris que l'observation des menus faits de tous les jours rendait mieux compte du réel que les tirades des confrères qui se piquaient d'aller « aux petites gens ». Directement de l'humble qui parle à l'humble qui écoute. Ce n'est pas un mince ouvrage, quand bien même il s'y mêlerait quelque maniérisme.

Un critique, M. Nazzi, dans Comœdia, écrivait à ce sujet : « Jules

Renard n'est pas de ceux-là qui étalent avec ostentation ce qu'ils appellent leurs idées, leurs opinions et leurs thèses. Il n'a point fait le tour du monde et des systèmes, il ne joue pas au pédagogue, il n'est qu'un artiste, et son idéal est de traduire humainement la nature de l'homme. »

Il n'est pas très sûr que cette « traduction humaine » soit une traduction fidèle. C'est l'homme moins les passions et les grands mouvements de l'âme. Mais le scrupule de rien fausser, d'aller au fait sans passer par « les idées », se retrouve dans le style dramatique de Jules Renard, plus que dépouillé, écorché.

Il y a deux façons d'avoir du style : c'est d'être habité par les dieux ou d'être très simplement et scrupuleusement soumis aux choses. Les deux exigent une égale pureté. Renard a du style. Il n'en doutait d'ailleurs pas, lui qui notait dans son journal : « Capus aura tout de même du mal à résister. La postérité a un faible pour le style. »

Son théâtre est d'ambition plus limitée encore que son œuvre romanesque, mais il résiste. C'est le salut par le style, et il y a de l'honneur à bénéficier d'un tel salut.

Louis Pauwels.

LA DEMANDE

JULES RENARD
& GEORGES DOCQUOIS

Georges Docquois ayant publié dans le Journal *une enquête : « Quel poète devrait, dans l'admiration des jeunes, reprendre la place de Leconte de Lisle ? » dans sa réponse, Jules Renard affirmait sa passion « pour le Dieu des images », Hugo. Cependant, cette rencontre entre Georges Docquois et Jules Renard n'a point suscité une collaboration se situant sur le plan lyrique, mais une petite œuvre théâtrale du plus parfait réalisme. Tirée de la nouvelle de Renard,* Le Sourire Pincé, *l'argument de cette pièce met en scène une de ces histoires de famille, comme on en trouve presque toujours dans le théâtre de Renard. Cette « demande » (qui n'est pas sans rappeler Henri Monnier et aussi Balzac) est éclairée, malgré le sordide de cette intrigue de maquignons, par le personnage d'Henriette qui est de la race des victimes dont on fait les Poil de Carotte. Mais notons que le texte de* La Demande *est de Georges Docquois. Celui-ci, en 1912, a révélé le mécanisme d'une collaboration peu ordinaire. Chacun de leur côté, Renard et Docquois avaient écrit le petit acte de* La Demande. *Puis ils ont décidé de demander à un arbitre de choisir la version qu'il jugera la meilleure. Ce « juge », E. Bordeveix, ayant choisi celle de Docquois, celui-ci fit représenter la pièce dans sa ville natale, à Boulogne-sur-Mer, le 26 janvier 1895. Cependant, la pièce fut véritablement créée au Théâtre de l'Odéon, le 9 novembre 1895, en même temps que*

19

Crise Conjugale *de Berr de Turrique. Elle devait être jouée quinze fois de suite pour disparaître de 1895 à 1903. Entre 1903 et 1934, La Demande fut jouée encore quatre fois à Paris et dix fois dans les départements.*

Renard, en 1895, était fort satisfait de voir son nom sur l'affiche du Théâtre de l'Odéon et il était satisfait aussi de l'accueil du public. Le lendemain de la première représentation, il écrivait à Maurice Pottecher : « Hier, je n'étais pas mécontent. La Demande avait produit sur le public du Dimanche soir un effet que je n'espérais plus. Tout portait. Les acteurs rayonnaient, et le concierge lui-même crut devoir me féliciter. Et je me disais : La Demande ferait un très supportable lever de rideau au Théâtre du Peuple de Pottecher. » Antoine confirme dans une certaine mesure l'enthousiasme de Renard ; selon lui, la pièce fut jugée « ne point manquer de saveur en son apparente naïveté ». La pièce et les acteurs (Mlle Grumbach, Mme Raucourt, Mlle Marsa, MM. Montbars, Paumier, Darras) ont été loués par la critique, avec sympathie, mais sans chaleur. Le Monde Illustré (sous la signature d'Hippolyte Lemaire) fut encore plus réservé : « maigre sujet »... « exécution laborieuse »... « succès médiocre ». Mais les admirateurs de Jules Renard peuvent se consoler en se disant qu'après tout toutes ces sévérités là s'adressaient à l'auteur, à Georges Docquois...

PERSONNAGES

RÉPIN — MM. MONTBARS

GAILLARDON — DARRAS

MALAHIEUDE — PAUMIER

Mme RÉPIN — Mmes RAUCOURT

HENRIETTE — GRUMBACH

MARIE — MARSA

AUGUSTINE — DANZAS

La salle principale d'une ferme. Au fond, une large porte (milieu gauche) et une grande fenêtre (milieu droite) ouvertes sur la cour de la ferme. Vue d'étables, écuries, champs. En pan coupé, au fond, a droite, porte vitrée de la cuisine. A gauche, premier plan, porte de la chambre des Répin. A droite, deuxième plan, porte de celle des filles. Un bahut a droite, premier plan. Une grande table, également a droite, premier plan. Chaises, etc...

1

RÉPIN, GAILLARDON, Mme RÉPIN, puis AUGUSTINE.
Répin et Gaillardon, assis à la table,
prennent le vermouth.

GAILLARDON, *le chapeau sur la tête, un verre dans une main, sa pipe dans l'autre.*

Oui, c'est un vermouth agréable.

RÉPIN, *vernis de régisseur.*

C'est que je n'aime guère boire que de bonnes choses, voyez-vous... Et alors, là, c'est par hasard que vous vous êtes trouvé à passer devant la ferme, ce matin ?

GAILLARDON, *Parisien deux jours par mois pour vendre ses bœufs.*

Par hasard, oui... Vous savez que, chaque dimanche, j'ai l'habitude de faire la partie de cartes avec Jean Louvet ?

RÉPIN

Oui.

GAILLARDON

Mais le gaillard se marie.

Mme RÉPIN, *parler lent.*

Avec qui donc ?

GAILLARDON

Avec la fille du fermier Patu. Oh ! c'est bien assorti.

23

Mme RÉPIN

Et vous, m'sieur Gaillardon, ça ne vous tente point ?

GAILLARDON

Quoi ? Ah ! de me marier ? Eh ! on y pense, madame Répin, on y pense. *(Il boit.)* Oui, on y pense.

RÉPIN

Vous vous promenez tout seul, alors, ce matin ?

GAILLARDON

Oui, et, même, en venant de votre côté, j'ai rencontré vos deux demoiselles sur le chemin de la messe.

Mme RÉPIN

Elles vous ont vu ?

GAILLARDON

Oui donc ! qu'elles m'ont vu. Je les ai arrêtées et je leur ai dit : « Mesdemoiselles, ça vous va ? » Et elles m'ont répondu, bien honnêtement : « Très bien pas mal, merci, monsieur Gaillardon, et vous ? » C'est même ce qui m'a donné l'idée de pousser jusqu'ici, parce que je me suis mis à repenser à la petite taure ; vous savez, m'sieur Répin ?

RÉPIN

Ah ! oui, la borgne...

GAILLARDON

Juste ! Eh bien, vous vous rappelez le prix que je vous en ai offert, il y a quelque temps ?

RÉPIN

Et vous vous rappelez ce que je vous ai répondu ?

GAILLARDON

Oh ! à ce prix-là, bien sûr, elle est trop chère.

RÉPIN

Je l'aurais nourrie depuis le printemps, et j'aurais couru des risques pour ne rien gagner dessus ?

Mme RÉPIN

Ce serait vraiment trop triste.

GAILLARDON

Pourtant je vous assure...

RÉPIN, *se levant.*

Non, tenez, venez voir la bête.

GAILLARDON, *vidant son verre et se levant aussi.*

D'accord ; entre gens de conscience, on s'entend toujours, n'est-ce pas ?

(Il rejoint Répin, qui se dirige vers la sortie.)

RÉPIN, *sur le seuil, parlant dans la cour.*

Qu'est-ce qu'il y a ?

AUGUSTINE, *paraissant, venant de gauche.*

Not'maître, c'est Arthur qui ramène la Grise qui vient de s'abî-
mer le genou.

RÉPIN

Crédié ! une si belle jument !

(Il disparaît, suivi de Gaillardon.)

2
_____

Mme RÉPIN, AUGUSTINE, puis HENRIETTE et MARIE.

Mme RÉPIN, *à Augustine qui est entrée.*

Comment que c'est arrivé, ce malheur-là ?

AUGUSTINE

Je ne le sais point. C'est au retourner de l'abreuvoir, qu'm'a
dit Arthur. La Grise aura buté.

Mme RÉPIN

C'est-il grave ?

AUGUSTINE

Je ne le sais point. C'est Arthur qui m'a dit que ça ne serait peut-
être pas une grande affaire.

Mme RÉPIN

C'est un imbécile, Arthur. Je n'ai jamais vu un domestique aussi
peu dégourdi.

AUGUSTINE

Oh ! la Grise...

Mme RÉPIN

C'est bon. Ramasse les verres et passe un torchon sur la table.

AUGUSTINE, *en décrochant un torchon près de la fenêtre.*

La messe est finie, voilà Mlles Henriette et Marie.

*(Elle va à la table et la nettoie. Derrière les vitres de la fenêtre, on
voit passer les deux sœurs en causerie très animée.)*

HENRIETTE, *entrant, à sa sœur qui la suit.*

Ça sera pour dans quinze jours, alors ?

MARIE

Probablement.

Mme RÉPIN

Quoi donc ? Qu'est-ce qui sera pour dans quinze jours ?

25

HENRIETTE, *défaisant son chapeau.*

Le mariage de Louise Patu.

MARIE, *de même.*

M. le Curé a publié ses bans à la messe.

(Augustine va porter les chapeaux dans la chambre de droite et revient.)

HENRIETTE

A-t-elle de la chance, cette Louise Patu !

MARIE, *à sa mère.*

Elle épouse Jean Louvet.

Mᵐᵉ RÉPIN

Je le sais.

MARIE

Tiens ! Par qui l'as-tu su ?

Mᵐᵉ RÉPIN

Par M. Gaillardon.

HENRIETTE

Il est venu.

Mᵐᵉ RÉPIN

Oui.

HENRIETTE

Pourquoi ?

Mᵐᵉ RÉPIN

Pour la taure, il paraît.

HENRIETTE

Nous l'avons rencontré en allant à l'église.

Mᵐᵉ RÉPIN

Il vous a parlé.

MARIE

Oui, il nous a demandé : « Comment ça vous va ? » Nous lui avons répondu. Il est resté un instant à nous regarder toutes les deux... Hein, Henriette ?

HENRIETTE, *riant.*

Oui, comme pour faire son choix.

Mᵐᵉ RÉPIN

Et puis ?

MARIE

Et puis, il est parti, sans rien dire.

HENRIETTE

Il n'est plus à la ferme ?

Mᵐᵉ RÉPIN

Si, il est à l'étable, avec ton père.

HENRIETTE, *s'asseyant.*

Ah ! cette Louise Patu, en a-t-elle de la chance !

Mme RÉPIN, *déployant une nappe.*

Allons, mes enfants, l'heure du dîner vient. Il faut mettre la table. Augustine, apporte les couverts.

(Augustine disparaît dans la cuisine.)

MARIE

Dis donc, Henriette ? Tu ne trouves pas que M. Gaillardon nous a acheté bien plus de bêtes cette année que l'année dernière ?

HENRIETTE

Tu crois ?

(Augustine est revenue avec une pile de quatre assiettes, quatre verres, etc... Elle pose le tout sur la table.)

Mme RÉPIN,

Allons, Henriette ! Allons, Marie !

(Henriette et Marie placent les quatre couverts.)

3

LES MÊMES, RÉPIN.

Mme RÉPIN, *se précipitant vers Répin qui entre.*

Et la Grise, Répin ?

RÉPIN

La Grise ? La Grise ?... Ah ! oui. Eh bien, rien de mauvais. D'ailleurs, je viens d'envoyer quérir m'sieu Malahieude, le vétérinaire. Mais il s'agit bien de la Grise !

Mme RÉPIN, *remarquant tout à coup l'œil inaccoutumé de Répin.*

Quoi donc ?

(Henriette et Marie se rapprochent.)

RÉPIN

Écoutez, écoutez, bonne nouvelle ! Gaillardon en prend une !

Mme RÉPIN, *ahurie.*

Une quoi ?

RÉPIN

Fais donc la niaise ! Une de nos filles, et non une de tes dindes !

Mme RÉPIN

Hein ?... Vrai ?

RÉPIN

Mettez une assiette de plus.

Mme RÉPIN

Pourquoi ?

RÉPIN

Tu comprends, je l'ai invité à déjeuner. Il accepte.

Mme RÉPIN

Mais où est-il ?

RÉPIN

Il regarde nos bêtes.

Mme RÉPIN

Laquelle prend-il ?

RÉPIN

Quoi ?

Mme RÉPIN

Henriette ou Marie ?

RÉPIN

Ah ! bon !... Mais, vous le savez bien ! je l'ai toujours dit : *(Il chantonne sur l'air :* Quand trois poules.*)* Quand deux filles sont à marier, c'est l'aînée qui va devant. La cadette suit derrière !

Mme RÉPIN

Henriette, alors ?

RÉPIN

Évidemment !

MARIE, *sautant de joie.*

Oh ! tant mieux ! Mon Henriette ! Tant mieux !

RÉPIN, *s'asseyant et passant un mouchoir sur son crâne lisse.*

Ah ! mes enfants ! *(A Henriette.)* Tu peux te vanter de m'en avoir donné du mal, toi ! Me diras-tu pourquoi j'ai eu tant de peine à te caser ? Il faut l'avouer, la corvée étant faite : je perdais courage.

HENRIETTE, *bonté, bêtise, docilité.*

C'est que je ne suis pas bien jolie, papa.

RÉPIN

C'est vrai, nous t'avons un peu manquée... A la seconde reprise, nous avons mieux réussi Marie.

MARIE

Alors, maintenant, puisque Henriette a son affaire, mon tour est venu, papa ?

RÉPIN, *gaîté ronde.*

Oui, mais il ne faut pas pour cela te monter la tête. Il suffit que tu sois à prendre pour qu'on ne veuille plus de toi. Ça arrive.

MARIE

Oh ! papa, on m'a si souvent demandée !... Mais tu les envoyais tous promener, mes prétendants.

RÉPIN

Je te le répète, ce n'était pas à toi à te mettre en tête. L'aînée passe avant la cadette, je ne sors pas de là. Aussi, parlons d'abord du mariage de ta sœur ; nous penserons au tien après.

Mme RÉPIN

Alors, c'est fait ?

RÉPIN

Oh ! je vous ai bâclé ça en deux temps et trois mouvements, en lui vendant ma petite taure. J'y ai perdu six écus. Je ne les regrette pas. On ne fait jamais trop pour ses enfants. Tout ce qui est ici à moi vous appartient, mes filles, tout.

Mme RÉPIN

Et il reste à déjeuner ?

RÉPIN

Oui ; il est en train de s'entretenir avec Arthur qui doit lui emmener sa bête à cornes au chemin de fer.

Mme RÉPIN

Eh ben ! qu'est-ce que je vais lui donner à cet homme ? Il n'y a que des restes.

RÉPIN

Ne t'inquiète donc pas, bête ! Je l'ai invité sans façon, à manger un morceau sur le pouce.

Mme RÉPIN

Je connais ça : on dit qu'on va manger un morceau sur le pouce, et on dévore pendant trois heures d'horloge !

RÉPIN

Fais sauter un poulet !

Mme RÉPIN

Fais sauter un poulet ! Il faut le temps ! Je ne le tiens pas, le poulet ! Le poulailler est vide, et je peux crier toute la journée : ti, ti cocotte ! ti, ti cocotte ! sans rien attraper. Tu ne pouvais pas me prévenir ?

RÉPIN

Prévenir de quoi ? Est-ce que je savais que Gaillardon avait des vues sur Henriette, moi ?

Mme RÉPIN

Et si tout se dérange, j'en serai pour mon déjeuner, moi !

RÉPIN

Paix !

Mme RÉPIN

Je vais faire une grande omelette.

RÉPIN

Bon. Emmène Marie, pour t'aider.

Mᵐᵉ RÉPIN

Mais j'ai Augustine. Ça suffit.

RÉPIN

Emmène Marie, je te dis !... J'ai mon plan... Gaillardon attendra en causant avec Henriette. Laissons-les un peu seuls, ça les « amoudera ». Ah ! c'est qu'il t'aime, celui-là, ma fille ! Il m'a dit : « C'est convenu » d'un ton qui me l'a bien prouvé...

(Il sort.)

Mᵐᵉ RÉPIN, *allant rejoindre dans la cuisine Augustine, qui, pendant la scène, a achevé de dresser le couvert.*

Allons, viens, Marie.

4

HENRIETTE, MARIE.
Marie, qui suivait sa mère, revient sur ses pas, regarde sa sœur un instant, puis va lui sauter au cou.

MARIE

Tant mieux, mon Henriette, tant mieux !... Mais tu n'as pas l'air content...

HENRIETTE

Si, si...

MARIE

M. Gaillardon ne te plaît pas ?

HENRIETTE

Si, si...

MARIE

C'est que, sais-tu, c'est un bonheur !

HENRIETTE

Oh ! oui ! un bonheur, mais...

(Geste vague.)

MARIE

Bête !...

HENRIETTE

Je sais bien... je suis une oie... Et, toi, tu as l'air content.

MARIE

Mon Henriette, ma chère Henriette ! Oui, je suis contente. D'abord pour toi, et puis encore pour moi, car, sans reproche, tu me bouchais un peu le chemin. Si tu as vingt-six ans, je tombe dans mes vingt-trois, moi, tu sais ?

HENRIETTE

Tu ne m'en veux pas, au moins ?

30

MARIE

Si je t'en veux ! Quelle bonne sœur tu fais ! Tu me donneras un garçon d'honneur d'attaque, hein ?

HENRIETTE

Et du bois dont on fait les maris, tu peux compter sur moi.

MARIE

Quand on pense que voilà que tu as fait tout le chemin d'un coup, sans t'en douter !... Quelle veine ! Mais dis donc ! veux-tu bien rire !

HENRIETTE

C'est plus fort que moi. Je me sens mal à l'aise. C'est le manque d'habitude. Je ne peux pas croire que la chance vienne enfin de mon côté. Oh ! je sais ce qu'on pense de moi, va ! « Cette pauvre Henriette, dit-on, elle est laide, et c'est une oie. — Oui, qu'on dit, mais elle n'est pas méchante. Et on répond : Il ne manquerait plus que ça. » Voilà ce qu'on pense, et mon bonheur me surprend. Je ne l'attendais plus. J'ai fini par être de l'avis de tout le monde : je suis trop laide... trop oie... Il aura peur, mon bonheur.

MARIE

Veux-tu bien finir ! Qu'est-ce que c'est que ces manières ?

Mᵐᵉ RÉPIN, *de la cuisine.*

Marie ! Marie !

MARIE

Oui, maman !... *(A Henriette.)* Allons, bon ! voilà que tu pleures, maintenant !

HENRIETTE

C'est rien... C'est les nerfs...

(Exit Marie.)

5

HENRIETTE, puis GAILLARDON.
Henriette seule, s'essuie les yeux, reste un instant en elle-même ; elle s'assied, poursuivant son muet soliloque, qui se termine à mi-voix.

HENRIETTE

Non, ce n'est pas possible... Je suis trop bête, trop oie.

(Entre Gaillardon, venant de la cour. Il souffle désespérément dans une pipe.)

GAILLARDON, *s'avançant, tout à sa pipe.*

Dire qu'elle n'est pas bouchée, ça serait mentir. *(Il tapote le fourneau sur la paume de sa main, puis souffle encore une fois dans*

31

le tuyau.) Oh! elle l'est, bouchée, pour sûr, et bien bouchée encore !... Dites donc, madame Répin ?... *(Apercevant Henriette.)* Tiens, ça n'est point Mme Répin... Pardon, mademoiselle... *(Il la regarde. Henriette s'est levée, interdite, rouge, les yeux baissés.)* Pardon, pardon... *(Il la regarde encore puis, par contenance, il souffle à nouveau dans sa pipe, riant.)* Oh ! pour bouchée, sauf vot'respect, elle est bien bouchée !... *(Nouveau tapotage du fourneau sur la main. Un temps de gêne.)* Mais je vais la déboucher, pour ça, oui... *(Il se dirige vers la cour. Henriette est retombée sur sa chaise. Sur la porte, Gaillardon se ravise. A part.)* Sapristi ! Répin qui m'avait dit... Après tout, je peux bien lui demander, à elle !... *(Haut.)* Pardon, mademoiselle, mais vous n'auriez pas, des fois, une aiguille à tricoter ? *(Il rit.)* Oui, pour déboucher ma pipe... *(Henriette, gauchement, s'est précipitée vers le bahut qu'elle a ouvert et où elle a trouvé l'aiguille demandée. Elle l'apporte à Gaillardon, sur lequel elle n'ose toujours pas lever les yeux.)* Ah ! merci, mademoiselle... Avec ça, voyez-vous... *(Il va sur le seuil et commence à tracasser la pipe avec l'aiguille. Du coin de l'œil, tout en tracassant, il guigne Henriette. A part.)* Vrai ! elle a un air godiche...

(Il continue son débouchage sur le seuil, en faisant face à la cour.)

HENRIETTE, *à part.*

Je suis trop bête, trop oie...

6

GAILLARDON à la porte, HENRIETTE, AUGUSTINE, MARIE, puis RÉPIN et Mme RÉPIN.

AUGUSTINE, *elle sort de la cuisine et tient une soupière fumante, qu'elle pose au milieu de la table.*

Là, voilà la soupe !

(Elle retourne à la cuisine.)

RÉPIN, *devant le seuil, à Gaillardon.*

Et cette pipe ?

GAILLARDON, *soufflant bruyamment dedans.*

Vous voyez, m'sieu Répin, elle se débouche, elle se débouche. *(Il rit.)* Mais, passez donc.

RÉPIN, *il entre et va directement à Henriette ; lui désignant Gaillardon.*

Eh bien, mon Henriette, il est venu ?

HENRIETTE

Oui, papa, il est venu.

RÉPIN

Qu'est-ce qu'il t'a dit, mon Henriette ?

HENRIETTE

Il m'a rien dit, papa.

> *(Mme Répin paraît, suivie de Marie.)*

Mme RÉPIN

Allons, la soupe est sur la table. Monsieur Gaillardon !

> *(Elle marche jusqu'au seuil avec Marie.)*

GAILLARDON, *sur la porte, à Mme Répin et à Marie.*

Bonjour, la nouvelle famille ! Mademoiselle, depuis tout à l'heure, ça vous va ?

MARIE

Très bien, pas mal, merci, et vous ?

RÉPIN, *à Henriette.*

Il t'a rien dit ?

HENRIETTE

Il m'a rien dit.

RÉPIN

Ça me paraît drôle.

HENRIETTE

C'est pourtant vrai.

RÉPIN

Ça, c'est fort. Il n'a cependant pas l'air timide, ce garçon... Voyons voir, voyons voir... Il a peut-être trop faim...

GAILLARDON, *triomphant, sur la porte.*

Monsieur Répin ! Monsieur Répin ! elle est débouchée !

Mme RÉPIN

A table, monsieur Gaillardon, à table !

RÉPIN, *remontant.*

Oui, à table ! la soupe refroidit.

> *(Gaillardon, Mme Répin et Marie descendent.)*

Mme RÉPIN

Où donc que vous allez vous mettre, monsieur Gaillardon ?

GAILLARDON

Moi, oh ! ça m'est égal... Où vous voudrez, vous...

Mme RÉPIN

Il serait peut-être mieux de vous mettre à côté de mes filles... mais, en faisant le service, elles vous dérangeraient.

GAILLARDON

Oh ! non, elles ne me dérangeraient pas.

Mme RÉPIN

Et si, des fois, en apportant les plats, elles renversaient de la sauce sur votre veste ?

GAILLARDON, *gros rire.*

Ah ! par exemple, ceci ne serait point à faire !

Mme RÉPIN

Dame ! mettez-vous où vous voudrez.

GAILLARDON

Non, non, où vous voudrez, vous. Moi, je vous dis, ça m'est égal.

(Tous ont pris une chaise, sur le dossier de laquelle ils tambou-rinent, prêts à s'élancer, au moindre commandement, pour s'asseoir.

Mme RÉPIN, *comptant les couverts.*

Un, deux, trois, quatre, cinq... C'est bien ça, le compte y est... Voyons : Répin, là ; vous, là ; moi, là... Non, ça ne va pas... Vous, ici, mes filles... Ah ! ouath ! jamais je ne réussirai !... Voyez-vous, j'ai peur à cause de la sauce... Un malheur peut arriver. Comment faire ?... Qu'est-ce que tu en penses, toi, ma Marie ?

MARIE

Oh ! moi, ça m'est égal.

Mme RÉPIN

Et toi, mon Henriette, qu'est-ce que tu en penses ?

HENRIETTE

Oh ! moi, ça m'est égal.

RÉPIN

Tiens, femme, tu nous ennuies. En voilà des manières ! Asseyez-vous là, monsieur Gaillardon, à côté de moi. *(Il s'assied à gauche.)* Et, les autres, arrangez-vous. Après tout, vous êtes de la famille, et si vous n'en êtes pas, vous en serez.

(On rit et on s'assoit. Gaillardon, à gauche de Répin, Mme Répin, face au public, avec Henriette à sa gauche et Marie à la gauche d'Henriette.)

GAILLARDON

Quel homme rond que M. Répin !

RÉPIN

Rond comme la terre !

GAILLARDON

A la bonne heure ! Au moins, vous comprenez les affaires.
(S'apercevant qu'il a conservé son chapeau, il l'ôte de dessus sa tête, se lève et cherche des yeux un clou pour l'y pendre. Tous le regardent, sans mot dire, pendant que Mme Répin verse la soupe dans les assiettes. De guerre lasse, Gaillardon pose son chapeau sur une chaise et vient se remettre à table.)

RÉPIN

Là, ça y est.

(On mange la soupe.)

GAILLARDON, *entre deux cuillerées.*

Alors, c'est convenu. Quand fixons-nous la date ?

RÉPIN

Un peu de patience ! Tout à l'heure, en prenant le café.

Mme RÉPIN, *riant.*

Vous attendrez bien une petite minute ?

GAILLARDON

Bon, bon.

(On achève la soupe en silence.)

Mme RÉPIN, *appelant.*

Augustine !
(Augustine arrive de la cuisine avec un plat de viande et de légumes.)

GAILLARDON, *après s'être essuyé la bouche avec sa serviette, frappe sur l'épaule de Répin.*

Ah ! mon vieux beau-père ! votre jument l'échappe belle !

RÉPIN

En effet. Ça vous fait plaisir ?

GAILLARDON

Plaisir ? Je crois bien ! C'est-à-dire que, s'il lui était arrivé malheur, j'en aurais pleuré. J'aime mieux les bêtes que les gens... Ah ! pourtant, ces demoiselles ne doivent pas prendre ça pour elles ! *(On rit. Gaillardon à Mme Répin qui lui emplit son assiette, pendant qu'Augustine verse à boire dans les verres.)* Merci, merci.

Mme RÉPIN

Vous m'excuserez, au moins, pour le déjeuner, m'sieu Gaillardon. *(Elle sert son mari et ses filles.)* Je n'étais pas prévenue, moi.

GAILLARDON

Voyons, maman Répin, il n'y a pas de cérémonies à faire avec un gendre.

RÉPIN, *rectifiant spirituellement.*

Futur, je dis : futur !

GAILLARDON

Bah ! tout n'est-il pas convenu déjà ?

(On mange.)

Mme RÉPIN

C'est égal, j'aurais voulu vous faire plus d'honneur. Mais nous sommes loin de Paris où on dit qu'on a dans n'importe quel restaurant des tas d'affaires presque pour rien et tout de suite.

GAILLARDON

Oui, mais, croyez-moi, madame Répin, ça n'est guère mangeable, ce qu'ils vous débitent là-bas à si bon compte. J'en sais quelque chose, n'est-ce pas ? vu que j'y vais deux fois par mois, à Paris, pour vendre mes bœufs. Bref, on en a toujours pour son argent.

RÉPIN

Bien sûr. *(Après un moment de mastication.)* La saison ne finit pas très bien, il me semble. Le temps ne se maintient pas comme on aurait cru...

GAILLARDON

C'est ce que je disais ce matin, en rencontrant vos deux demoiselles. *(Il regarde Marie.)* Je me disais : « Gaillardon, c'est ennuyeux, ça sent la feuille morte... »

RÉPIN

Bah ! d'ici à la Toussaint, il y aura encore de bons jours, marchez !

GAILLARDON

Ah ! sacristi ! n'empêche que le préfet a rudement bien fait de remettre l'ouverture de la chasse.

RÉPIN

Oui, il y a encore des blés à couper.

GAILLARDON

Et les avoines ! et les warrats !

RÉPIN

Not' préfet est un charmant homme.

GAILLARDON

Vous le connaissez ?

RÉPIN, *se rengorgeant.*

J'ai eu l'occasion de l'approcher quelquefois. Il m'a parlé ! Tenez, la dernière fois, c'était à l'exposition agricole. Il m'a dit en toutes lettres : « Monsieur Répin, vos produits sont superbes ; superbes, vous entendez, monsieur Répin ? »

GAILLARDON

Ah ? et vous lui avez répondu ?

RÉPIN, *dignement.*

Oui, monsieur Gaillardon, je lui ai répondu ! Je lui ai répondu : « Monsieur le préfet est bien bon... Vous êtes bien bon, monsieur le préfet. »

GAILLARDON

Très bien !

RÉPIN

Attendez ! Et j'ai ajouté : « Si mes produits paraissent superbes à monsieur le préfet, c'est que monsieur le préfet veut bien les honorer de son regard. »

GAILLARDON

Bravo ! et vous n'avez plus rien ajouté ?

RÉPIN

Non, le préfet est parti, très flatté, et moi, je suis resté, très flatté aussi, devant mes produits.

Mᵐᵉ RÉPIN, *appelant.*

Augustine !

(Augustine apporte l'omelette et s'en va, emportant les restes du plat de viande. Il s'est fait un temps de silence, que Gaillardon occupe à regarder Marie.)

GAILLARDON

La belle omelette !

Mme RÉPIN

Donnez-moi votre assiette, monsieur Gaillardon.

(Elle le sert.)

GAILLARDON

Merci, merci, c'est trop.

Mme RÉPIN

Mais non. *(Servant Répin.)* Tiens, Répin. *(Servant Henriette, elle lui parle bas.)* Mais tu ne dis rien, Henriette. Il va croire que tu es muette.

HENRIETTE, *bas.*

Comme il regarde Marie !

Mme RÉPIN, *même jeu.*

Oh ! il ne faut pas t'en inquiéter. Tu comprends, cet homme, il n'ose pas te regarder tout d'abord et franchement, comme un effronté. *(Elle se sert.)* Il s'essaie et prend du courage avec ta sœur.

HENRIETTE, *de même.*

Oui, je comprends.

MARIE, *haut.*

Maman, tu m'oublies. *(Bas.)* Qu'est-ce que vous dites ?

(Les trois femmes causent entre elles en mangeant.)

RÉPIN, *poursuivant une conversation avec Gaillardon.*

Vous le savez bien ; il faut qu'un bœuf vendu paie son engrais à raison de un franc par jour.

GAILLARDON, *achevant son omelette.*

Et encore, ce n'est pas beau !

RÉPIN

Parfaitement, on fait ses frais, voilà tout.

(Un petit temps.)

GAILLARDON, *se levant, bas à Répin.*

Je me sauve une petite minute, hein, vous permettez ? *(Il rit.)* Mâtin ! on ne meurt pas de soif, chez vous !

(Il s'esquive vers la cour.)

RÉPIN, *aussitôt fiévreusement.*

Attention ! Gaillardon ne va guère tarder à rentrer. Faut qu'il se trouve seul avec notre Henriette. Alors, tout à l'heure, il t'a rien dit, mon Henriette ?

HENRIETTE

Non, papa, il m'a rien dit.

RÉPIN

Oh ! cette fois-ci, il te parlera... Toi, femme, va faire le café à la cuisine, et, quand Gaillardon rentrera, appelle Marie. Moi, je me sauve dans la chambre. Quand il en sera temps, Henriette, tu viendras me chercher.

HENRIETTE

> Oui, papa.

> *(Répin disparaît à gauche, et Mme Répin dans la cuisine.)*

7

HENRIETTE, MARIE, GAILLARDON, Mme RÉPIN dans la cuisine.
Gaillardon, dès la sortie de Répin, reparaît, poussant un gros soupir d'aise. Il trouve Marie occupée à empiler des assiettes sales tandis qu'Henriette, de sa place, qu'elle n'a pas quittée, la regarde faire.

GAILLARDON, *étonné.*

> Tiens !... M. Répin et Mme Répin ne sont plus là ?

MARIE

> Oh ! papa va revenir, maman fait le café.

VOIX D'AUGUSTINE

> Mamz'elle Marie !

MARIE

> Voilà !

> *(Elle sort avec la pile d'assiettes.)*

8

HENRIETTE et GAILLARDON en scène, MARIE ET Mme RÉPIN dans la cuisine.
Henriette, les yeux toujours baissés, joue gauchement avec le bord de la nappe. Gaillardon s'est rassis à sa place. Les mains sur son ventre, il tourne ses pouces, les yeux fixés sur la porte de la cuisine. Ce jeu de scène dure un temps. Henriette ne se lasse pas de jouer avec le bord de la nappe, et elle s'enhardit jusqu'à regarder, par coups d'œil furtifs, Gaillardon qui, fatigué de tourner ses pouces sur son ventre, s'est levé pour aller jusqu'à la porte de la cour, dans laquelle il plonge une seconde. Pour le coup, Henriette a les yeux grands ouverts et regarde courageusement le dos de Gaillardon. Mais Gaillardon, les mains croisées sur les reins, se retourne et, méthodiquement, d'un pas de promenade, il descend jusqu'à la rampe, qu'il se met ensuite à longer de gauche à droite, et qu'il lâche pour cingler droit vers la porte de la cuisine, aux vitres de laquelle, après une courte halte, il frappe résolument.

GAILLARDON, *à Marie qui entrouvre l'huis.*

> Vous restez partie... Je vous fais donc peur ? *(Un temps durant lequel Marie, interdite, ne trouve rien à répondre.)* Faudrait pourtant vous habituer à moi.

Mᵐᵉ RÉPIN, *paraissant derrière Marie.*

C'est comme ça que vous laissez mon Henriette ?

GAILLARDON

Oh ! j'ai bien le temps de la voir, elle !

Mᵐᵉ RÉPIN, *finement.*

Ça, c'est vrai... Ah ! mais, c'est égal, ça n'est pas très aimable ce que vous dites là, monsieur Gaillardon !... Allons ! laissez-vous donc voir un peu tranquilles. Nous avons à travailler. Henriette n'a rien à faire ; bavardez avec elle, à votre aise.

(Elle lui ferme la porte au nez, bruyamment.)

9

HENRIETTE, GAILLARDON.

Henriette, toujours à sa place, paraît de plus en plus gênée. Gaillardon, après un geste d'ennui, reprend son pas de promenade et se met à longer le fond. En passant derrière Henriette, il s'arrête une seconde, mais, ne trouvant pas de phrase, il repart, s'arrête devant la place de Répin, et s'y assoit. Alors, Henriette reprend un peu de courage et ose relever les yeux. Gaillardon et elle se regardent. Soudain, Gaillardon fait le geste de délivrance de l'homme qui a trouvé, et sa main, précipitée aux profondeurs d'une poche, en ramène triomphalement la pipe. Gaillardon en inspecte le fourneau, puis, se la campant dans la bouche, il fait dans le tuyau une petite musique de pompe aspirante et refoulante.

HENRIETTE, *aimable.*

Peut-être que vous voudriez, des fois, une aiguille à tricoter ?

GAILLARDON, *ayant pompé encore un peu et s'étant ôté la pipe du bec, avec un gros rire.*

Oh ! pour débouchée, cette fois-ci, elle est bien débouchée.

(Gaillardon replace sa pipe entre ses dents, et sa main, précipitée aux profondeurs d'une autre poche, en ramène un rouleau de peau de taupe gonflé de tabac. Calé sur sa chaise comme pour attendre en patience, il se met à bourrer sa pipe, longuement, sans plus s'occuper d'Henriette, qui, à la fin, dépitée, se lève et va à la porte de la cuisine.)

10

GAILLARDON, HENRIETTE, Mᵐᵉ RÉPIN, MARIE, puis RÉPIN.

La porte de la cuisine s'ouvre en silence. Mᵐᵉ Répin et Marie paraissent dans l'encadrement.

Mᵐᵉ RÉPIN, *anxieuse, à mi-voix.*

Qu'est-ce qu'il t'a dit, mon Henriette ?

MARIE, *de même.*

Oui, qu'est-ce qu'il t'a dit ?

HENRIETTE

Il m'a rien dit.

MARIE, *les bras croisés, à sa mère.*

Eh bien, tu crois ! Eh bien, tu crois !

Mme RÉPIN, *haut*

J'vas servir le café. Henriette, va appeler ton père.

(Gaillardon allume sa pipe.)

HENRIETTE, *à la porte de gauche.*

Papa ! papa !

RÉPIN, *paraissant aussitôt, bas à Henriette.*

Qu'est-ce qu'il t'a dit, mon Henriette ?

HENRIETTE, *de même.*

Il m'a rien dit.

RÉPIN

Tu m'ébahis. Je n'en reviens pas. N'aie pas peur, va, je vais m'en mêler, moi, tu vas voir.

(Mme Répin apporte le café et le verse dans les tasses. Henriette et Marie sont assises. Répin reprend aussi sa place.

GAILLARDON

Ah ! vous voilà, monsieur Répin ?

RÉPIN

Oui, j'étais allé chercher ma pipe, moi aussi.

(Il allume sa pipe.)

GAILLARDON, *reniflant sa tasse.*

Mmmmm ! Voilà un café qu'a un rude parfum, c'est pas pour dire !

Mme RÉPIN, *pincée.*]

Je l'ai fait bon, vous pensez.

(Elle s'assied à son tour. Un temps employé par tous à s'humecter les lèvres dans le café brûlant.

RÉPIN, *posant sa tasse, à Gaillardon.*

Voyons, voyons, nous fixons le jour ?

GAILLARDON, *de même.*

Enfin, nous y voilà ! Je n'osais pas le dire, mais, sans reproche, depuis la soupe, je commençais à trouver le temps long. Toutefois, on est bien éduqué ou on ne l'est pas.

RÉPIN

Très bien alors, prenons le 27 octobre. Ça vous va-t-il ?

GAILLARDON

Si ça me va !

(Tout le monde boit le café.)

40

RÉPIN, *brandissant un litre.*

Un verre de fine, alors ! et de la vieille. *(Il emplit les petits verres.)* Et vous m'en direz des nouvelles.

(Répin et Gaillardon approchent leurs verres de fine, en ayant soin de ne pas les entrechoquer, de peur d'en renverser des gouttes.)

GAILLARDON, *buvant.*

Fameux, fameux !

RÉPIN, *à sa femme.*

Tu vois, bourgeoise, voilà comme on arrange les choses : les simagrées ne servent à rien.

GAILLARDON, *très gai, se levant.*

Maintenant, je réclame l'honneur et le plaisir d'embrasser ces dames.

RÉPIN

Oh ! bien à votre convenance !

(Gaillardon quitte sa place et commence sa tournée. Les trois femmes s'essuient les lèvres avec leur serviette. Il embrasse d'abord Mme Répin, puis Henriette. Il termine par Marie.)

MARIE, *que Gaillardon veut embrasser deux fois, le repoussant.*

Ne vous gênez pas. Qu'est-ce que va dire ma sœur ?

GAILLARDON

Ah ! de ça je me moque un peu, par exemple ! *(Il va saisir la main de Répin.)* Mon cher papa, merci.

(Mme Répin, émue, se met à pleurer.)

RÉPIN, *lui-même très ému.*

Regardez-la donc, est-elle bête ! est-elle bête !

GAILLARDON

Dame, ça se comprend. C'est pas tous les jours...

(Il se rassied.)

RÉPIN, *remplissant les verres.*

Hein ! mon Henriette !...

(On boit.)

GAILLARDON

Fameux, tout de même ! Fameux !

RÉPIN

Ah ! Marie, à ton tour, maintenant. Voilà Henriette bien lotie. Il faudra qu'on pense à toi.

GAILLARDON, *surpris, le verre en l'air.*

Comment ça ?

RÉPIN, *riant.*

Dame, vous vous en moquez, maintenant que vous avez ce qu'il vous faut.

GAILLARDON, *posant son verre.*

Mais pardon, mais pardon, faites excuse, je ne comprends pas.

41

RÉPIN

Allez, marchez ! ce n'est pas votre affaire.

GAILLARDON, *stupéfait*.

Ce n'est pas mon affaire ?... Monsieur Répin...

11

LES MÊMES, MALAHIEUDE.

RÉPIN, *à Malahieude qui entre du fond*.

Eh bien, m'sieu Malahieude, et la Grise ?

MALAHIEUDE

Oh ! rien de grave, m'sieu Répin. Rien qu'un peu de poil enlevé au genou. Je viens de la voir.

RÉPIN

Alors, vous allez prendre un verre de fine ?

MALAHIEUDE

C'est pas de refus, bien sûr.

RÉPIN

Augustine, un verre pour M. Malahieude. Asseyez-vous donc.

(Augustine apporte un verre.)

MALAHIEUDE

Merci, je ne fais que passer.

RÉPIN

Qu'est-ce que ça fait ? Asseyez-vous un brin.

MALAHIEUDE, *prenant une chaise et s'asseyant à la droite de Répin*.

Eh ben, tout de même, mais rien qu'une minute. *(A Répin qui lui offre un verre plein.)* Merci.

RÉPIN

De la vieille, vous savez ! et vous m'en direz des nouvelles !

MALAHIEUDE, *ayant bu*.

Et des bonnes nouvelles, encore ! C'est-à-dire que j'en voudrais bien un fût de la pareille... Tiens ! mais c'est M. Gaillardon ! Vous v'là par ici, donc, alors ?

GAILLARDON

Mais oui, m'sieu Malahieude.

MALAHIEUDE

Révérence parler, vous avez l'air tout drôle...

RÉPIN, *riant*.

Lui ? Ah ben ! ah ben ! elle est bonne !

MALAHIEUDE, *se levant, à Répin.*

Et, à part ça, vot'taureau, ça va-t-y ?

RÉPIN

Oh ! vous l'avez bien soigné, merci ! la jambe est tout à fait à sa place.

MALAHIEUDE

Ah ! tant mieux, alors, tant mieux !

RÉPIN

Vous vous en allez ? Dites-moi au moins ce qu'il faut faire à la Grise.

MALAHIEUDE

Faites-lui des compresses d'eau blanche et frictionnez-la avec de l'eau d'écorce de chêne. Le poil repoussera. Il n'y paraîtra pas plus que sur ma main.

RÉPIN

C'est ça.

MALAHIEUDE

Eh ben ! au revoir, m'sieu Répin ; au revoir, madame Répin ; au revoir, mesdemoiselles ; au plaisir, m'sieur Gaillardon.

(Il sort, reconduit par Répin jusqu'à la porte.)

12

LES MÊMES, moins MALAHIEUDE.

RÉPIN, *revenant s'asseoir.*

Ah çà ! m'sieu Gaillardon, qu'est-ce que vous aviez donc tout à l'heure ?

GAILLARDON

Tout à l'heure, m'sieu Répin, j'avais... ce que j'ai encore.

Mᵐᵉ RÉPIN, *inquiète.*

Quoi ? Quoi ?

RÉPIN

Voyons, du calme... Qu'est-ce qu'il y a ?

GAILLARDON

Il y a... Il y a qu'il y a maldonne. Voilà ce qu'il y a.

LES AUTRES

Maldonne !

GAILLARDON

Parfaitement, maldonne, je le répète.

RÉPIN, *regardant sa femme et ses filles.*

Comprends pas, et vous ?

Mme RÉPIN

Ni moi.

MARIE

Ni moi.

RÉPIN

Voyons, expliquez-vous.

GAILLARDON

C'est pourtant bien simple. Il y a que je vous ai demandé une de vos filles et que vous m'avez donné l'autre. Vous me direz ce que vous voudrez, mais il me semble que ce n'est pas d'un franc jeu et que vous trichez.

RÉPIN, *levant les bras, les abaissant, siffle du bout des lèvres.*

Pu tutu u u...

Mme RÉPIN

Quoi ! ce n'est pas notre Henriette que vous nous avez demandée ?

GAILLARDON

Pas du tout, c'est Marie *(Il désigne Marie.)* Là, celle-là.

(Ayant chiffonné sa serviette entre ses doigts, il l'écrase sur la table, se lève et marche d'un bout à l'autre de la scène et inversement, d'un pas inégal, avec une grande agitation. Ses bretelles sont un peu anciennes et mollissent. Son pantalon tient mal. Il le relève d'un mouvement brusque, puis se croise les mains sur les reins.)

RÉPIN, *se lève également et commence une promenade à l'exemple de Gaillardon, mais en sens opposé. Au deuxième croisement.*

Il fallait le dire ! Il fallait le dire !

GAILLARDON, *s'arrêtant.*

Qu'est-ce qu'il fallait dire ? Comment ! Vous avez deux filles ; elles ont toutes les deux la même dot : dix mille francs chacune, cinq mille en terres, cinq mille en argent comptant. C'est bien ça, n'est-ce pas ? Vous ne m'avez point trompé ?

RÉPIN

C'est ça.

GAILLARDON

Elles ont la même instruction. Elles sont presque du même âge, et je ne prendrais pas la mieux, la plus jolie ? Il faudrait que je sois rudement bête !

Mme RÉPIN

Nous voilà bien ! Les draps sont propres. Que celui qui est malin nous tire de là.

RÉPIN

Femme ! du calme, de la dignité. Ne nous emportons pas comme des libertins, qui turbulent.

GAILLARDON

Oh ! personne ne s'emporte. Nous ne sommes plus des enfants. On est bien éduqué, ou on ne l'est pas. Mais l'affaire n'est pas avenante... pour moi, du moins.

RÉPIN, *avec quelque gravité.*

Monsieur Gaillardon, je connais les convenances, et il m'est arrivé, je vous l'ai dit, de parler en personne au préfet, un charmant homme... Je ne vous dirai pas que je suis surpris, je suis étonné... profondément étonné. Mais, après tout, rien n'est fait, et, du moment que vous reprenez votre parole, nous vous la rendons !

GAILLARDON

Dame ! mettez-vous à ma place. Ne suis-je pas dans mon droit en réclamant ? Raisonnons.

HENRIETTE, *sanglotant, les mains sur les yeux, convulsée.*

Mais je ne tiens pas tant que cela à me marier, moi ! S'il aime mieux ma sœur, qu'il prenne ma sœur.

RÉPIN

Ça, jamais ! J'ai toujours dit que tu te marierais la première, la première tu te marieras.

Mme RÉPIN

Oui !

HENRIETTE, *venant embrasser son père.*

Je t'assure, mon papa, que j'ai bien le temps de me marier.

RÉPIN

Bien le temps ! mais tu ne sais donc pas que tu as vingt-cinq ans !

Mme RÉPIN

Presque vingt-six.

HENRIETTE, *suppliante, en larmes.*

Si, si... je le sais depuis longtemps... Mais, vois-tu, j'aime mieux attendre encore un petit peu.

GAILLARDON

C'est honnêtement parlé, ma brave demoiselle.

(Il prend les deux mains d'Henriette et les lui serre avec vigueur.)

RÉPIN

Lâchez-la ! Je ne plaisante plus, moi ? J'ai le devoir de me montrer intraitable, vexé.

Mme RÉPIN

Tu vois, Répin, tu disais que personne ne s'emporte, et c'est toi qui t'emportes... Mais, si elle n'y tient pas, faut pourtant point la forcer.

RÉPIN

Possible. Elle est libre. Mais on ne peut toujours pas donner sa sœur à ce monsieur, dont tu ne veux point, dis voir, ma Marie ?

MARIE

Oh ! moi, ça m'est égal. Faites comme vous voudrez, comme ça vous fera plaisir à tous.

GAILLARDON

Bien parlé aussi ça, bien parlé.

Mme RÉPIN

Sûrement, si ce monsieur s'en retourne chez lui les mains vides, on va causer.

GAILLARDON

Dame !... Voyons, mon cher papa?

RÉPIN

Doucement ! Connu, on ne prend pas les mouches avec du vinaigre. Mais je ne veux pas encore donner dans le panneau. Et, pour commencer, faites-moi le plaisir de ne point m'appeler « cher papa », du moins avant d'avoir tout réglé convenablement et solidement cette fois. Voyons, parlons franc et le cœur sur la main. *(Il lève et étend sa main à hauteur du menton, les doigts joints, la paume en creux, comme si son cœur s'apprêtait à sauter dedans.)* C'est bien ma fille cadette, Marie, la brune, âgée de vingt-deux ans, que vous me demandez en mariage ?

GAILLARDON

Tout juste.

RÉPIN

Je vous la donne. Mais vous allez signer un papier comme quoi, si vous changez encore une fois d'idée, vous me donnerez une paire de bœufs, des bœufs fameux, oui-da, des bœufs de mille !

GAILLARDON, *hésitant.*

Permettez...

RÉPIN

Signez, ou rien n'est fait !... Ne vous imaginez pas que vous m'attraperez une deuxième fois.

GAILLARDON

Soit, vous défunt, ils peuvent me revenir.

RÉPIN

Alors donc, adjugée la cadette.

GAILLARDON

Merci bien, mon cher papa.

RÉPIN

Oh ! mon cher papa, c'est bientôt dit. D'abord, vous êtes presque aussi chauve que moi, et quelqu'un qui ne vous connaîtrait pas et nous verrait nu-tête, dans un champ, par exemple, aurait le droit de nous demander lequel des deux est le cher papa.

GAILLARDON

C'est vrai, mais ce n'est pas les cheveux qui font le cœur, et puis, tout de même, je suis encore un petit peu moins épluché que vous.

(On rit.)

MARIE

Ma pauvre sœur, quand j'y pense... Tu peux être sûre que je n'y pensais pas. Qu'est-ce que vous voulez ? Qu'est-ce que vous voulez ?

HENRIETTE, *peinée.*

Je te le disais bien que la chance aurait peur.

MARIE

Oui, mais, au moins, on pourra m'accorder que, si je me suis mariée avant toi, je ne l'ai pas fait exprès.

RÉPIN

C'est bon, c'est bon, point tant de giries !... Tu t'en moques, toi, maintenant qu'on t'a donné ce qu'il te faut. Mais Henriette n'attendra pas longtemps, marche. Je vais lui en trouver un en ne tardant guère, et un crâne, n'est-ce pas, mon Henriette ?

(Il frappe amicalement de petits coups sur l'épaule et la joue de son Henriette.)

HENRIETTE, *essuyant ses yeux, contenant sa grosse peine.*

Mais oui, mais oui, va, papa...

GAILLARDON

Ah ! pour ça, mon cher papa, je suis votre homme. J'ai justement un camarade qui en cherche une. Elle va joliment bien faire son affaire !

RIDEAU

LE PLAISIR DE ROMPRE

Le Plaisir de Rompre *est la première pièce de Renard qui fut admise au Théâtre Français. Auparavant, elle fut représentée au Théâtre des Bouffes Parisiens le 16 mars 1897.*

Léopold Lacour, dans la Revue de Paris, *note que « c'est assez tard et par une pièce en un acte que Jules Renard aborda le théâtre — cette pièce,* Le Plaisir de Rompre, *y réussit de façon assez brillante pour que la Comédie-Française la « reprît » en 1902. Et il situe d'emblée la pièce :*

« ... Il y a beaucoup d'émotion et une secrète mélancolie dans Le Plaisir de Rompre *parce qu'il y a eu de l'amour dans la liaison de Maurice et de Blanche... Je ne sais pas si Jules Renard, moraliste et auteur dramatique, a jamais rien écrit de plus pénétrant et de plus achevé que cet amer et navrant* Plaisir de Rompre. *Et, n'eût-il écrit que cette pièce avec* Le Pain de Ménage *et le pathétique* Poil de Carotte, *il mériterait d'avoir son médaillon parmi les bustes et les statues qui honorèrent le théâtre au* XIXe *siècle et au commencement du* XXe. *» Ajoutons, parmi les « grandes » pièces,* Monsieur Vernet *et sans doute* La Bigote...

Il n'y eut que cinq représentations en 1897 du Plaisir de Rompre, *aux Bouffes Parisiens, et une représentation à la Bodinière un samedi 8 mai à trois heures, si l'on en croit une lettre de Jules Renard à Maurice Pottecher datée du 1er mai 1897. « Moi, je suis obligé de rester une huitaine*

51

de jours à Paris en attendant la représentation du Plaisir de Rompre à la Bodinière fixée au 8. »

A cet époque, tous les chroniqueurs enregistrent le succès éclatant de ce petit acte joué par Mme Jeanne Granier et H. Mayer — à ce merveilleux comédien Jules Renard a d'ailleurs consacré une charmante étude. C'est cette familiarité, cette amitié même qui le poussait vers les hommes de théâtre qui ont fait écrire à Lucien Descaves : « ... Jules Renard aimait les gens de théâtre, auteurs dramatiques, acteurs et leur ambiance. Le Plaisir de Rompre est dédié au jeune maître en poésie dramatique Edmond Rostand. »

Jules Renard avait accompagné cette dédicace d'une lettre à Edmond Rostand datée du 17 avril 1897 :

A Edmond Rostand.

Paris, 17 avril 1897.

Mon cher ami,

Je n'ai pas pu aller vous serrer la main hier soir. Si, pour une raison bien grave que Marinette vous dira, je ne peux pas vous voir ces jours-ci, soyez sûr que je suis très, très heureux, sans mélange, de votre magnifique succès, et je me loue de plus en plus de vous offrir, pour marquer dans ma mémoire l'inoubliable journée de mercredi, la petite chose qu'est Le Plaisir de Rompre.

Vôtre.

La critique fut unanime à louer cette pièce.

Le 17 mars 1897, dans Le Petit National, M. Victor Cottens dit : « Il n'y avait qu'un cri dans la salle, après ce petit acte, c'est qu'il eût fait honneur à la Comédie-Française, si elle avait eu le bon esprit de le jouer. »

Le 1er avril 1897, La Nouvelle Revue, sous la signature de Jules Case : « ... Acte spirituel, mordant, flegmatique, atroce et parfait. »

En 1900, c'est sous la responsabilité de Robert de Flers que quelques représentations furent données au Cercle des Escholiers. Celui-ci, délégué par la société des auteurs dramatiques, lors de l'inauguration du monument de Jules Renard, devait s'en souvenir dans son discours :

« Je préfère me souvenir du bonheur qui fut le mien de faire représenter, pour la première fois, la première pièce de Jules Renard, Le Plaisir de Rompre. Je rencontrai un jour Jules Renard rue Saint-Lazare ; il regagnait son petit appartement de la rue du Rocher où il disait qu'il faisait si bon et si fier travailler. Il me raconta qu'il sortait de chez un grand comédien auquel il avait, quelques semaines auparavant, remis un manuscrit.

» — Oh ! vous savez, me dit d'un ton modeste Jules Renard, ce n'est rien, ce n'est qu'un petit dialogue. Mais, tout de même, ce grand comédien m'a dit une chose inadmissible.

» — Laquelle ?

» — Il m'a dit que c'était un petit dialogue, je n'aime pas beaucoup ça.

» — Voulez-vous me la donner ? Le Cercle des Escholiers la représentera dans son prochain spectacle.

» — Ma foi, je veux bien, acquiesça Renard, mais je vous préviens qu'en fin de compte ce n'est qu'un petit dialogue...

» Ce petit dialogue, c'était un chef-d'œuvre. Le lendemain, j'allais lire la pièce à Jeanne Granier qui, d'enthousiasme, accepta de l'interpréter.

» *Les répétitions furent charmantes. Renard était ravi... il avait mille petits étonnements, très sincères, presque naïfs :* « *Ce théâtre, disait-il,* » *quelle drôle de chose ! et ces gens qui s'amusent à apprendre mon texte* » *par cœur et qui s'imaginent qu'ils vont amuser les autres en le leur* » *récitant et qu'ils vont exprimer tout ce que j'ai essayé de mettre là-* » *dedans. Ils sont bien gentils, mais, tout de même, ils ont un joli toupet !* »

» *Un seul incident. Jeanne Granier demanda une modification, fort légère à vrai dire. Dans la pièce, Blanche dit à Maurice que la fleuriste enverrait chaque matin à sa fiancée un bouquet de quatre francs. Jeanne Granier fit observer que pour ce prix l'on ne pouvait avoir quelque chose de décent et qu'il n'était pas convenable d'envoyer à une femme un bouquet de quatre francs. Jules Renard, un peu pincé, lui répondit :*

» — *Eh bien, vous verrez ça le jour de la première !*

» *Et elle vit en effet. Les fleurs, du reste, étaient ravissantes. Elle envoya sur l'heure un petit billet à l'auteur :*

» *Merci... mais votre fleuriste mourra sur la paille.*

» *Jules Renard tint compte de cette observation ; maintenant, le bouquet quotidien est de dix francs.* »

Au sujet du Plaisir de Rompre, *il y a quelques confidences dans le* Journal *de Renard. C'est cette pièce qui lui a donné l'impression d'arriver.*

« *Ainsi, jusqu'à ce jour, j'étais de l'autre côté de la rivière. Ni* Poil de Carotte, *ni les* Histoires Naturelles *ne lui avaient fait passer. Maintenant, je sens que je passe.* »

Un peu plus loin encore, une confidence personnelle : « *Ils ne devinaient pas mes qualités d'émotion. L'Écornifleur, Poil de Carotte n'étaient que féroces ; il leur a fallu Le Plaisir de Rompre, c'est-à-dire de l'émotion démonstrative ; cela ne m'arrive pas souvent, mais je pense à Blanche, à la vraie (Rachilde nous apprend que c'était M*ᵐᵉ *Davyle). Si elle s'était vue hier au soir, elle aurait pleuré de douces larmes. A neuf ans de distance (ce qui nous reporte à 1888, date des fiançailles et du mariage de Jules Renard) : elle m'aurait aimé, mais la vie ne permet pas ces choses-là, qui seraient les plus exquises...* »

Cette pièce, qui constitue ses vrais débuts au théâtre, a été l'objet constant de ses préoccupations, comme en témoigne le Journal, *mais aussi deux lettres tout à fait inédites que nous avons eu la chance de découvrir à la Bibliothèque de l'Arsenal et qui trahissent les préoccupations de l'auteur.*

Le 9 janvier 1899, écrit-il au secrétaire du Comité de lecture du Français :

« *Monsieur, je viens présenter* Le Plaisir de Rompre *à la Comédie-Française... Je sais que je n'ai aucune chance d'être joué prochainement, mais n'ai-je pas la moindre petite chance d'être reçu ?...* » *Et, le 14 janvier 1899, il craint qu'une* « *note du* Temps *qui annonce que j'ai donné Le Plaisir de Rompre au Théâtre des Capucines* » *ne soit interprétée comme un* « *chantage* » *pour obtenir une* « *réponse plus rapide* » *de la Comédie-Française.*

On sait que ses démarches furent couronnées de succès, et la pièce reçue au Français.

Renard est préoccupé par la critique, par tous les détails ayant trait à la représentation, par les acteurs eux-mêmes et les distributions. « *Mon cher Maurice, écrit-il à son frère le 24 mai 1897, en recevant cette lettre, tâche d'avoir des détails précis sur la dernière séance de la Bodinière : si la salle était pleine, si la petite pièce a bien porté... et, si* tu passes près de la Bodinière, tu pourras me dire comment est rédigée l'affiche. Mes acteurs, déjà ingrats, touchent la recette et ne me tiennent au courant de rien. »

Sans cesse il se préoccupe du jeu des acteurs : Jeanne Granier et Henry Mayer ; il discute avec eux avant les représentations ; il surveille chacun de leurs gestes et les note dans son Journal. Et lorsque Maurice, après ses maladresses, finit par s'en aller, Jeanne Granier, en prononçant les répliques si simples, si lasses de la fin, n'avait pas tort d'avoir « des larmes d'argent dans la voix ».

Mais ses préoccupations sont de tout ordre. Ainsi, le 5 mai 1897, deux jours avant la représentation à la Bodinière, après avoir quitté Mayer, il écrit à sa femme pour lui annoncer que la location du Plaisir de Rompre marchait bien...

Mais la carrière du Plaisir de Rompre a été interrompue par l'incendie du Bazar de la Charité. Il a proposé à Gémier de remettre la représentation et celui-ci a sauté sur cette idée de « délivrance ».

C'est en 1902 que Le Plaisir de Rompre sera le plus joué à Paris, vingt fois dans l'année, mais il est à remarquer que les représentations les plus nombreuses ont lieu en province puisqu'en 1907 elle y sera donnée soixante-dix-neuf fois alors que cette même année, à Paris, elle ne la sera que onze fois.

Reprise au Français le 12 mars 1902, ce sera Mlle Cécile Sorel qui tiendra le rôle de Blanche pour remplacer Mme Jeanne Granier, tandis que Henry Mayer y conservera le rôle de Maurice.

Les interprètes du Plaisir de Rompre ont tous été de grands acteurs et unanimement loués. Témoin cet article de Émile Mas du 17 juillet 1911 : « En 1902, après avoir été joué dix-huit fois à la Comédie-Française, il disparut des programmes de la Maison pour reparaître le 2 décembre 1906 avec Numa et Mlle Mitzy Dalte. Ces deux artistes ont joué dix-neuf fois, de 1906 à 1909, l'acte de M. Jules Renard. La représentation d'hier est donc la trente-huitième à la Comédie-Française. Maurice et Blanche recevaient de nouveaux titulaires : Guilhène et Mlle Y. Robinne, on ne pouvait mieux choisir.

» Mlle Robinne, grâce à sa taille et aussi à une assurance qui sera bientôt de l'autorité, domine suffisamment la scène et la situation. Elle a joué Blanche avec moins de sécheresse que ses derniers rôles. Guilhène est charmante ; et, si son Maurice paraît un peu insignifiant, un peu veule, avec des bouffées de désir qui en pareille circonstance ne font qu'accentuer l'indécision de son caractère, c'est que le personnage a été conçu de cette façon par l'auteur. »

C'est encore à propos des représentations de 1911 que nous avons recueilli cet article de Rachilde dans les Nouvelles littéraires du 2 février 1929 :

« J'ai connu la charmante héroïne du Plaisir de Rompre. C'était une dame bien en chair, très 1830, à visage classiquement beau, des yeux doux, une bouche en cœur, au sourire puéril, d'un décolleté savoureux commençant à s'amplifier. Elle était de la Comédie-Française et en avait toutes les qualités. Diction un peu précieuse, geste dramatique en disant bonjour et démarche royale pour traverser la rue. D'une grande noblesse de cœur et d'ancêtres... Elle apportait une lettre avec la même dignité qu'elle posait la reine mère assistant au sacre de son enfant. Je me rappelle qu'elle me fit venir un jour pour la voir dans une pièce de Victor Hugo et, comme elle me demandait mon avis en présence de Jules

Renard, celui-ci coupa le propre effet du compliment que j'allais faire en disant d'un ton très sérieux : « On a oublié de faire une annonce ! » « Pourquoi une annonce ? » murmura l'actrice, émue. « Mais pour prévenir que vous ne parleriez pas ! »

La note finale au sujet du Plaisir de Rompre, nous la trouvons dans l'article de Louis Nazzi le 25 octobre 1911 :

« Dès les premiers mots du dialogue, l'atmosphère s'établit, toute chargée d'émoi et de menaces, sans cesse troublée... triste rivalité de la femme tendre, qui ne sait pas se défendre, et de l'homme égoïste, si maître de soi dès que le désir lâche prise ! »

De là vient que cette pièce — dont le sujet est de tous les temps, de tous les pays, car Maurice est l'homme, Blanche la femme, sans distinction de race — ait été appréciée à l'étranger et même traduite en 1916 : « Good bye », a comedy in one act translated from the French by Barrett H. Clarck (smartest., New-York).

PERSONNAGES

BLANCHE — Mlle JEANNE GRANIER

MAURICE — M. HENRY MAYER

A Paris. Un petit salon au cinquième. Ce qu'une femme qui a beaucoup aimé et ne s'est pas enrichie peut y mettre d'intimité, de bibelots offerts, de meubles disparates. Cheminée au fond. Porte-tenture a gauche. Table a droite. Pouf au milieu. Un piano ouvert. Fleurs a bon marché. Quelques cadres au mur. Feu de bois. Une lampe allumée.

BLANCHE, puis MAURICE.

Blanche est assise à sa table. Robe d'intérieur. Vieilles dentelles, c'est son seul luxe, tout son héritage. Elle a fouillé ses tiroirs, brûlé des papiers, noué la faveur d'un petit paquet, et pris dans une boîte une lettre ancienne qu'elle relit. Ou, plutôt, elle n'en relit que des phrases connues. Celle-ci l'émeut, jusqu'à la tristesse. Une autre lui fait hocher la tête. Une autre, enfin, la force à rire franchement. On sonne. Blanche remet, sans hâte, la lettre dans sa boîte, et la boîte dans le tiroir de la table. Puis elle va ouvrir elle-même.

Maurice entre. Dès ses premières phrases et ses premiers gestes, on sent qu'il est comme chez lui.

MAURICE. *Il appuie sur les mots.*

Bonjour, chère et belle amie.

BLANCHE, *moins affectée.*

Bonjour, mon ami. *(Maurice veut l'embrasser par habitude, politesse, et pour braver le péril. Elle recule.)* Non.

MAURICE

Oh ! en ami.

BLANCHE

Plus maintenant.

MAURICE

Je vous assure que ça ne me troublerait pas.

57

BLANCHE

Ni moi ; précisément : c'est inutile... Avez-vous terminé vos courses ?

MAURICE. *Il pose son chapeau et sa canne sur un meuble et s'assied à gauche de la cheminée, tend ses mains au feu, le ravine, tâche de ne pas paraître gêné. Blanche s'est assise près de sa table, du côté opposé à celui où elle lisait la lettre.*

Toutes, et je m'assieds éreinté. Que ne peut-on s'endormir garçon et se réveiller marié ? Je suis allé d'abord à la mairie : m'adressant ici, puis là, puis à droite, puis à gauche, puis au fond, j'ai questionné divers messieurs ternes que mon mariage n'a pas l'air d'émouvoir beaucoup... De là, je suis allé chez le tailleur, essayer mon habit. Il me conseille décidément un peu d'ouate ici. J'ai, en effet, une épaule plus basse que l'autre.

BLANCHE

Je n'avais pas remarqué.

MAURICE

Je peux l'avouer, aujourd'hui que ça vous est égal.

BLANCHE

Je ne le dirai à personne.

MAURICE

De là, je suis allé à l'église. Il paraît qu'il va falloir me confesser !

BLANCHE

Sans doute, il faut remettre votre âme à neuf.

MAURICE

Les uns m'affirment que le billet de confession s'achète, et les autres que je puis tomber sûr un prêtre grincheux qui me dira, si je pose pour l'homme du monde et l'esprit fort : « Il ne s'agit pas de ça, mon garçon. Êtes-vous chrétien, oui ou non ? Si vous êtes chrétien, agenouillez-vous et faites votre examen de conscience. » Je me vois grotesque, frappant les dalles de mes bottines vernies. Agréable quart d'heure !

BLANCHE

Il vous faudra, je le crains, plus d'un quart d'heure. Pauvre ami, votre fiancée vous saura gré d'un tel sacrifice !

MAURICE. *Il se lève et s'adosse à la cheminée.*

Je suis très embêté... Et dites-moi. *(Avec hésitation.)* Ma chère amie, vous ne songez pas à vous dérober, vous assisterez sûrement à mon mariage ?

BLANCHE

Vous m'invitez toujours ?

MAURICE

Naturellement. A la cérémonie religieuse.

BLANCHE

J'irai.

MAURICE

Je compte sur vous. *(Froidement.)* On s'amusera. *(Plus gaiement.)* Vous surtout. Vous me verrez descendre les marches de l'église, avec la petite en blanc.

BLANCHE

Vous ferez très bien.

MAURICE

Malgré moi, je pense, faut-il le dire ? Oh ! je peux tout dire à vous... *(Il vient s'asseoir sur le pouf, en face de Blanche.)* Je pense à des histoires de vitriol.

BLANCHE

Ah ! vous me sondez ! Eh bien ! mon ami, quittez vos idées. Elles vous donnent l'air candide. Est-ce assez vilain, un homme qui a peur ! Car vous avez peur, et vous vous tiendrez sur la défensive, le coude en bouclier. Les saints riront dans leur niche. Vous mériteriez !... mais je craindrais de brûler ma robe.

MAURICE

Taquine ! Vous vous trompez, vous ne m'effrayez pas, et j'ai même l'intention de vous présenter à ma femme, comme une parente.

BLANCHE

Ou comme une institutrice pour les enfants à naître. Plus tard je les garderais, et vous pourriez voyager.

MAURICE

Déjà aigre-douce ! Ça débute mal.

BLANCHE

Aussi vous m'agacez avec votre système de compensations. *(Elle se lève et remet à Maurice la carte de la fleuriste et la carte de Mme Paulin.)* Moi, je suis allée chez la fleuriste. Elle promet de vous fournir, chaque matin, un bouquet de dix francs.

MAURICE

Dix francs ?

BLANCHE

Oh ! j'ai marchandé. Par ces froids, ce n'est pas cher.

MAURICE

Non, si les fleurs sont belles, et si on les porte à domicile.

BLANCHE

On les portera. J'ai prié Mme Paulin de vous chercher une bague, un éventail, une bonbonnière et quelques menus bibelots. J'ai dit que vous vouliez être généreux, sans faire de folies, toutefois.

MAURICE

Évidemment. *(Avec une légère inquiétude.)* Et ce sera payable ?

BLANCHE

A votre gré ; plus tard, après le mariage.

MAURICE, *rassuré*.

Je vous remercie. *(Il se lève ; tous deux sont séparés par la table.)* Vraiment, vous n'êtes pas une femme comme les autres.

BLANCHE

Aucune femme n'est comme les autres. Quelle femme suis-je donc ?

MAURICE, *prenant la main de Blanche*.

Une femme de tact.

BLANCHE

Puisque tout est convenu, arrêté.

MAURICE

D'accord. Oh ! jusqu'à cette dernière visite, nous avons été parfaits. Mais c'est ma dernière visite. Nous ne nous reverrons plus.

BLANCHE

Nous nous reverrons en amis. Vous le disiez tout à l'heure.

MAURICE

Oui, mais plus autrement. Et, dans l'escalier, j'avais de vagues transes.

BLANCHE

Pourquoi ?

MAURICE

Parce que...

BLANCHE

Rien ne gronde en moi. Quand je me suis donnée à vous, ne savais-je pas qu'il faudrait me reprendre ? Si le décrochage a été pénible...

MAURICE

Nous n'en finissions plus. Nos deux cœurs tenaient bien.

BLANCHE

Ils sont aujourd'hui nettement détachés. J'ai mis dans ce petit paquet les dernières racines : quelques photographies, votre acte de naissance que j'avais eu la curiosité de voir... comme vous êtes encore jeune !

MAURICE

On ne vieillit pas avec vous.

BLANCHE

... Et un livre prêté. Voilà.

MAURICE

A la bonne heure ! c'est un plaisir de rompre avec vous.

BLANCHE

Avec vous aussi.

MAURICE

C'est bien, ce que nous faisons là, très bien. C'est tellement rare de se quitter ainsi ! Nous nous sommes aimés autant qu'il est possible, comme on ne s'aime pas deux fois dans la vie, et nous nous séparons, parce qu'il le faut, sans mauvais procédés, sans la moindre amertume.

BLANCHE

Nous rompons de notre mieux.

MAURICE

Nous donnons l'exemple de la rupture idéale. Ah ! Blanche, soyez certaine que, si jamais quelqu'un dit du mal de vous, ce ne sera pas moi.

BLANCHE

Pour ma part, je ne vous calomnierai que si cela m'est nécessaire... *(Elle s'assied à droite et Maurice à gauche de la table.)* Me rendez-vous mon portrait ?

MAURICE

Je le garde.

BLANCHE

Il vaudrait mieux me le rendre ou le déchirer que de le jeter au fond d'une malle.

MAURICE

Je tiens à le garder et je dirai : c'est un portrait d'actrice qui était admirable dans une pièce que j'ai vue.

BLANCHE

Et mes lettres ?

MAURICE

Vos deux ou trois lettres froides de cliente à fournisseur...

BLANCHE

Je déteste écrire.

MAURICE

Je les garde aussi. Elles me défendront au besoin.

BLANCHE

Ne vous énervez pas, et causons paisiblement de votre mariage. Avez-vous vu la petite aujourd'hui ?

MAURICE

Cinq minutes à peine. Elle est tellement occupée par son trousseau ! et le grand jour approche !

BLANCHE

Aime-t-elle les belles choses ?

MAURICE

Oui, quand elles sont bien chères.

BLANCHE

Dites-lui que le bleu est la couleur des blondes. J'ai là une gravure de mode très réussie que je vous prêterai. A-t-elle du goût ?

MAURICE

Elle a celui de la mode.

BLANCHE

Vous devez l'intimider.

MAURICE

Je l'espère.

BLANCHE

Quelle est, en votre présence, son attitude, sa tenue, quelles sont ses manières ?

MAURICE

Celles d'une chaise sous sa housse.

BLANCHE

Sérieusement, la trouvez-vous jolie ?

MAURICE

C'est vous qui êtes jolie.

BLANCHE

C'est d'elle que je parle : la trouvez-vous jolie ?

MAURICE

Jolie et fraîche comme le titre : Au Printemps.

BLANCHE

Enfin vous plaît-elle ?... Oh ! ne me ménagez pas !

MAURICE

Elle me déplaît de moins en moins.

BLANCHE

Souvenez-vous que c'est moi qui vous l'ai indiquée.

MAURICE

La piste était bonne.

BLANCHE, *découpant un livre.*

Je m'en félicite. A-t-elle des caprices ? *(Maurice, distrait, ne répond plus. Blanche lui touche le bras.)* Qu'est-ce que vous regardez ?

MAURICE

Je m'emplis les yeux. Je fais provision de souvenirs. Toutes ces fleurs donnent à votre petit salon un air de fête.

BLANCHE

A-t-elle des caprices, des préférences ?

MAURICE

Elle aime tout ce que j'aime.

BLANCHE

Ce sera commode.

MAURICE

Nous n'aurons pas besoin de faire deux cuisines.

BLANCHE

Vous avez de l'esprit, ce soir.

MAURICE

C'est le bouquet de mon dernier feu d'artifice.

BLANCHE

Et cela ne vous gêne pas de parler ainsi d'une jeune fille qui sera votre femme ?

MAURICE

Est-ce à vous de me le reprocher ? Vous savez bien que je parle sur ce ton un peu pour vous être agréable.

BLANCHE

Ne nous attendrissons pas.

MAURICE

Je ne m'attendris pas. Nous devisons de nos petites affaires. Et M. Guireau lui-même pourrait écouter.

BLANCHE

Laissez donc M. Guireau tranquille.

(Elle se lève, fait quelques pas lentement.

MAURICE

Permettez, chère amie, votre mariage m'intéresse autant que le mien ; je ne veux pas avoir l'air plus égoïste que vous, et, puisque mon avenir vous préoccupe, c'est le moins que je m'inquiète du vôtre. Nous nous casons mutuellement.

BLANCHE

Oui... mais parlons d'autre chose.

(Elle s'assied à gauche de la cheminée.)

MAURICE

Du tout ! Du tout ! Je vous renseigne sur ma future femme, j'exige d'être renseigné sur votre futur mari. Sinon, je croirais que vous avez des pensées de derrière la tête. Cette inquisition réciproque est la meilleure preuve de notre bonne foi. Non seulement je n'ai aucune raison d'être jaloux de M. Guireau, mais encore je voudrais le connaître. Je l'ai aperçu et il m'a produit une excellente impression. Vient-il vous voir souvent ?

BLANCHE

Une fois par quinzaine, régulièrement.

MAURICE

Bon signe ! c'est un homme périodique et rangé. Comment s'appelle-t-il ?

BLANCHE

Guireau.

MAURICE

Son petit nom ?

BLANCHE

A son âge, on n'a plus de petit nom.

MAURICE

Mais vous, comment l'appelez-vous ?

BLANCHE

Moi, je l'appelle M. Guireau.

MAURICE

Toujours ?

BLANCHE

Oui, toujours. Avez-vous fini de jouer au juge d'instruction ?

MAURICE

Ça m'amuse. Vous pouvez me laisser me divertir un brin.

BLANCHE

A votre aise.

MAURICE

Et que faites-vous ?

BLANCHE

Que voulez-vous qu'on fasse ?

MAURICE

Il ne vous baise que le bout des doigts ?

BLANCHE

A peine. Nous causons. Il parle bien. Il me donne des conseils ; il me met en garde contre les mauvaises relations. De plus, c'est un musicien de premier ordre, et, quelquefois, il apporte son violon. *(Maurice cherche des yeux.)* Il le remporte.

MAURICE

Et après, quand la conversation tombe et que la musique se tait ?

BLANCHE

Vous allez trop loin. *(Elle se lève.)* J'ai le droit de ne plus répondre.

MAURICE

Vous préférez que je devine ?

BLANCHE

Deviner quoi ? Vous pensez tout de suite... Il y a autre chose dans la vie, et, dès aujourd'hui, je veux être sérieuse et pratique. Oh ! il ne m'en coûtera guère. J'ai aimé ma part, je peux renoncer à l'amour.

MAURICE

Oh ! Oh !

BLANCHE

Mais si. D'ailleurs, M. Guireau sait se tenir. C'est un ami paternel, qui m'aime pour moi, non pour lui, et, sachez-le, il m'inspire une durable sympathie dont il se contente.

(Elle s'est assise sur le pouf.)

MAURICE

C'est un adorateur frugal.

BLANCHE

J'ai de la chance. Les hommes bien élevés se font rares. M. Guireau conserve les manières du siècle dernier. Il me prévient de ses visites deux jours d'avance.

MAURICE

Et il ne vous adresse pas un seul mot plus enflammé que les autres ?

BLANCHE

Cela vous étonne qu'il me respecte ? Sûr de vivre en compagnie d'une femme point désagréable, qui lui montrera gai visage, l'écoutera avec complaisance, tiendra sa maison, recevra ses amis, le soignera et ne l'ennuiera jamais, M. Guireau ne demande pas que je lui promette davantage.

MAURICE, *soupesant le petit paquet.*

Et s'il apprenait notre passé ?

BLANCHE

Il n'en laisserait rien voir...

MAURICE, *se lève.*

Le brave homme ! Il fait une fin. Moi aussi, je fais une fin, et vous aussi, vous faites une fin. Trois personnes finissent d'un seul coup. C'est une catastrophe.

BLANCHE

Sans victime.

MAURICE

Encore une question. Mais je la pose pour rire, comme on dit à une fillette : lequel aimes-tu mieux, ton papa ou ta maman ? *(Avec gravité.)* Si je vous priais, renonceriez-vous à M. Guireau ?

BLANCHE

Je trouve qu'au point où nous en sommes cette question n'a aucun sens.

MAURICE, *s'assied en face de Blanche.*

Puisque je la pose pour rire, répondez en riant.

BLANCHE

Rappelez-vous qu'un soir, très excité, vous m'offriez de m'épouser, de partir avec moi, de vivre dans une cabane de cantonnier, avec le pain quotidien, d'aller en Algérie où la vie est si bon marché ! Que vous ai-je répondu ?

MAURICE, *très lentement.*

Que la misère vous épouvantait, que le pain sec vous répugnait, même s'il était de ménage, que vous aviez horreur des déplacements, que vous manquiez de génie colonisateur et ne saviez rien faire de vos dix doigts que des caresses : voilà ce que vous m'avez répondu.

BLANCHE

Vous êtes donc fixé depuis longtemps. Est-ce tout ?

MAURICE

C'est tout. *(Blanche se lève et va vers la cheminée.)* A quand le mariage ?

BLANCHE

Lequel ?

MAURICE

Le vôtre.

BLANCHE

Oh ! rien ne nous presse.

MAURICE

A votre place, je retiendrais une date, par prudence.

BLANCHE

C'est remis à l'année prochaine.

MAURICE

Vous faut-il un hiver pour aérer votre cœur ? Vous avez tort. *(Il se lève et va vers la cheminée, en faisant le tour de la table.)* Une fois décidé au mariage, on doit sauter dedans la tête la première, comme moi.

BLANCHE. *Ils sont adossés à la cheminée, Blanche à gauche, Maurice à droite.*

Le rêve, ce serait peut-être de nous marier tous les deux le même jour.

MAURICE

Pourquoi pas ? Il résulte de mon enquête que j'estime beaucoup M. Guireau.

BLANCHE

De son côté, il vous apprécierait.

MAURICE

C'eût été piquant de nous présenter, de nous confronter.

BLANCHE

Je n'en chercherai pas l'occasion, mais je ne l'éviterai pas. M. Guireau connaît la vie.

MAURICE

C'est comme la mère de ma fiancée. Elle aussi connaît la vie. Elle comprend que j'aie eu des maîtresses, que je sois éprouvé au feu, et il lui suffit que je rompe au moins la veille de mon mariage.

BLANCHE

Tant pis si sa fille est jalouse du passé !

MAURICE

La mère lui expliquerait que ça ne peut pas se comparer.

BLANCHE

C'est une femme supérieure.

MAURICE

C'est une femme de bon sens, simple et gaie, très gaie. Elle marierait sa fille tous les jours.

(Il va s'asseoir à la place qu'occupait Blanche au lever du rideau.)

BLANCHE

Vous l'avez conquise ?

MAURICE

Pleinement.

BLANCHE

Pourvu que ça dure !

MAURICE

Oh ! si je ne réponds pas de la fille, je suis sûr de la mère. Quand elle regarde ma photographie, elle dit : « C'est impossible que ce garçon soit un malhonnête homme ; ou je ne suis pas physionomiste, ou il rendra Berthe heureuse. »

BLANCHE

Elle a raison, et je suis persuadée que vous ferez un mari modèle. Vous avez les qualités nécessaires.

MAURICE

Mais, ma chère amie, vous ferez une excellente épouse. Il sera très heureux avec vous.

BLANCHE

Avec vous Berthe sera très heureuse... Pauvre petite ! *(Un long temps. Puis Blanche se rapproche de Maurice. Ils se trouvent assis face à face, séparés par la table.)* Je voudrais vous voir lui faire la cour.

MAURICE

Je ne suis pas trop emprunté.

BLANCHE

Vous vous y prenez bien ?

MAURICE

Exactement comme je m'y prenais avec vous.

BLANCHE

Et vous avancez ?

MAURICE

J'ai lieu d'espérer que ça marche. Il me semble même qu'elle me donne moins de peine que vous.

BLANCHE

Vous êtes plus habile, c'est la deuxième fois.

MAURICE

Et vous m'avez mieux résisté.

BLANCHE

Ce n'était pas coquetterie. Je croyais ma vie de femme finie et j'hésitais à me lancer dans une nouvelle aventure de cœur. Les précédentes ne m'avaient pas enrichie. Sans le faire exprès, je n'avais aimé que des pauvres...

MAURICE

Et ce n'était pas avec mes deux mille quatre...

BLANCHE

Aussi, je pensais déjà à quelque mariage raisonnable, et il ne me manquait, je l'avoue, que l'occasion. Voilà pourquoi je vous résistais. Et puis, vous paraissiez si jeune ! Vous aviez encore l'air gauche d'un petit soldat. Et vous étiez maigre ! maigre !

MAURICE

J'ai gagné dans ce sens.

BLANCHE

Je m'en flatte. Vous avez engraissé sous mon règne, et je vous passe à une autre en bon état.

MAURICE

En bon état de réparations locatives !

BLANCHE

Oh !

MAURICE

Je veux dire que je signerais bien un second bail.

BLANCHE

Moi pas. Vous n'êtes plus le même. J'ai accueilli presque un enfant, et c'est un homme qui s'en va. J'aimais mieux l'enfant. Vous étiez plutôt laid et l'âge vous...

MAURICE

L'âge m'embellit ?

BLANCHE

Non, vous affadit. Vous avez moins de saveur, de lyrisme. Vous disiez poétiquement des choses de l'autre monde. Je vous affirme qu'on aurait cru quelquefois que vous parliez en vers.

MAURICE

Et quelquefois c'en était, mais d'un autre que moi ; je ne faisais que citer, par précaution. Il y en avait, je me souviens, de Musset, dans la déclaration d'amour que je vous ai écrite et que vous avez lue à mon prédécesseur.

BLANCHE

Comment ! vous me croyez capable de cette indélicatesse ?

MAURICE

Je le crois, parce que vous me l'avez dit, plus tard, dans un aveu à l'oreille.

BLANCHE

Vous m'étonnez.

MAURICE

Je vous assure. Il paraît qu'il riait, mon prédécesseur, et vous aussi, vous riiez. Comme c'était mal !

BLANCHE

Très mal. J'ai commencé par me moquer de vous : c'est la règle. Et vous auriez fini par vous moquer de moi, si je n'avais pris les devants.

MAURICE

C'est la règle.

BLANCHE

D'ailleurs, il y a toujours eu un peu de gaieté dans mes sentiments pour vous. Je m'amusais à vous façonner. Sans me vanter, si vous étiez intelligent, vous êtes devenu, grâce à moi, distingué. Vous avez de la tournure. Vous ne jurez jamais. Vous parlez poliment aux femmes et vous ne gardez plus votre cigarette à la bouche. Vous mettez des gants. Vous soignez vos mains. Vous rangez vos affaires. C'est moi qui vous ai enseigné l'usage des jarretelles et vos chaussettes ne tombent plus sur le soulier.

MAURICE

En échange de ces menus profits, moi, je vous ai appris à mettre les adresses, à mouler un chiffre. Vos trois ressemblaient à des dromadaires.

BLANCHE

Et moi, j'ai changé votre coupe de cheveux, supprimé la raie, et je vous ai appris à faire votre nœud de cravate.

MAURICE

Et vous m'avez appris bien d'autres choses encore.

BLANCHE

Oh ! vous n'aviez pas la tête dure.

MAURICE

Je m'appliquais tant !

BLANCHE

Et vous n'étiez pas un ingrat. J'ai de votre gratitude une preuve qui m'est chère et que je garde.

MAURICE

Une preuve ?

BLANCHE

Vous savez que chaque fois que je recevais une lettre de vous, car il m'a été impossible de vous faire passer cette dangereuse manie d'écrire, je la brûlais.

MAURICE

Sans la lire ?

BLANCHE

Je la lisais, mais je la brûlais aussitôt.

MAURICE

La postérité vous jugera.

BLANCHE

Eh bien, je conserve une de ces lettres. Je n'ai pu m'en séparer. J'y tiens trop. C'est le témoignage du bonheur que vous me devez, quelque chose comme le brevet de notre amour et de votre reconnaissance.

MAURICE

Elle doit être longue.

BLANCHE

Elle a quatre pages serrées.

MAURICE

Les grandes lettres viennent du cœur.

BLANCHE

Oh ! celle-là vient de votre cœur. Je la relisais quand vous êtes entré, et je ne pouvais m'empêcher de la lire.

MAURICE

Où est-elle ? Montrez-la...

BLANCHE

Je ne montre jamais mes lettres.

MAURICE

Puisque c'est moi qui l'ai écrite.

BLANCHE

C'est juste. Je veux bien ; ôtez-vous

(Elle se lève, se met à la place de Maurice, ouvre le tiroir et y prend la boîte qu'elle montre à Maurice qui reste debout.)

MAURICE

Nougatines de Nevers !

BLANCHE

Je vous défends de rire.

MAURICE

C'est dans cette boîte que vous cachez vos lettres ?

BLANCHE

Je n'y cache que votre lettre, avec deux ou trois bijoux de famille.

MAURICE

Je la reconnais à cette enveloppe jaune, à ce papier gratuit. Je l'ai écrite dans un café. Je sortais de chez vous, de vos bras. J'avais aux doigts, qui venaient de courir le long de votre beauté, un reste de frémissement. Je n'ai pas dû soigner mon écriture.

BLANCHE

Le meilleur de vous est là.

70

MAURICE

Oui, je me rappelle que j'ai éprouvé sur cette table de marbre froid, où mes mains achevaient de s'éteindre, le besoin de vous rendre des actions de grâces, de vous les chanter.

BLANCHE

Il n'y a ni date, ni nom, ni petit nom.

MAURICE

Je me rappelle, je me rappelle. Ça commence tout de suite, comme un hymne.

BLANCHE, *elle lit.*

« Vous êtes belle et vous êtes bonne. Je vous adore tout entière, le corps, le cœur et l'âme avec les dépendances... »

(Elle rit.)

MAURICE, *interrompt.*

Quel beau livre on écrirait sur nos amours !

BLANCHE, *désignant la lettre.*

Il n'y aurait qu'à copier. *(Elle lit, en ayant l'air de ne détacher que des passages de la lettre.)* « Vous êtes si indulgente pour les défauts d'autrui, qu'on aime les vôtres ; vous ne vantez point votre esprit. Vous souhaitez qu'on dise de vous : c'est une femme exquise, et non : c'est une femme de mérite. » Et ça ! « Vous ne médisez des autres que s'ils ont commencé les premiers. S'il vous arrive quelquefois de mentir... » Cela m'arrive ?

MAURICE

Oh ! très peu, et innocemment comme on se teint les cheveux, parce que vous croyez que c'est une grâce de plus.

BLANCHE, *lit.*

« Vous aimez la toilette parce que vous lui allez, le théâtre lorsqu'on y rit, et le monde, car une femme de votre âge ne peut pas vivre comme un loup... » Oh ! ça ! « Vous êtes paresseuse, en toute justice, parce qu'il vous semble que le rôle d'une belle femme consiste à rester belle et qu'on lui doit, sans même qu'elle le demande, les habits, l'argent de poche, la nourriture et le logement... »

(Elle rit.)

MAURICE

Il y a ça ?

BLANCHE. *Elle lui passe la lettre.*

Tenez.

MAURICE

C'est vrai... « Vous ne vous mettez jamais en colère ; vous craignez comme la foudre les explosions d'amour, et vous céderiez tout de suite, sans discussion, pour avoir la paix, à l'homme qui s'avancerait sur vous, les yeux injectés de sang, tandis que son visage émettrait une lumière verte... »

(Ils rient tous les deux.)

BLANCHE

Ça, c'est exagéré. Je prierais poliment le monsieur de prendre la porte. Mais c'était aimable de me l'écrire. Après ?

MAURICE. *Il continue de lire la lettre, appuyé au fauteuil de Blanche.*

« Et vous aimez qu'on vous aime finement, qu'on vous offre parfois deux sous de violettes, un baba au rhum, un bout de dentelle, une promenade en voiture et qu'on ait pour vous ces petites attentions sans prix qui font plus chaud au cœur des femmes que le duvet à leur cou... »

BLANCHE

Oui, j'aime qu'on m'aime ainsi.

MAURICE. *Il lit avec une émotion croissante et Blanche peu à peu se détourne.*

« A peine ai-je eu le temps, cette nuit, de vous embrasser. Je n'ai pas assez, pas comme je désirais, pris possession de vous. De même qu'un visiteur timide repasse, une fois dehors, ce qu'il devait dire, je vous parcours des cheveux aux pieds et je me dis : c'est là spécialement que j'aurais dû poser mes lèvres, là aussi, là encore, et je n'aurais pas dû, belle et bonne amie, relever un seul instant la tête... » *(Il laisse tomber sa lettre.)* Vous êtes la femme que je rêvais... Et je vous quitte !

BLANCHE, *se lève.*

Maurice, Maurice, vous vous écartez du texte de la lettre.

MAURICE, *prenant les mains de Blanche.*

Blanche, Blanche, je vous ai aimée de toute mon ardeur, et je crois qu'en ce moment même vous êtes ma seule, ma vraie femme.

BLANCHE

Là ! Là ! Je vous en prie, mon ami, vous vous échauffez. Vous allez dire des bêtises, et, comme je ne vous permettrai pas d'en faire, à quoi bon ?

MAURICE

Blanche, un mot, et j'envoie promener la petite et sa fortune, les convenances et mon avenir : je lâche tout.

BLANCHE

Vous feriez ça, vous ?

MAURICE

Tout de suite, essayez...

BLANCHE, *met ses deux mains sur les épaules de Maurice.*

Merci. Ça fait toujours plaisir. Mais je ne veux pas dire le mot. Je me tais. Je me tairai obstinément.

MAURICE

Tes yeux.

BLANCHE

Pas même mon front.

MAURICE

Tes lèvres, vite.

BLANCHE

Rien.

MAURICE

Alors, j'aurai tout.

BLANCHE

Faut-il sonner ?

MAURICE

Sonner qui ? Tes serviteurs sont absents ; ta femme de ménage ne vient que le matin.

BLANCHE

Je me défendrai donc toute seule.

MAURICE

Contre moi !

BLANCHE

Vous ne me faites pas peur.

MAURICE

J'ai soif de te reprendre.

BLANCHE

Je vous jure que vous vous en irez avec la soif.

MAURICE

Blanche, je te désire une dernière fois. Ce serait délicieux. Ce serait original ; ce serait comique.

BLANCHE

Ce serait tordant.

MAURICE

Blanche, écoute !

BLANCHE

Oui, j'entends, ça aurait une saveur fine, un petit goût d'adultère avant la lettre, avant la lettre de faire part de nos mariages. Vous m'offrez bonnement la belle en amour, puis nous nous donnerions la main, comme des camarades, et, d'un bond, vous passeriez d'une femme à l'autre. C'est une trouvaille, cette idée-là.

MAURICE

C'est une idée comme une autre.

BLANCHE

Ah ! tenez, vous êtes ridicule... vous êtes malpropre.

MAURICE

Ah ! flûte ! C'est vous qui êtes ridicule ! En voilà des façons ! Je vous demande à qui nous ferions du mal et qui le saurait.

BLANCHE

Moi !

MAURICE

Oui, ridicule et mauvaise ! Vous reculez par orgueil puéril, pour avoir l'air digne et parce que vous êtes vexée. *(Blanche hausse*

73

les épaules.) Certainement vexée de mon mariage... comme s'il n'était votre œuvre ! Car vous m'y avez poussé, malgré moi. Ainsi vous excusiez le vôtre préparé sournoisement. Il fallait m'éloigner, M. Guireau attendait à la porte.

BLANCHE

Maurice, je vous en supplie !

MAURICE

La preuve que je dis la vérité, c'est que, moi, je vous sacrifierais sur l'heure, sans regret, une fortune dont je me moque, et que vous !...

BLANCHE

Cela prouve seulement que vous vous égarez, Maurice, et que j'ai de la raison pour nous deux.

MAURICE

Oh ! bien, bien, cessez de pleurer...

BLANCHE

Je ne pleure pas.

MAURICE

... De vous tordre les bras ; puisque je vous choque, je me retire. Après tout, j'y tenais, parce que je croyais que vous ne demandiez pas mieux. Mais je n'y tenais pas tant que ça. Enfin, je n'y tiens plus. Bonjour, au revoir, bonne nuit, adieu. Bien des choses à M. Guireau.

(Il fait ces préparatifs de faux départ qui consistent à prendre son chapeau et sa canne et à les poser pour les reprendre encore et les reposer.)

BLANCHE, *avec une mélancolie douloureuse, sans regarder Maurice.*

Fallait-il finir si misérablement ! C'est avec des insultes que vous me quittez, quand vous êtes venu, ce soir que rien ne vous y forçait, en bon garçon désireux d'être loyal et tendre jusqu'au bout. Nous étions fiers l'un de l'autre. Les amants ne valent que par les souvenirs qu'ils se laissent et nous tâchions, c'était un joli effort, de nous laisser des souvenirs précieux. Ah ! maladroit !

MAURICE, *revient lentement.*

Oui, maladroit. Je gâte tout. Vous ne cessez pas d'être une adorable amie et moi je ne réussis qu'à vous révolter. Je me reconnais bien là. Je me fais toujours de grandes promesses que je ne peux jamais tenir. Rien ne me changera. Je prévois que je ne tourmenterai pas qu'une femme dans ma vie, et pour continuer, dès que je vous aurai quittée, j'irai, comme vous le disiez tout à l'heure, retrouver l'autre, celle qui m'attend là-bas, et si elle n'est pas un ange de docilité, sincèrement, je la plains.

BLANCHE

Voilà que vous vous noircissez. Au fond, vous n'êtes pas méchant, mais quelquefois vous éprouvez du plaisir à dire des choses dures.

MAURICE

Si vous croyez que ça m'amuse toujours !

BLANCHE

Je sais que vous ne les pensez pas.

MAURICE

Non. Malgré moi, elles me passent toutes seules par la tête.

BLANCHE

Jusqu'à présent, votre conduite était irréprochable. Tout allait si bien ! Qu'est-ce qui vous a pris ?

MAURICE

Je ne sais pas... Un accès.

BLANCHE

Allons, vous n'avez eu que ce petit instant d'erreur, et je vous pardonne.

(Elle lui tend la main.)

MAURICE

Vous pardonnez toujours ! Mais votre pardon ne m'excuse pas. *(Lui tenant les mains.)* Manquée à cause de moi ; ratée, notre rupture !... Malin, va ! Il ne me reste qu'à vous débarrasser de ma piteuse personne. Pourvu que je ne revienne pas machinalement demain !... Où en étions-nous ? Tout est réglé ? Vous ne me devez rien, je ne vous dois rien ?

BLANCHE

Oh ! voulez-vous un reçu ?

MAURICE

Ah ! un reçu daté et signé que je jetterais galamment le jour des noces dans la corbeille de mariage...

BLANCHE

Faites attention !

MAURICE

Oui, je sens que chaque parole que je prononce maintenant ne peut être qu'une maladresse de plus. Tantôt j'ai l'air de quitter une compagne de voyage : moi, je suis arrivé, je descends et je salue, correct et banal ; et tantôt je voudrais dire quelque chose de très profond, de très doux, de décisif, le mot de la fin ; je ne trouve pas. Je ne peux cependant pas sortir à l'anglaise. Mon Dieu, inspirez un pauvre homme, et vous-même, ma triste et généreuse amie, aidez-moi.

BLANCHE

Vous me faites peine et pitié ! Ne vous torturez pas. Ne cherchez rien. Ne dites rien et allez-vous-en.

MAURICE

Je m'en vais. Si au moins j'étais sûr que vous êtes calmée.

BLANCHE

Je suis calme. Allez et soyez heureux... Et votre petit paquet sur la table ?

MAURICE, *qui s'en allait, revient.*

Oui, j'y pense... Si vous pouviez reposer vos nerfs fatigués, dormir.

BLANCHE

J'essaierai. Je suis lasse. Laissez-moi, je voudrais être seule.

MAURICE

Appuyez-vous sur ce coussin. Voulez-vous que je baisse la lampe ?

BLANCHE

Non. Ce serait lugubre. Arrangez le feu ; je frissonne. *(Maurice se précipite pour arranger le feu, puis il va, sur la pointe du pied, baiser la main de Blanche.)* Vous êtes encore là ?

MAURICE

Chut ! ne vous occupez pas de moi, je suis parti. Il n'y a plus personne près de vous.

BLANCHE

Quel vide ! Que de choses vous emportez !

MAURICE, *soulevant la tenture.*

Il vous reste le beau rôle.

(Il sort. La tenture se referme. Blanche regarde.)

RIDEAU

LE PAIN DE MÉNAGE

A TRISTAN BERNARD

Souvenir de notre affectueuse entente.

Le 3 janvier 1898, Jules Renard demandait à Edmond Rostand de trouver un quart d'heure pour écouter Le Pain de Ménage. *C'est qu'il avait « quelques scrupules, d'un genre spécial ». Il précisait : « Je ne changerai pas un mot au* Pain de Ménage *pour vous faire plaisir, mais je veux être, une fois de plus, très net », et il termine : « Votre admirateur, qui désire rester votre ami. » Cette lettre assez mystérieuse pourrait bien faire mentir ceux qui pensaient que la pièce se fondait sur une expérience personnelle de Renard. Ne s'agit-il pas de Rostand ? On sait que la femme de l'auteur de* Cyrano *était fort liée avec les Renard ; or l'auteur du* Pain de Ménage *précise dans cette lettre : « Venez seul, bien entendu » (et c'est Renard qui souligne).*

A la veille de la première représentation de la pièce (dans le cadre des manifestations consacrées au théâtre tous les lundis par Le Figaro*) le 13 mars, il réécrit à Edmond Rostand : « Cela me peine, de ne pas vous faire envoyer d'invitations pour demain et d'avoir compris qu'elles vous seraient désagréables. Et cela me peine que vous n'ayez vu dans* Le Pain de Ménage *que du reportage malveillant. Je vous jure que vous vous trompez. »*

Le lendemain 14 mars, la représentation connaît un franc succès qui fait dire pourtant à Renard : « Dans la satisfaction de mes amis, quelque

*chose qui m'inquiète, comme s'ils étaient gais parce que ce n'est pas trop,
trop bien. »* Les deux interprètes, Marthe Brandès et Lucien Guitry, le
rassurent. Pas tout à fait cependant. Leur jeu très spécial inquiétait
l'auteur, fort soucieux de voir jouer sa pièce dans l'esprit où elle fut
conçue. Dans une étude parue au Mercure de France en septembre 1932,
Pierre Lièvre soulignait à ce sujet la part faite aux acteurs : *tel qu'il est,
Le Pain de Ménage surprend essentiellement par la propriété qu'il a de
faire étinceler les comédiens qui l'interprètent. On imagine difficilement
un art mieux disposé, quoique sans bassesse, au service de l'acteur. A
condition toutefois que l'acteur qui s'y montre mérite d'être servi ; qu'il
soit capable d'étinceler, comme c'était le cas en 1898 quand Brandès et
Guitry jouèrent pour la première fois cet acte. C'étaient eux-mêmes des
gens d'esprit, et leur esprit ne manquait pas d'analogie avec celui de
l'auteur ; ils appartenaient à peu près à un même groupe qui allait de la
Revue Blanche au Figaro... La grande Jeanne Granier créa Le Plaisir
de Rompre ; Antoine et Suzanne Desprès, Poil de Carotte ; Brandès et
Guitry, Le Pain de Ménage ; qui souhaiterait mieux ?...*

« *Un chroniqueur de La Vie Parisienne qui, vers 1904, usait du pseu-
donyme de Gant Rouge (quelqu'un me dira-t-il qui signait Gant Rouge
vers 1904 ? Sera-ce vous, Gérard Bauer, ou bien vous, Jean-Louis
Vaudoyer ?), parlant de Brandès, la peignit en trois épithètes :*
Faunesse, bacchante et neurasthénique... Le flacon de sels, un acces-
soire noble cependant et qui a plus d'un siècle de service, n'est plus en
usage dans ce théâtre contemporain. Brandès était une femme à flacon...
Le Pain de Ménage n'est pas une pièce à flacon ni à orages ; Brandès
et Guitry la créèrent dans un temps... Les mémoires ni les correspon-
dances n'ont pas encore révélé grand-chose sur la vie privée des gens de
cette époque. Y eut-il entre lui et elle « quelque chose de subtil », comme dit
Paul Morand... Nous n'utilisons ici que la matière qui put s'offrir à tout
spectateur... Nous dirons que ces deux grands comédiens jouèrent la pièce
de Jules Renard dans le temps où ils travaillaient à leur séduction
mutuelle... Deux acteurs de la plus haute classe se démontraient mutuellement leur maîtrise en leur art... ils cherchaient à paraître aux yeux
l'un de l'autre la plus incomparable coquette et le plus surprenant jeune
premier. C'étaient des gens de métier qui voulaient s'éblouir l'un l'autre
dans l'exercice de leur métier... et ils jouaient la comédie de la fidélité !...
La phrase capitale de la pièce devenait celle que Brandès prononçait en
souriant : « Je réponds d'hier, je réponds même d'aujourd'hui... »

Ces rapports « subtils » entre Guitry et Brandès, et qui conféraient
à leur jeu un style spécial, préoccupaient fort Jules Renard durant toute
la période où les représentations ont eu lieu. Le 3 avril, il écrit à Tristan
Bernard : « Dites à notre Guitry que je l'aime, décidément, beaucoup, bien
qu'il m'ait brûlé un peu mon pain l'autre soir. » Toujours en avril 1898,
le 10 avril cette fois, au même Tristan une phrase pleine de sous-entendus
au sujet de ses interprètes : « Un peigne à Brandès, un vase à Guitry, il
doit y avoir, cachées en ces objets d'art, les intentions les plus fines. Si
mes interprètes sont contents, je le suis aussi, mais je ne le suis qu'à la
condition qu'ils le soient. » Quelques jours plus tard, le 16, une allusion
à peine voilée dans sa lettre au même Tristan Bernard : « Pas de nouvelles
du couple harmonieux. Je suppose qu'ils ont fait triompher Le Pain
comme d'habitude. » C'est qu'il admirait fort ses acteurs, et toute sa vie
il leur a témoigné sa gratitude et son amitié. En 1909, il écrivait à
Brandès : « Je viens de relire Pain de Ménage. Savez-vous que c'est

très bien, malgré votre absence ? Ah ! j'ai été un homme de talent. C'est bien fini. » Était-il si convaincu au moment où il donnait La Bigote à l'Odéon ?

Quoi qu'il en soit, ce *Pain de Ménage est une belle pièce, une des grandes pièces de Renard que Maurice Mignon situe remarquablement dans son ouvrage :* « *A propos du* Pain de Ménage, *Gustave Larroumet prononce, à côté du nom de Marivaux, le nom de Musset* — Pain de Ménage *reprend exactement le thème du Caprice* — *et il loue la conduite originale de la pièce, son aisance et sa vérité supérieures, n'y trouvant qu'un seul défaut* — *défaut inévitable, car il vient à la nature même d'un genre si minutieux* » — *un peu de lenteur :* « *l'auteur du* Legs *et celui du* Caprice *ne l'ont pas évité* ».

« *C'est une véritable* « *cour d'amour* » *que cette comédie où l'on s'ingénie à discuter des problèmes dignes de la chambre bleue d'Arthénice ou du pays de Tendre... Mais puisque, sans s'aimer, ils ne se plaisent qu'à parler d'amour,* « *qu'est-ce que ce plaisir qui ne mène à rien ?* » *Le plaisir de flirter ?... Un plaisir platonique ?...*

» *Le plaisir* « *d'être là, seuls, l'un près de l'autre, de dire des riens avec mystère* », *est un plaisir extra-conjugal, mi-vertueux, mi-coupable, qui prouve que le bonheur parfait, dans un ménage, a besoin, parfois, de se sentir menacé pour s'apprécier, se défendre et durer...*

» *Tout le long de cet acte, c'est le même esprit subtil et léger qui court à travers les répliques d'un dialogue animé et serré... avec cela, de temps en temps, une verve de lyrisme qui emporte la phrase jusqu'à la plus haute poésie...*

» *... A la morale du plaisir, exposée par Pierre... Marthe oppose la morale du devoir, qui commande la fidélité conjugale...*

» *Et c'est sur un mot des plus simples et des plus touchants que se termine cette comédie bourgeoise, qui accomplit le miracle d'être à la fois vertueuse et spirituelle et par conséquent tout à fait classique, grâce à la légèreté de l'expression et à la finesse de la pensée.* »

En somme, Le Pain de Ménage, *c'est, dans le quotidien de la vie conjugale, un rêve d'aventure... et la pièce de Renard une évasion, tout juste assez audacieuse pour troubler les honnêtes bourgeoises* « *fin du siècle* ». *Il est vrai que les intentions de Renard étaient un peu plus âpres, et il disait lui-même que ce petit acte aurait pu s'intituler* Le Malheur dans le Bonheur, *et il a été très touché de ce que l'article d'André Picard dans la* Revue Blanche *ait été* « *le développement exact de cette formule* ». *Mais tout cela sans lourdeur, dans un esprit qui lui faisait aimer* Les Mémoires d'un Jeune Homme Sage, *de Tristan Bernard, à qui il a dédié* Le Pain de Ménage *lorsque la pièce fut publiée par Ollendorf en 1899. Elle suivait d'ailleurs sa carrière, cette pièce, bien que les préoccupations de Jules Renard fussent presque entièrement tournées vers* Poil de Carotte, *porté à la scène. Au moment de la reprise de* Pain de Ménage, *le 10 février 1900, au théâtre du Gymnase, la mort de son frère suivant de près le suicide de leur père l'ont distrait aussi de ce petit événement. La première représentation, celle d'un des lundis du Figaro, qui eut lieu sur invitations le 14 mars 1898, avait rassemblé un public très mondain. Au Gymnase, Gémier succédant à Antoine, la robustesse de la pièce était soulignée par la mise en scène, et l'ironie par une conférence de Tristan Bernard qui précédait la représentation dont rend compte Robert de Flers dans* La Liberté. *Plus tard, le même critique, dans le discours qu'il a prononcé lors de l'inauguration du buste de Jules Renard, a surtout*

81

souligné le respect de la vérité, chez Renard, disant notamment : « L'auteur du Pain de Ménage ne cède jamais à ses personnages ; lorsque ceux-ci lui ont dit : laissez-nous dire ceci, laissez-nous dire cela... ce serait touchant ou risible, Jules Renard leur a invariablement répondu : « Non, c'est impossible, je regrette » ; il lui a fallu, pour conserver cette rigueur, un certain courage. »

Cette représentation au théâtre du Gymnase fut un triomphe, mais un triomphe éphémère. Il y eut pourtant quelques projets de reprise, en particulier au théâtre Guitry. En effet, le 29 août 1902, il écrivit à Alfred Athis : « J'attendais, pour vous écrire, le résultat d'une affaire qui m'a donné un mal de chien. Il s'agissait de placer, comme retrousser de rideau, Le Pain de Ménage au théâtre Guitry. Enfin, c'est fait. J'ai même changé le titre de ce pur chef-d'œuvre, qui s'appellera Le Pain Rassis. Me voilà tranquille pour mon hiver. » Point si tranquille que cela ; le 20 septembre, il écrit à Lucien Guitry : « Il y a des journaux qui disent que Le Pain de Ménage sera joué avec la Châtelaine (de Capus). C'est quelque numéro de votre troupe qui aura été indiscret, car, moi, je n'ai soufflé mot (et la lettre au critique Alfred Athis ?). C'est peut-être vous, au fait, qui traitez Le Pain de Ménage de " petit acte charmant ". » Le projet n'aboutit cependant pas. Mais la pièce a-t-elle été jouée au théâtre Antoine en janvier 1903 ? Il semble bien que oui, et c'est à cette occasion qu'une ouvreuse lui aurait dit, pénétrant dans la salle alors que se levait le rideau sur Le Pain de Ménage : « Ne vous pressez pas, monsieur ! C'est la petite pièce. » Un mot qui a dû tourmenter Renard, si facilement démonté par un mot direct. La pièce fut pourtant jouée quatre-vingt-huit fois à Paris. Il y eut aussi l'affaire de la Comédie-Française. Nous avons retrouvé une lettre inédite de Jules Renard, vraisemblablement adressée à l'administrateur du Théâtre-Français, qui est bien curieuse et désenchantée ; lettre datée du 20 septembre 1903.

Cher Monsieur,

Vous ne me ferez peut-être plus de compliments ! Ce que vous voulez bien me dire du *Pain de Ménage* me rappelle... *Le Plaisir de Rompre*. Je savais « qu'un petit acte à la Comédie-Française est une petite rente ». J'oubliais les années maigres.

Dernière représentation du *Plaisir de Rompre* : 8 octobre 1902. Si encore vous préfériez tel *Poil de Carotte* ou tel *Monsieur Vernet*...

Je m'égare et vous prie d'agréer, avec mes excuses, mes sentiments dévoués.

A-t-il refusé Le Pain de Ménage au Français, mécontent du sort qu'on y faisait du Plaisir de Rompre ? C'est probable. Ce n'est qu'en 1927 que la pièce entra au Français avec Mᵐᵉ Béatrice Brety dans le rôle de Marthe et Roger Monteaux dans celui de Pierre. En attendant, au cours de cette année 1909, la pièce fut traduite en catalan (il est vrai que ce n'était pas la première fois que son théâtre dépassait les frontières et, déjà, Le Pain de Ménage avait été représenté en Belgique en 1898). Mais la vraie gloire fut posthume. La vraie gloire, c'était que le théâtre d'avant-garde s'est emparé de la pièce « fin de siècle ». Dès sa première saison, le Vieux-Colombier a joué Le Pain de Ménage en 1914 à Paris avec Mᵐᵉ Gauthier et Jacques Copeau. Puis, lorsque la troupe partit en tournée en Amérique, elle emporta la pièce avec elle où elle fut jouée plus

de deux cents fois. Elle fut même traduite sous le titre Home made
Bread *et éditée en 1917 dans la collection du Vieux-Colombier.*

*Après la guerre, le Théâtre-Français a repris plusieurs fois la pièce.
Elle y fut représentée pour la première fois le 19 avril 1927 et provoqua
une critique inégale. M. Claude Berton, dans les* Nouvelles Littéraires,
écrit : « Le Pain de Ménage *n'est pas la meilleure des quatre pièces. C'est
l'histoire d'un caprice, d'une passade avortée, comme ce velléitaire de
Poil de Carotte dut la connaître au cours de sa vie sentimentale. » Critique sans tendresse, mais M. Berton était-il si perspicace lorsqu'il
écrivait :* « Le Pierre du Pain de Ménage *comme le Maurice du* Plaisir
de Rompre *s'appellent Pierre et Maurice pour ne pas s'appeler Poil
de Carotte ou Jules Renard... » Il y a cette fameuse lettre à Edmond Rostand capable de contrer ceux qui affirmaient que les pièces de Renard
étaient toujours autobiographiques...*

Par contre, un autre critique, Léopold Lacour, dans La Revue de Paris,
*souscrivait aux jugements formulés à la création, près de trente ans plus
tôt, et qui situaient la pièce dans la grande tradition du théâtre de Musset :*
« Le Plaisir de Rompre *et ce* Pain de Ménage, *qui furent les débuts de
Jules Renard au théâtre, sont peut-être ce qu'il y a mis de plus joliment,
de plus finement ciselé — ils eussent également plu à Musset des* Pro-
verbes... *Ce sont en effet des pièces de moraliste, et les personnages y
ont l'esprit et le ton parisiens. »*

*Si parisiens même qu'ils furent choisis comme ambassadeurs du
théâtre français. Interprété par M*me *Valentine Tessier et Jean Debu-
court,* Le Pain de Ménage *fut joué devant le public le plus cosmopolite
du monde, sur la scène du paquebot* Normandie, *lors de sa première
traversée en 1935. Cette suprême consécration justifie sans doute tout
le mal que Jules Renard s'est donné pour imposer sa pièce en un acte,
un des plus grands du « petit » théâtre français.*

PERSONNAGES

MARTHE : Mlle MARTHE BRANDÈS

PIERRE : M. LUCIEN GUITRY

PIERRE, MARTHE.

Pierre se promène d'une fenêtre à l'autre. Marthe est assise près d'une table à thé.

MARTHE. *Elle a la figure étonnée et rieuse d'une femme qui ne veut pas croire ce qu'on vient de lui dire.*

Comment ! Depuis que vous êtes marié, vous n'avez jamais eu de maîtresse ?

PIERRE

Jamais.

MARTHE

Vous pouvez bien me le dire, puisque nous causons librement. N'ayez pas peur qu'on vous entende !... *(Elle désigne un des côtés du chalet.)* Votre femme veille près de sa petite fille qui était toute grognon au dîner ; elle craint une mauvaise nuit, mais ce ne sera rien.

PIERRE

Je l'espère.

MARTHE

Les dents, peut-être ?

PIERRE

Sans doute, je ne sais pas.

MARTHE

Chère petite ! Sa maman ne la quitterait pas pour vous surprendre aux pieds d'une autre femme. Allons, dites-le-moi.

PIERRE

Je vous le dis : jamais.

MARTHE

Vous ne me le diriez pas.

PIERRE

Je vous le dirais, pour me faire valoir.

MARTHE

Au moins, vous avez eu des tentations ?

PIERRE

Non !... Ah ! si, une.

MARTHE

Dites ?

PIERRE

Je me rappelle qu'un jour, dans la rue, à je ne sais quel passage de princes exotiques, j'ai bousculé une jeune dame pas mal, très bien, ma foi, qui a daigné sourire à mes excuses. Il y avait tant de monde, sans compter un kiosque de journaux qui ne voulait pas se déranger, qu'elle ne voyait rien, ni moi non plus. Nous nous sommes mis à l'écart. Comme je lui débitais des galanteries vagues, elle m'a donné son adresse exacte et elle m'a invité à lui faire une visite. Je ne l'ai pas faite. J'ai envoyé à ma place une boîte à gants, vide.

MARTHE

Pourquoi vide ?

PIERRE

Parce que ça coûte moins cher.

MARTHE

C'était si peu de chose, votre dame ?

PIERRE

C'est ce que j'ai de plus mondain à vous offrir. Le reste ne vaut pas un aveu.

MARTHE

Si, si, ça m'intéresse, je raffole de ces confidences.

PIERRE

Je me rappelle qu'une autre fois... Oh ! non...

MARTHE

Si, si !

PIERRE

... Je regardais une petite bonne qui venait d'entrer à la maison.

Elle essuyait les meubles de mon cabinet de travail avec une application sournoise. Elle rôdait d'un pied de table à un bâton de chaise. Il faisait lourd, orageux. Elle reluisait comme une tartine. Elle m'agaçait. Brusquement... vous me faites rougir... je l'ai embrassée un bon coup.

MARTHE

Quelle horreur ! Sur la joue ?

PIERRE

Je ne sais pas, au juger, sans voir. Et je me suis sauvé.

MARTHE

Oh ! le lâche !

PIERRE

Lâche et méchant, car au premier prétexte je l'ai fait flanquer à la porte. Je ne sais pas si elle a compris quelque chose à son aventure.

MARTHE

Elle aurait dû demander des explications à votre femme. Et une autre fois ?

PIERRE

C'est tout. Ah ! dame ! ce n'est pas riche. Ayez pitié d'un pauvre homme. Il y a des maris fidèles. J'en suis un.

MARTHE

Vous croyez à la fidélité des hommes ?

PIERRE

Je crois à la mienne, je suis bien forcé. Je crois encore à celle de votre mari. Et vous ?

MARTHE

Sans effort. Et depuis combien d'années êtes-vous marié ?

PIERRE

Douze. Je me suis marié jeune, dès que j'ai eu l'âge de raison.

MARTHE, se lève, moqueuse.

Douze !

PIERRE

Et je ne compte pas les mois de fiançailles.

MARTHE

Laissez-moi vous regarder.

PIERRE

Regardez, regardons-nous. Je ne me lasserai pas le premier. Ça m'est égal d'avoir l'air ridicule devant vous. Je sais que vous ne vous fiez pas aux apparences.

MARTHE

Vous, ridicule ! Vous méritez du bronze et une niche. Vous êtes un saint.

PIERRE

Mais vous qui faites le malin, voulez-vous me dire si vous avez eu des amants ?

MARTHE

Cette question, à moi ! Des amants, au pluriel ! Pour quoi faire ?

PIERRE

Pour tromper plusieurs fois votre mari... J'exagère ?

MARTHE

Totalement.

PIERRE

Vous n'avoueriez pas.

MARTHE

Mais si, ça me ferait valoir.

PIERRE

Comme on a dû vous faire la cour !

MARTHE

Pas tant que vous croyez.

PIERRE

Cette blague !

MARTHE

Non, coquetterie à part. Jeune fille, j'ai mis en flamme, comme toutes les jeunes filles, un cœur ou deux ; on a fait une chute de cheval sous mes fenêtres...

PIERRE

Oh !

MARTHE

On l'a faite adroitement, ça compte tout de même et je m'en honore ; mais depuis, rien. Une fois mariée, je n'ai pas eu la curiosité de regarder par la fenêtre.

PIERRE

Craignez-vous que votre mari écoute ?... La chasse d'aujourd'hui l'a rompu. Il dort. *(Pierre désigne l'autre côté du chalet.)* Dans son lit, en toute sécurité. Vous osez me dire qu'aucun homme ne s'est encore risqué.

MARTHE

Je le soutiens.

PIERRE

La mémoire vous fait défaut, on vous a écrit des lettres ?

MARTHE

On savait bien que mon mari, après les avoir lues, m'aurait défendu de répondre.

PIERRE

C'est fort.

MARTHE

C'est comme ça.

PIERRE

Je me demande à quoi les hommes qui vous connaissent occupent leurs loisirs.

MARTHE

Mon ami, ces choses-là se passent à peu près de la même façon dans tous les milieux. Les hommes, sans cesse à l'affût, il est vrai, ne s'approchent pourtant que si on leur fait signe.

PIERRE

Quel signe ?

MARTHE

Oh ! il varie avec le milieu et il échappe aux indifférents comme vous. Mais il y a toujours un signe.

PIERRE

Faites-le, pour voir.

MARTHE

Non, je ne veux pas faire de signe, à personne. Voilà mon secret.

PIERRE

Quoi ! vous n'avez rien à la conscience que je pourrais vous reprocher : une peccadille, une tache imperceptible ?

MARTHE

Il n'y a pas que vous d'immaculé, mon ami. Je vous assure que je vous le dirais. Entre nous, ça n'a aucune importance.

PIERRE

Aucune. Vous voyez bien que, vous aussi, vous n'êtes qu'une honnête femme, et vous ne serez jamais qu'une honnête femme.

MARTHE

Vous me dites ça avec mépris.

PIERRE

Je vous le dis avec respect : vous ne serez jamais qu'une honnête femme.

MARTHE

Oh ! Oh !

PIERRE

Ah ! Ah !

MARTHE

Vous m'engagez trop. Je suis une honnête femme jusqu'à présent. Mais je ne crie pas, sur les toits, que je serai toujours une honnête femme. Est-ce que je le sais ? A la vérité, je n'en sais rien. Je n'ai aucune envie de tromper Alfred, et pourtant je serais désolée d'avoir la certitude de ne jamais le tromper. Ce serait là une certitude un peu niaise, un peu humiliante. Je réponds d'hier, je réponds même d'aujourd'hui. Je ne prétends pas que ce soit héroïque, mais c'est déjà suffisant.

PIERRE

Et vous faites vos réserves pour l'avenir.

MARTHE

Je fais la part de l'imprévu, des heures de crise, où tout ce qu'on s'était juré et rien, c'est la même chose. Je refuse de prononcer des vœux de fidélité éternelle. Je suis une honnête femme qui doute quelquefois de sa résistance. Ma vie, jusqu'à ce jour, a glissé droite et légère, sur une glace pure. Mais il faut craindre l'accident. Je le crains. Je l'imagine, et je frissonne de peur. C'est très agréable.

PIERRE

Voilà ! voilà ! Vous parlez en femme qui n'est pas sotte. Vous tomberez, s'il le faut, demain ou après-demain. On ne peut pas fixer la date d'un accident.

MARTHE

J'accorde seulement qu'il est possible.

PIERRE

Probable.

MARTHE

Non, il me répugne de préciser davantage. L'idée perverse m'amuse d'abord, mais je sens vite que la chose n'aurait rien de drôle, n'importe quand et n'importe avec qui. Pour que l'image de l'adultère ne me fasse pas baisser d'écœurement les yeux, il faut qu'elle reste dans le vague et le lointain.

PIERRE

Elle peut vous mener loin.

MARTHE

Je ne suis pas pressée.

PIERRE

Ni moi, ni votre mari non plus, ni ma femme non plus. Ainsi, dans ce rustique chalet, où nous vous offrons, pour quelques semaines d'automne, une hospitalité amicale, il y a réunies quatre personnes mariées, et, par un hasard extraordinaire, ces quatre personnes sont toutes les quatre d'une fidélité à l'abri des coups de foudre. Vous aimez bien votre mari, votre mari vous aime bien, ma femme m'aime bien et j'aime bien ma femme. Sous le même toit, sur deux ménages, il y a deux ménages modèles. Deux sur deux ! Nous réalisons le maximum... sauf erreur.

MARTHE

Moi, je n'en cherche pas.

PIERRE

Vous auriez tort : votre mari est jeune, beau garçon...

MARTHE

Distingué.

90

PIERRE

Beau garçon, plus beau garçon que moi. Il est moins fort, mais il a une bonne santé.

MARTHE

Excellente ; un peu sujet aux migraines.

PIERRE

Ce n'est pas grave. Cela vient de ce qu'il possède, dans toute l'acception du mot, la plus jolie femme de Paris.

MARTHE

Une des plus jolies femmes.

PIERRE

Oh ! pendant que j'y étais !... Et comme il vous aime beaucoup...

MARTHE

Beaucoup.

PIERRE

Et que vous l'aimez beaucoup...

MARTHE

Beaucoup.

PIERRE

Je conclus que vous ne vous ennuyez pas.

MARTHE

Rarement. Mais plaignez-vous donc. Vous n'êtes pas mal.

PIERRE

Je suis mieux que ça.

MARTHE

Quant à votre femme...

PIERRE

Vous avez une manière discrète d'insister sur mes mérites personnels !

MARTHE

C'est que j'ai hâte de faire l'éloge de votre femme, qui vaut encore mieux que vous, quel que soit votre prix. C'est une perle.

PIERRE, *gravement.*

Inestimable.

MARTHE

Elle a un genre de beauté bien à elle.

PIERRE

Et bien à moi.

MARTHE

Je ne lui connais que des qualités : elle les a toutes.

PIERRE

Elle a même des vertus. C'est la seule femme de notre monde qui ait des vertus.

MARTHE

La seule ?

PIERRE

Ne réclamez pas. Une vertu, une vraie vertu, c'est trop sérieux pour vous.

MARTHE

Ah ! et citez-moi, s'il vous plaît, une vertu à laquelle je ne puisse prétendre.

PIERRE

Je cite au hasard, la première venue, la bonté.

MARTHE

Je ne suis pas bonne ?

PIERRE

Si, de cette espèce de bonté qui n'abîme pas le teint.

MARTHE

Comment ? Je ne suis pas bonne pour mon mari, pour mes enfants, mes amis ?

PIERRE

Et pour vos pauvres. En effet, votre mari vous brutalise, vos enfants sont des monstres que les photographes se disputent, vos amis vous assomment de compliments, et les pauvres ne vous disent même pas merci ; cependant vous n'en voulez ni aux uns, ni aux autres. Et, comme toute votre bonté y passe, vous n'en avez jamais de reste.

MARTHE

Votre femme est plus généreuse ?

PIERRE

Oh ! n'essayez pas de lutter. Dans n'importe quelle occasion de se dévouer. Berthe vous battrait.

MARTHE

Exemple ?

PIERRE

Exemple. Si votre mari vous trompait, que feriez-vous ?

MARTHE, *sans hésiter*.

J'ai deux projets, à mon choix : Premièrement, si mon mari me trompe, je le trompe tout de suite, tout de suite, avec le plus voisin de ses amis. Et ce sera si vite fait que, mon mari et moi, nous ne saurons même plus lequel des deux aura commencé.

PIERRE

Quoique vulgarisée, cette méthode ne me déplaît pas. Nous habitons la même rue à Paris : j'ai des chances. Voyons l'autre.

MARTHE

Le soir même du jour où je m'apercevrai de quelque chose, et chaque soir, jusqu'à ce que la leçon profite, je me ferai si tendre et si exigeante que mon mari ne paraîtra plus à sa maîtresse qu'un amant hors de service.

PIERRE

C'est assez original, mais d'une exécution pénible.

MARTHE

C'est un tour de force. Je peux ne pas réussir, mais, si je réussis, quel dédain pour Alfred, quand je l'aurai ruiné !

PIERRE

Comme vous êtes bonne !

MARTHE

Je suis juste.

PIERRE

La bonté se moque un peu de la justice.

MARTHE

Que ferait donc votre femme à ma place ?

PIERRE

Je la questionne souvent. « Que ferais-tu ? lui dis-je. — Ne parlons pas de ça, dit-elle. — Parlons-en ; tout arrive. — Je ne peux pas croire que ce malheur puisse m'arriver. — Moi non plus, mais je suppose. — Tais-toi, dit-elle, tu me tourmentes. — Ma chère petite, lui dis-je, il est impossible que tu n'aies pas tes idées sur l'adultère, une théorie comme toutes les femmes. Tu y penses quelquefois. — Jamais, dit-elle. — Penses-y donc un instant, réfléchis une minute et réponds : c'est pour rire. Si je te trompais, que ferais-tu ? — J'aurais beaucoup de chagrin. — Je l'espère bien. D'ailleurs, j'en aurais peut-être plus que toi. Mais après ? te vengerais-tu ? me pardonnerais-tu ? Que ferais-tu ? — Rien, rien. » Et, si j'insiste encore, elle se met d'avance à pleurer.

MARTHE

C'est ce que vous appelez de la bonté ?

PIERRE

C'est ce que toutes les femmes qui en sont incapables appellent de la bêtise.

MARTHE

Mais, mon ami, quand on a une femme comme la vôtre, on reste chez soi.

(Elle s'éloigne.)

PIERRE

C'est ce que je fais, depuis douze ans. Bonsoir !

MARTHE, *avec simplicité.*

Oh ! pardon ! Bonsoir.

PIERRE

Naturellement, bonsoir ! Puisque vous êtes la plus heureuse des femmes, et moi le plus heureux des hommes, puisque l'union de nos ménages est indéchirable, que faisons-nous là, tous les

93

deux, à dix heures passées, tandis que ma femme veille et que votre mari dort ? Ça ne vaut rien au bonheur de se coucher si tard. Allez le rejoindre ! Je vais la retrouver.

MARTHE

Allons.

PIERRE

Car il est inexplicable, notre faible pour ce sujet de conversation. Dès que nous sommes seuls, dans ce salon, dans le jardin, ou à la promenade, tout à coup votre œil s'anime et je sens que je vais briller : « Que pensez-vous de l'amour ? »

MARTHE

« Avez-vous un amant ? »

PIERRE

« Aurez-vous bientôt une maîtresse ? Où la mettrez-vous ? » C'est notre petit jeu préféré.

MARTHE

Il est innocent, puisqu'il se termine chaque fois par le double éloge de votre femme et de mon mari.

PIERRE

Mais pourquoi parlons-nous d'autre chose en leur présence ?

MARTHE

On ne parle bien de ces choses-là qu'à deux.

PIERRE

Mais alors, madame, c'est avec votre mari qu'il faut en parler. Et je vous en défie. Vous ne tarderiez guère à bâiller. Pourquoi ?

MARTHE

Parce qu'Alfred peut m'aimer sans me parler d'amour. C'est un passionné qui serre les dents. Il déteste ce genre de conversation. Il le trouve stupide. Il prétend qu'on n'y dit que des sottises.

PIERRE

Les imbéciles, mais vous et moi ?

MARTHE

Nous sommes les deux personnes les plus spirituelles que nous connaissions.

PIERRE

Et n'est-ce pas que vous prenez plaisir à nos bavardages ?

MARTHE

Oui, je l'avoue.

(Ils se sont assis.)

PIERRE

Un plaisir que vous ne devez pas à votre mari que vous aimez, et que vous me devez, à moi que vous n'aimez pas, que vous n'aimez pas ; ce qui m'est bien égal puisque je ne vous aime pas.

MARTHE

Dieu merci ; je le dirais tout de suite à votre femme.

PIERRE

Berthe refuserait de vous croire. Elle est très tranquille. Nous sommes tous très tranquilles. Mais puisque sans nous aimer, chère madame, nous ne nous plaisons qu'à parler d'amour, qu'est-ce que ce plaisir qui ne mène à rien ?

MARTHE

Le plaisir toujours à la mode, le plaisir de flirter.

PIERRE

Oh ! flirter, ce mot-là m'énerve. Flirt ! Flirt ! c'est crispant comme une automobile sous pression. Laissez donc aux Anglais leurs petits bouts de mots. Qu'ils aient au moins ça en Angleterre.

MARTHE

Je ne tiens pas aux mots. Mettons que ce soit un plaisir platonique.

PIERRE

Oh ! platonique ! C'est encore plus laid. Ça sent l'office et la pharmacie. De grâce, choisissez vos expressions, quand il s'agit...

MARTHE

De quoi ? il me semble que vous n'êtes plus clair.

PIERRE

De notre bonheur même. Oui, oui, oui, ce plaisir d'être là, seuls, l'un près de l'autre, de dire des riens, avec mystère, de célébrer, avec pompe, les louanges de nos ménages et de traiter comme des psychologues professionnels, mais en cachette, toutes les questions de l'amour, c'est la preuve que vous vous vantez et que je me vante et que votre bonheur parfait est surfait.

MARTHE

Vous vous trompez ; moi, je suis absolument heureuse.

PIERRE

Ce n'est pas vrai !

MARTHE

Mon ami, prenez garde.

PIERRE

Oh ! je prends garde. Je me garde de toute plaisanterie vulgaire sur votre mari. C'est un homme que je place très haut dans mon estime et qui me vaut bien.

MARTHE

Vous le flattez.

PIERRE

Je lui rends justice.

MARTHE

C'est réciproque.

PIERRE

Entendu. Mais il y a des choses qu'il ne sait pas vous dire comme je vous les dirais. Et cela vous manque, si, si. Êtes-vous femme, oui ou non ?

MARTHE

Non. — Quelles choses ?

PIERRE

Il ne sait pas vous dire, comme moi, que vous êtes une femme d'un goût exquis et que vous vous habillez... comme une fleur !

MARTHE

Berthe aussi s'habille très bien.

PIERRE

Elle ne porte que du classique. Il ne se rappelle pas, comme moi, votre mari, certain chapeau de l'année dernière, tout chargé de cerises rouges. Il fallait être vous, pour porter, avec une témérité de vieux révolutionnaire, un chapeau de cette crânerie. Il éclatait sur le boulevard. Il affolait les yeux. On ne voyait que vos cerises. Il devait donner l'envie aux gamins d'y grimper et de ne pas vous en laisser une. Et il vous allait ! Il vous allait !

MARTHE

Il m'allait bien, n'est-ce pas ?

PIERRE

Il vous allait comme le beau temps à la nature.

MARTHE

C'est gentil, ça.

PIERRE

Tiens, parbleu ! je vous crois. Et ces gentillesses-là, est-ce votre mari qui vous les dirait ?

MARTHE

Il m'en a dit.

PIERRE

Il ne vous en dit plus.

MARTHE

Quelques-unes.

PIERRE

Pas souvent.

MARTHE

Quelquefois.

PIERRE

Il vous en dira de moins en moins, je vous l'affirme. Et je le trouve excusable. C'est fatigant à la longue. Il a perdu l'habitude. Je parie qu'il ne vous dit pas que vous êtes intelligente ?

MARTHE

Oh ! ça !

PIERRE

Je ne veux pas dire que vous ne faites que rouler dans votre tête des pensées de Pascal. Mais vous avez l'intelligence du geste, du regard, du sourire, de la réplique ! A chaque trait qui vous frappe, vous étincelez.

MARTHE

Je place mon mot, comme une autre, à l'occasion. C'est moins un mot d'esprit qu'un mot du cœur.

PIERRE

Cet air modeste ! Mais vous êtes une Parisienne exceptionnelle et rayonnante, qui sait tout, qui lit tout, qui peut tout dire et tout juger. Car c'est incroyable : vous auriez le droit d'être frivole, évaporée, aérienne, et vous avez du bon sens, du gros bon sens.

MARTHE

J'ai mes petites idées et j'y tiens.

PIERRE

C'est énorme. Plus intelligente, vous le seriez trop. Vous ne laisseriez rien aux messieurs qui vous détesteraient. Voilà ce que votre mari ne vous dit jamais. Il ne vous dit même plus que vous êtes jolie. *(Marthe, déjà rêveuse, ne répond pas.)* Je m'en doutais. Et pourtant il le sait ; d'ailleurs tout le monde le sait : vous êtes unanimement jolie.

MARTHE

Mais il est de plus en plus gentil. Qu'est-ce qu'il a donc, ce soir ?

PIERRE

Je ne vous accable pas d'injures, hein ! Essayez de vous fâcher.

MARTHE

Je ne peux pas.

PIERRE

Mettez-vous en colère parce que je vous dis que, lorsque vous montez les Champs-Élysées, il y a, de chaque côté de l'avenue, un mouvement de curiosité, un vif remue-ménage de chaises. Tout s'incline sur votre sillage, votre cocher se dresse avec plus de style, et parmi les voitures qui semblent s'arrêter la vôtre roule comme un char vers l'Arc de Triomphe

MARTHE. *Elle rit.*

Ça, c'est drôle.

PIERRE

Oh ! ce rire musical ! cette alouette qui part de votre bouche ! Et le soir, au théâtre, si quelqu'un murmure : « La jolie Femme ! » je n'ai pas besoin de chercher des yeux. Je devine que vous êtes dans la salle. Aussitôt, je sens que je vais passer une bonne soirée. La pièce que j'écoute moins me paraît meilleure et le lustre éclaire double !

MARTHE]

Et vous dites que c'est fatigant ?

PIERRE

Et je suis à peine en train. Vous n'imaginez pas le nombre de fois que je pourrais vous répéter que vous êtes non une jolie femme, mais la jolie femme, l'idéale !

MARTHE

Oh ! Oh ! où voulez-vous que je me mette ?

PIERRE

Plus près de moi... *(Marthe se recule.)* Et je vous en dirais bien d'autres. Je vous dirais toutes vos grâces, et je ne me priverais pas de vous en inventer, si vous n'étiez une honnête femme, si je n'étais un homme fidèle. Mais il nous faut, ma chère amie, renoncer tous deux aux déclarations d'amour, moi à les faire, vous à les entendre.

MARTHE

C'est dommage.

PIERRE

C'est absurde. Je vous disais tout à l'heure que je n'étais pas homme à me moquer de votre mari. Je ne suis pas assez méprisable pour faire de l'ironie à propos de ma femme que j'aime du fond du cœur, que j'admire.

MARTHE

Je ne vous le permettrais pas.

PIERRE

Mais, après douze ans de ménage, je ne peux pas, moi qui aime tant ça, moi qui suis né exprès pour ça, filer à ses pieds des phrases d'amour. Ce serait du gaspillage.

MARTHE

Berthe ne se plaindrait peut-être point.

PIERRE

Évidemment. Elle serait très sensible. Elle rougirait, étonnée. Mais elle est si bonne ménagère que, dans sa surprise, elle me répondrait quelque chose comme « Tu vas renverser mon café !... » Et désormais, ce sera toujours ainsi, j'aurai toujours peur, si je m'abandonne, de casser quelque objet de ménage.

MARTHE

Je comprends. Je comprends.

PIERRE

N'est-ce pas ?

MARTHE

Oui, vous finissez par aimer Berthe comme une sœur.

PIERRE

Presque. Entre elle et moi, si ce n'est pas encore de l'amitié, c'est déjà de l'amour retenu, alangui, incolore et dépouillé de ses fleurs. Tenez ; je songe à ces faux arbres nains, secs et sans écorce, qu'on voit dans les cages des jardins zoologiques. Les oiseaux, par nécessité, s'en contentent, mais pas les fleurs ;

(Étonnement de Marthe.) Ça n'a aucun rapport, mais sentez-vous ce que je veux dire ?

MARTHE

Oh ! très bien, très bien ! comme si vous m'expliquiez mes rêves, mes rêvasseries plutôt. Bah ! pour quelques fleurs !

PIERRE

Comment ! pour quelques fleurs ! En fait de bonheur, rien n'est facultatif. Tant qu'on n'a pas tout, on a le droit de réclamer.

MARTHE

Notre part est déjà très enviable.

PIERRE

Oh ! d'accord. Je ne me révolte pas, je ne souffre pas le martyre, ni vous non plus. Nos ménages ne sont pas des enfers. Ah ! si nous avions le moindre prétexte, le plus léger grief, nous ne sommes pas plus maladroits que d'autres. Nous nous acquitterions d'un banal adultère, comme tout le monde. C'est bien difficile de tromper un mari ou une femme qui le méritent !

MARTHE

Et ils en sont indignes !

PIERRE

Ah ! s'ils le méritaient !... je vous promets que ce ne serait pas long. Le droit, le devoir d'un homme qui n'aime plus une femme, c'est de courir en aimer une autre, immédiatement, afin que, sur ce triste monde où elle est si rare, il ne se perde pas une parcelle de joie.

MARTHE

Et ils ne veulent pas nous mettre dans la nécessité d'obéir à ce devoir. Rien à faire. Les misérables !

PIERRE

Je vous donne ma parole que quelquefois j'ai de fichus moments. Je rage tout seul. Pour me calmer, j'ouvre un livre de vers. Je me crie des vers à tue-tête, et je me gonfle de lyrisme, jusque-là, jusqu'aux yeux.

MARTHE

Et cela vous calme ?

PIERRE

Toujours. Aucune mauvaise pensée ne résiste à un beau vers.

MARTHE

Vous n'êtes pas difficile à soigner.

PIERRE

Non. C'est infaillible, mais, hélas ! momentané ; ma gorge s'enroue vite, le volume me tombe des mains, mes yeux se dégrisent et je revois bientôt mon bonheur infini et plat, pareil au vôtre, bête à pleurer.

MARTHE

Tant pis, nous sommes heureux d'un bonheur auquel il faut se résigner.

PIERRE

Ce n'est pas du bonheur, c'est de la béatitude. Encore serait-elle supportable, aujourd'hui, si on pouvait en dire : « Oh ! ça ne durera pas ! » Mais j'ai à peine trente-cinq ans, moi, madame. Je ne fais que commencer. Et vous, quel âge ?

MARTHE

Je n'ai pas fini non plus.

PIERRE

Et vous êtes jolie pour vivre un siècle.

MARTHE

Une de mes grand-mères, qui était une beauté, a vécu quatre-vingt-sept ans.

PIERRE

C'est désolant ! Ah ! nous en viderons des coupes de joie, aux noces d'argent, aux noces d'or !

MARTHE

Aux noces de diamant.

PIERRE

Rien que des orgies, toute la vie, jusqu'à la mort !

MARTHE

C'est accablant.

PIERRE

C'est trop, c'est trop ; j'en arriverais à dire des choses révoltantes. Écoutez ; je suis sûr que les veufs qui paraissent si à plaindre...

MARTHE

Ils ne le sont pas ?

PIERRE

Oui, ils se lamentent d'abord, ils se désespèrent, et pourtant, j'en suis sûr, comme le liseron dans l'ombre noire d'un sapin, cette petite pensée sauvage lève bientôt dans leur douleur : à présent, c'est inévitable, je ne peux plus y échapper, il faudra, tôt ou tard, que je connaisse une autre femme !

MARTHE

Touchante petite pensée à porter, en médaillon, sur le cœur.

PIERRE

Elle finit par consoler.

MARTHE

Enfin nous ne sommes pas veufs. Quel remède ?

PIERRE

Un congé, un congé renouvelable de temps en temps. On n'a même pas ses dimanches. Je n'en peux plus. J'ai trop promis, par abus de confiance en ma sagesse. Je me dégage, je me donne de l'air, il faut que je marche un peu. Venez avec moi faire un tour... de promenade, à mon bras, sous les arbres.

MARTHE

Au clair de cette lune ?

PIERRE

Elle nous attend : venez, je suis las de ne pouvoir qu'aimer. J'ai besoin d'adorer. Dites : voulez-vous que je vous adore ?

MARTHE

Je voudrais bien.

PIERRE

Ne refusez pas ce que j'ai de meilleur, ma façon de faire la cour à une femme, de lui prodiguer les tendresses fugitives, les menus soins, les petits cadeaux, les galanteries, les bagatelles nécessaires, et de lui parler une langue inconnue d'elle. Je vous jure que je suis un vrai poète et que je possède le don de charmer. Il ne me servait plus à rien. Il n'était pas perdu. Je le gardais, sans savoir pour qui. C'était pour vous, c'était pour vous ! Je vous apporte toutes mes économies d'adoration.

MARTHE

Taisez-vous, oh ! taisez-vous, je ne veux pas de vos présents de magicien.

PIERRE

Et moi, je veux vous enchanter...

MARTHE

Mais taisez-vous donc ; vous nous feriez faire des folies.

PIERRE

Oui, oui, soyons enfin un peu fous. Je ne vous demande pas des choses compliquées. Faisons enfin une bêtise. Vous ne répondez pas... qu'est-ce que vous soupirez ?

MARTHE

Hélas ! une bêtise.

PIERRE

Une belle bêtise. *(Marthe se lève.)* Marthe !

MARTHE, *tristement.*

Nous ne sommes pas assez bêtes. *(Puis presque gaiement.)* Non, non, votre idée n'est pas pratique. Oh ! elle est séduisante, elle n'est pas pratique.

PIERRE

Oh ! mon amie, vous allez faire la raisonnable.

MARTHE

Il est temps.

PIERRE

Je sais par cœur vos raisons.

MARTHE

Je ne raisonne pas que pour vous, je raisonne aussi pour moi, pour me convaincre, et il m'en coûte.

PIERRE

Une parole aimable est toujours bonne à prendre. Je vous remercie.

MARTHE

Au fond, vous savez, je suis de votre avis. Ce serait excitant, ce petit congé, ce repos du mariage, cette trêve aux affections quotidiennes du foyer. On mettrait sur la porte : relâche à l'intérieur, et, comme vous dites, on irait faire un tour... qui durerait ?

PIERRE

Ce qu'il durerait : je ne peux pas vous le dire à un quart d'heure près.

MARTHE

C'est ce qui s'appelle s'engager à fond, et cela vaut bien que je brise ma vie.

PIERRE

Être adorée huit jours, le bon Dieu lui-même n'est sûr de ça avec personne.

MARTHE

Et, cher adorateur, comme récompense, qu'exigeriez-vous ?

PIERRE

Rien.

MARTHE

Si peu ?

PIERRE

Une femme adorée ainsi accorde tout sans qu'on l'exige.

MARTHE

Nous y voilà, aux réalités !

PIERRE

Nous y voilà, parce que vous y faites allusion. Vous, les femmes, vous pensez toujours à ça !

MARTHE

Et vous n'y pensez jamais, vous, les hommes !

PIERRE

Pas tout de suite. Il va sans dire que, l'heure venue, je saurais très bien embrasser une femme.

MARTHE

Oui, n'est-ce pas, tout de même ?

PIERRE

Oh ! vous aviez l'air de me comprendre, vous ne me comprenez plus. Mais non, mais non, il ne s'agit pas de scandale, de vies brisées, d'histoires malpropres. Je n'imaginais, moi, que quelque chose de rare, de bref, de très doux et d'inoffensif, un feu de paille où nous n'aurions brûlé que des sentiments, et qui n'aurait pas fait plus de mal à nos cœurs que ce rayon de lune n'altère le vitrail qu'il traverse.

MARTHE

Mais, troubadour, charmant troubadour que vous êtes, soyez donc simple une fois dans votre vie. Un congé, ça se passe quelque part. Je suis prête. Partons.

PIERRE

Chère Marthe !

MARTHE

Oui, partons. Je ne tiens plus à mes fragiles raisons et je ne doute plus de votre sincérité. Il n'est pas possible qu'un homme comme vous se fasse un jeu d'étourdir une femme avec des mots, sans savoir où il l'entraîne. Vous le savez. Je vous crois, je vous crois, et c'est moi qui vous dis maintenant : partons, mon ami, partons vite. Ah !

PIERRE

Quand vous voudrez, Marthe.

MARTHE

Tout de suite, oh ! tout de suite !... Ne me laissez pas me ressaisir. Partons, comme vous êtes, comme je suis, sans malle, sans toilettes. Fuyons vite, vite. Où allons-nous ?

PIERRE

Où vous voudrez.

MARTHE

Vous n'êtes pas fixé ?

PIERRE

Mais si, mais si, n'importe où, à la mer, à la montagne, vous êtes femme à ne déparer aucun paysage, au bout du monde.

MARTHE

A Marseille.

PIERRE

Au paradis !

MARTHE

Le paradis n'est pas sur l'indicateur. Je vous affirme que nous n'irions pas jusqu'à Nice et que notre voyage au bout du monde s'arrêterait à Marseille, à treize heures de Paris. Oh ! je vous accorde sans peine que votre lyrisme peut supporter ce trajet. Mais, là, après une nuit d'hôtel (car nous aurions dormi côte à côte, inévitablement, il aurait bien fallu), là, dans ces rues qui sentent l'huile, le savon et la prose, sous ce soleil commercial, tout fondrait, tout sécherait, mon teint de blonde et votre éclat romanesque.

PIERRE

C'est à ce point que les voyages vous déforment ?

MARTHE

Telle est, mon ami, la farce que nous jouerait la seconde ville de France.

PIERRE

La troisième.

MARTHE

Oui, la troisième, si vous voulez ! Moins penauds toutefois, si nous avions eu la précaution de prendre un billet d'aller et retour afin de revenir économiquement par le rapide.

PIERRE

Et malheur à qui nous l'aurait fait manquer ! Tout cela est un triomphe facile.

MARTHE

Et la rentrée, hein ! Ah ! la rentrée. *(Elle désigne les deux portes des deux ménages.)* Est-ce que vous apercevez d'ici leurs figures ?

PIERRE

Il y a une bonne distance.

MARTHE

Ils croiraient peut-être simplement rêver, ou peut-être qu'ils prendraient aussi leur congé.

PIERRE

Ils seraient libres.

MARTHE

N'espérez pas qu'ils en profiteraient. Il faudrait les affronter comme des juges. J'ai froid !

PIERRE

Vous avez peur ? Votre mari vous tuerait peut-être !

MARTHE

Me tuerait-il ? Se tuerait-il ! Ou l'aventure lui paraîtrait-elle du plus haut comique ! Je ne sais, mais je devine nettement l'accueil de votre femme. Pauvre Berthe ! Je la vois à l'épreuve, avec sa bonté d'ange, sa bonté à tout faire, dont vous abusez un peu, mon ami, dont j'abuse moi-même, car, je l'ai remarqué, depuis que nous vivons ensemble, à la campagne, je ne prends de la vie commune que les plaisirs, et je lui laisse les corvées. Oh ! avec elle, vous ne seriez pas en péril de mort. Aucune scène. Ni reproche, ni mépris. Votre honte ne se verrait pas sur son visage. Elle ne dirait rien. Elle éviterait de vous regarder. Elle vous mettrait à table. Elle vous servirait elle-même. Elle vous laisserait seul réparer vos forces ; et cette femme de l'Évangile irait pleurer à la cuisine.

PIERRE

Vous êtes gaie. Vous êtes sinistre.

MARTHE

Et une fois rafraîchi, débarbouillé, tout neuf, qui serait embêté et furieux contre lui et contre moi ?

PIERRE

Oh ! contre vous.

MARTHE

Qui ne me trouverait plus ni élégante, ni spirituelle, ni jolie, et me refuserait un coup de chapeau ?

PIERRE

C'est moi.

MARTHE, *très énervée.*

Vous voyez comme j'ai raison.

PIERRE

Je n'insiste plus.

MARTHE

Il n'y avait pas moyen, hélas ! pas moyen.

PIERRE

C'est fâcheux !... Même si, au lieu d'être calme et poli, j'étais entreprenant.

MARTHE

Que voulez-vous dire ? Ah ! vous vous dites : « Naïf, j'aurais dû... » Oui, à propos ! peut-être que la violence !

PIERRE

Dame !

MARTHE

Oh ! non, ne vous repentez pas, laissez en paix la force armée.

PIERRE

Vous savez, on dit toujours ça, pour faire l'homme. En réalité...

MARTHE

Vous seriez aussi gêné que moi ? Je vous connais, votre imagination a une envergure d'aigle et un appétit de moineau. Il vous suffit de déplacer un meuble pour croire que vous déménagez, et d'ouvrir la fenêtre pour croire que vous êtes libre. La liberté dehors fait trop de poussière.

PIERRE

Faut-il s'en entendre dire ? Vous devenez bien mauvaise.

MARTHE

Et il vous suffit de baiser la main d'une femme pour croire que vous trompez la vôtre. *(Elle lui tend la main.)* Tenez, mon ami, voilà !

PIERRE

C'est une petite, toute petite, toute mignonne compensation.

MARTHE

Dire que vous vous faites sermonner encore !

PIERRE

Un grand garçon comme moi, je ne le ferai plus.

MARTHE

Vous devriez m'être reconnaissant !

PIERRE

Croyez à ma sincère gratitude.

MARTHE

Ne craignez pas que je vous en veuille, au moins.

PIERRE

Ah ! je savais bien que vous étiez bonne !

MARTHE

Vous m'avez dit des mots qui ne blessent pas une femme mortellement.

PIERRE

Je ne retire rien.

MARTHE

Vous m'avez gâtée.

PIERRE

J'ai improvisé de mon mieux.

MARTHE

Vous m'avez traitée comme une déesse. Vous m'avez émue.

PIERRE

Pas trop.

MARTHE

Vous m'avez presque troublée et si mon amitié...

PIERRE

Ah ! vous mêlez les genres.

MARTHE

Vous ne voulez pas de mon amitié ?

PIERRE

Non, pas ce soir.

MARTHE

D'une amitié cordiale !

PIERRE

Oh ! cordiale : une amitié de jour de l'an ! Non, sans cérémonies. Demain ; à demain les affaires sympathiques !

MARTHE

Adieu. Rentrons dans nos cages dorées. Vous là, près de Berthe, moi ici...

PIERRE

Près d'Alfred ?

MARTHE

Près d'Alfred.

PIERRE

Et je ne suis pas jaloux... Tout de même, dites, ce vilain Alfred qui dort comme un égoïste, qui ronfle...

MARTHE

Oh ! à peine, il ronronne.

PIERRE

Accordez-moi la faveur délicate de le laisser tranquille ce soir. Ne le réveillez pas.

MARTHE

C'est promis.

PIERRE

Merci.

MARTHE

En échange ?...

PIERRE

Oh ! je le jure...

MARTHE

Votre femme ne doit pas dormir. Je suis certaine qu'elle veille toujours, près de la lampe, sa fillette calmée. Elle vous attend. Approchez-vous d'elle, sans bruit, et, de tout votre cœur, embrassez-la bien.

RIDEAU

POIL DE CAROTTE

Comédie en un acte.

A notre Antoine.

*Dans le « théâtre » d'Antoine, à la date du 2 mars 1900, nous relevons
la note suivante :* «*L'Empreinte, trois actes d'Abel Hermant, et* Poil de
Carotte *qui est un triomphe* ».

Poil de Carotte, *joué pour la première fois ce jour-là, est déjà dans
son esprit comme un vieil ami dont on a oublié le nom de famille à force
de l'appeler par son prénom, dont on ne précise pas l'âge et les signes
particuliers parce qu'il fait partie de vous.*

Précisons donc — Poil de Carotte, *un acte de Jules Renard dédié à
Antoine qui crée la pièce le 2 mars 1900 en son propre théâtre. Il y
eut cent vingt-cinq représentations à Paris, cette même année, Antoine
s'étant réservé le rôle de M. Lepic ; il avait confié celui de Poil de Carotte
à M*^{me} *Suzanne Desprès, dont l'interprétation devait tant contribuer à
imposer la pièce. Jules Renard le savait bien, lui qui avait envoyé à la
Desprès, le jour même de la première, le petit billet que voici :*

Cher et admirable petit frère, tout le monde me dit que vous êtes
une grande artiste, comme si je ne le savais pas !...

*Le lendemain de cette première, les chroniqueurs, unanimes, enregis-
trent l'émotion profonde soulevée par la pièce et le succès triomphal de
cette représentation :* Félix Duquesnel, *dans* Le Gaulois, *daté du 3 mars :*
« Poil de Carotte *était émouvant, touchant, réel, fait de rien mais de*

111

vérité poignante. L'interprétation est tout à fait complète, vivante, d'un naturel, d'une précision, d'un dessin que je ne saurais trop louer. Antoine est, en tous points, vrai et réel dans le rôle de M. Lepic... Mᵐᵉ Suzanne Desprès, une comédienne singulière... est exquise de comique douloureux, d'indifférence émue dans le rôle de Poil de Carotte, où tout chez elle est si harmonieux, si étudié, que le travesti disparaît et que la femme transformée devient le gamin désespéré qu'est le personnage : accent, gestes, regards, en elle, tout est nature. Mᵐᵉ Ellen Andrée a la sécheresse nécessaire de la mère bigote, impérative et malfaisante... et Mᵐᵉ Renée Maupin trace une jolie silhouette de servante de campagne en rupture d'angélus. »

La critique remarque aussi à quel point le décor est en rapport étroit avec l'atmosphère qui se dégage des personnages, elle félicite Antoine de s'être laissé prendre par son sujet aussi totalement. Nous savons à la lumière de la correspondance et des notes entre Antoine et Jules Renard que, si Poil de Carotte était le petit frère de l'auteur, il était « l'enfant chéri » du metteur en scène. Poil de Carotte (ainsi dénommé par Jules Renard « parce qu'il a les cheveux roux et la peau tachée ») se passe en un décor couleur locale : roux sont les arbres que l'automne dore de blond vénitien, rouges sont les tuiles de la maison ; jaune, couleur de peau tachée, sont les toits de chaume et les meules de foin — il est impossible d'être plus Poil de Carotte que ce décor-là.

Voici un autre témoignage sur l'interprétation particulièrement réussie de Suzanne Desprès : « Le croira qui voudra, Suzanne Desprès inclut ses jambes dans un travesti : elle semblait née pour jouer le rôle de Poil de Carotte, avec son teint flavescent, ses cheveux mordorés et son allure d'éphèbe malicieuse. Comment Antoine s'arrange-t-il pour avoir plus que du talent dans tous les rôles qu'il touche ? »

Il faut noter que, ce dimanche 1ᵉʳ avril, le public fut plus enthousiaste que jamais ; Jules Renard le remarquait et en faisait part dans une lettre à Maurice Pottecher :

« Hier au soir encore, le public du dimanche l'applaudissait trois fois pendant la pièce et le rappelait deux fois, chaudement ; je suis presque aussi content que Marinette. »

Cette même année, Poil de Carotte est traduit en allemand, en anglais, en italien, et, bien qu'il ne faille pas voir là le signe d'un succès particulier (toutes les pièces du théâtre Antoine étant traduites), Jules Renard est plus content encore ; et il avait raison puisque, l'année même de sa création, Poil de Carotte dépassait la centième. C'était réellement un triomphe. Mais, en 1906, ce fut mieux encore puisqu'on enregistrait deux cent vingt-deux représentations à Paris. C'est la pièce de Jules Renard qui fut la plus jouée cette année-là.

C'est elle aussi qui rendit populaire le nom de l'auteur, « à juste titre », dit Edmond Sée dans son étude sur le Théâtre-Français, « car, en une heure, une famille entière nous est ici dépeinte par le menu : 3 êtres, 3 types, 3 caractères, que nous n'oublierons plus... »

Personne en effet ne l'oublie, chacun veut en parler, faire sa conférence sur le « petit frère », et Jules Renard est heureux, flatté qu'on s'occupe de « son petit bonhomme ». Ainsi, il écrit à son ami Jean Porcher : « Ton intention de parler de Poil de Carotte m'est très agréable, ou plutôt lui est très agréable, car ce petit bonhomme a fini par substituer sa personne à la mienne. Quelquefois, je m'imagine qu'il se promène en chair et en os, par le monde. C'est sans doute ce qui pourrait arriver de plus flatteur à un écrivain; le mieux, je crois, pour toi, et le plus original, serait de parler du Jules Renard que tu as connu, oui, tout bonnement, si, dans ton souvenir, il en vaut la peine. » Mais ce petit bonhomme, que Antoine avait si bien compris et fait comprendre au public de 1900, va bientôt être déformé par la critique, par le public aussi à qui il a été livré, et c'est alors qu'une image vulgaire et sotte s'impose bientôt : Poil de Carotte devient l'enfant terrible et comique. Il faut à ce propos citer le sonnet de François Coppée (de l'Académie Française) « à Lefèvre Utile », fabricant de biscuits :

> Quand Bébé rit, l'heureux gamin
> C'est un Petit Beurre à la main.
> Et si Poil de Carotte pleure
> C'est qu'il n'a pas de Petit Beurre.

Cependant, Antoine, qui en est à sa deuxième direction du théâtre de l'Odéon, a inscrit la pièce à son répertoire et essaie de lui redonner son vrai sens. Il choisit Léon Bernard pour le remplacer, Mᵐᵉ Reuver pour le rôle de Poil de Carotte — il semble que malgré l'article que nous citons ici sur son interprétation, lors de la reprise le 10 octobre 1908, elle n'a satisfait ni Antoine, ni le public, car Poil de Carotte ne fut joué par celle-ci que trois fois; « Mˡˡᵉ Reuver a une confiance sans bornes en M. Antoine, ce qui ne l'empêche pas d'avoir un trac intense; son inter-prétation sera différente de celle de Suzanne Desprès qui en faisait un enfant martyr; Mˡˡᵉ Reuver, suivant son tempérament personnel, voit avant tout en Poil de Carotte un « sale gosse »; elle a la grande qualité d'être mince et jeune ».

Ce n'est donc pas cette reprise à l'Odéon qui réimposera Poil de Carotte tel que l'aime Jules Renard, qui continue à se défendre d'être « un féroce ironiste » — soutenu heureusement par des défenseurs, tel Louis Nasso :
« De toutes les définitions qu'on a données de l'art de Jules Renard, la plus inattendue, la plus répandue et la plus fausse, à coup sûr, est celle qui veut que Poil de Carotte soit un humoriste... Jules Renard, qui était scrupuleux, a beaucoup souffert de cette appellation légère — il s'est toujours défendu d'être un amuseur de profession, un « rigolo » à la tâche. Dans une interview de 1904 à propos des écoles littéraires, Jules Renard déclarait : « On dit humaniste naturaliste, comme on dit humo-» riste, ironiste, et c'est peut-être la même chose. Ironiste! quand on pense » que Catulle Mendès lui-même s'y est laissé prendre ! Il a cru que nous » voulions faire de l'esprit ! Le fond de l'homme de talent, qu'il soit » ironiste ou lyrique, c'est le désespoir morne de n'avoir pas plus de » talent... » Ainsi parlait l'homme, dont on voulait faire " un joyeux compère, un habile farceur ". »

Nombreuses ont été les analyses du personnage de Poil de Carotte; il y en a une cependant que l'on ne peut pas omettre de citer; c'est celle qu'en donnait en 1920 Gaston de Palewski :
« Ce n'est point par suite d'un simple hasard de distribution, mais en vertu de raisons très profondes que Mᵐᵉ Suzanne Desprès se trouve être la meilleure interprète de Poil de Carotte et d'Hamlet... Je rap-proche Poil de Carotte et Hamlet pour des raisons profondes. En effet, c'est à la suite d'une révélation qui lui ouvre brusquement les yeux sur la vie réelle que Hamlet se trouve brusquement transposé au-dessus du vulgaire. C'est à la suite d'une révélation identique que tout se transfigure autour de Poil de Carotte... Jusqu'à ce jour, Poil de Carotte souffrait

sans comprendre pourquoi. Maintenant il sait qu'il n'est plus seul, que son père, lui non plus, n'aime pas Mme Lepic ; et, lorsque Hamlet se sent guidé par le spectre de son père, désormais toutes les préoccupations humaines lui paraissent provisoires, ridicules ; et dès lors il voit tout sous un angle plus large.

C'est le 22 mai 1910 que Jules Renard est mort ; la dernière lettre que nous connaissons de lui date du 6 avril 1910 ; elle était adressée à Lugne-Poe, et il faut y voir une nouvelle preuve de son attachement à Poil de Carotte *:*

Mon cher ami,

Je suis heureux de vous communiquer la réponse de M. Claretie. Il m'écrit : « Je ne veux pas enlever à Mme Suzanne Desprès la joie de » jouer encore *Poil de Carotte* ; mais, après ces six représentations à » *Femina*, il est bien entendu que la pièce ne sera plus donnée, et » je voudrais (on ne fait pas toujours ce qu'on veut) la faire entrer » au répertoire de la Comédie le plus tôt possible. »

Le plus tôt possible fut trop tard pour Jules Renard, puisque c'est exactement vingt-quatre mois après sa mort, le jour anniversaire du 22 mai, qu'eut lieu la création de Poil de Carotte *au Français ; Marinette, sa femme, était présente, elle ne put s'empêcher à différentes reprises d'y verser des larmes chargées du regret d'avoir à supporter seule cette joie.*

Mlle Leconte, dans le rôle de Poil de Carotte, *lui redonne tout son sens, et la critique n'aura plus qu'à exprimer les mêmes éloges qu'en 1900 et voir dans cette pièce un chef-d'œuvre : la perfection et la sobriété de la forme, la simplicité du sujet, la sincérité, la pudeur dans l'expression des sentiments. A trouver, au jeu des acteurs, du naturel, du relief et de la gentillesse. A louer encore la mise en scène de Duflos, admirable « d'intelligente piété » pour cette pièce inscrite au répertoire de la Comédie-Française par Jules Claretie.*

Voici ce qu'Émile Mas dit des interprètes le 23 mai 1912, le lendemain de la générale :

« *Cet acte est joué en perfection par ses quatre interprètes : Bernard, Mlles Leconte, Fayolle et Dussane. Mlle Leconte a le très grand mérite de conserver à* Poil de Carotte *les sentiments d'un enfant. On sent à son accent, à ses inflexions que c'est un gamin qui parle. Elle ne fait pas parler un petit bonhomme de seize ans à la façon d'un adulte... elle exprime en outre, avec une belle franchise de débit et de jeu, l'orgueil de Poil de Carotte qui ne veut pas avouer toute la vérité à Annette, la crainte que lui inspire sa mère... Bernard, qui avait déjà joué M. Lepic à l'Odéon, excelle dans la composition de ces braves gens cachant un cœur aimant et délicat sous de rudes et brusques dehors. Mme Fayolle incarne une Mme Lepic sèche, revêche, à la diction mordante, incisive, d'une impressionnante dureté. Mme Dussane a « silhouetté » une bien amusante domestique de village : son jeu révèle un sens profond de l'observation. »*

Un autre article, celui de Louis Schneider, nous apprend que le décor de Poil de Carotte *est réaliste, pittoresque, observé... L'action de* Poil de Carotte *a pour cadre la cour de la maison campagnarde des Lepic ; il ne manque là aucun détail, ni le puits aux montants de bois mal rabotés, ni le parc circulaire autour du tronc de l'arbre unique, ni* la niche du chien, ni la remise où *Poil de Carotte* a voulu se suicider... *La maison modeste à un étage occupe le côté gauche de la cour, elle est à volets verts et des pots de géraniums s'ennuient sur la fenêtre du rez-de-chaussée... Çà et là des bêches, des râteaux, des fagots indiquent quels sont les occupations et les devoirs de vacances de l'infortuné François. Au mur est accroché le pantalon de chasse, boueux, de M. Lepic, ce pantalon qui se tient tout seul dans l'eau* « raide comme de vraies jambes ».

Critique unanime, à l'exception de François de Nion, qui, le 23 mai 1912, dans L'Écho de Paris, prouve que depuis 1909 il n'a toujours pas pardonné le soi-disant anticléricalisme de La Bigote ; il en veut à Renard, à l'esprit de Renard :

« *Une telle pièce est une insulte à l'âme nationale, une venimeuse et calomnieuse insulte... Le dialogue, effroyablement vulgaire... Œuvre mauvaise et... mauvaise œuvre... Où Jules Renard avait-il vu l'ignoble mégère que son fils appelle si obstinément M*^{me} *Lepic ?* »

Mais Jules Renard a ses défenseurs :

« *Je ne lis pas* L'Écho de Paris, *auquel est attaché M. de Nion* » (répond Alfred Edmond dans le Gil Blas du 1er juin 1912), *je ne connais M. de Nion que de vue, je ne lui ai jamais parlé, et je le regrette vivement, car, si son ramage vaut son écriture, on ne doit pas s'ennuyer une seconde avec ce paroissien-là... Une accumulation d'autant d'appréciations saugrenues semble une blague qu'un génie malfaisant aurait fait à l'infortuné signataire... Sans doute M. de Nion n'est pas un aigle, mais de là à pondre* « l'article médaillé » *qu'on vient de lire, il y a de la marge...* »

Poil de Carotte, en prose comme au théâtre, a connu la gloire. Cette gloire fut le bonheur de Jules Renard, et son personnage est aussi sûrement un type littéraire que celui de Gavroche. Mais, plus que Gavroche, Poil de Carotte a une présence humaine, grâce au théâtre, grâce au cinéma.

Nous publions pour la première fois le texte intégral de la conférence de Jules Renard sur Poil de Carotte, *lue d'abord à l'Amicale de la Nièvre, le 29 octobre 1904, et au sujet de laquelle il écrit le 19 de ce même mois à Isidore Gaujour :*

Mon cher organisateur,

Je reçois votre lettre. Je m'adresserai surtout aux instituteurs amis de *Poil de Carotte*. Car c'est bien de *Poil de Carotte* (la pièce) que je parlerai, et je ne parlerai guère que de lui. Tant pis ! Ce sujet, qui m'est cher, m'entraîne malgré moi. Si quelqu'un y trouve à redire, je dirai que c'est votre faute ! Et ne sommes-nous pas libres ?

En sorte que c'est une erreur d'avoir attribué la date du 19 comme étant celle où Renard a prononcé la sienne. En effet, le lendemain 20 octobre 1904, il écrit au même Gaujour : « Je serai exact le 20, j'ai une répugnance à parler de Poil de Carotte. C'est pourtant le sujet que je connais le mieux. Voulez-vous mettre simplement : Causerie sur le théâtre ? Ça m'engage moins, et je n'aurai pas l'air de faire une réclame à mon petit bonhomme. Dites-moi ce que durent d'ordinaire ces conférences, et s'il y aura des jeunes filles. »

Il a lu une nouvelle fois sa conférence, le 10 décembre de la même année, à l'École Normale d'Enseignement Primaire à Saint-Cloud, comme il le dit dans une lettre à Isidore Gaujour du 25 décembre 1904 et où il refuse à son correspondant de faire une conférence sur lui-même pour des raisons sentimentales.

Mesdames, messieurs,

Vous vous en souvenez peut-être, c'est l'année dernière, à pareille époque, sur la flatteuse demande de M. l'inspecteur d'Académie de Dessez, que je vous ai promis cette causerie et que, prosateur, j'ai eu l'aplomb de me croire capable de succéder, dans votre bienveillance attentive, au noble poète Maurice Bouchor.

Imprudente promesse ;

Le 31 octobre 1903, j'avais, je pense, trop bien déjeuné, j'étais sans doute excité ! Je l'étais certainement, puisque j'ai glissé et suis tombé sur le parquet de la salle Vauban. Quel parquet ! Quel miroir à convives ! Vauban, cet illustre homme de guerre, malgré tout son génie, n'avait pas inventé cette manière de jeter l'ennemi à terre.

Donc, troublé par la chaleur communicative de votre sympathie, j'ai dû croire que votre fête serait unique et n'aurait point sa pareille l'année suivante, ce qui ne veut pas dire que je comptais sur la mort de l'Amicale ou sur la mienne.

Je ne me proposais pas non plus de me dérober sournoisement. Non. Un conférencier, fût-il le plus bavard, n'a qu'une parole.

Espérais-je que d'un commun accord nous remplacerions cette

partie du programme par une agréable promenade sur les bords de la Loire ?

Enfin m'imaginais-je vaguement que ce dernier dimanche d'octobre ne reviendrait pas ?

Il revient toujours.

C'est ce que m'a expliqué, de sa voix douce et persuasive, votre cher président M. Pillon, dont j'ai eu le plaisir, il y a quelques semaines, de recevoir la visite, dans mon village, dans ma propre commune, où, protégé par mon garde champêtre, je me croyais en sécurité, où je paressais avec délices, à l'abri même du remords.

Oui, mesdames, messieurs, ce samedi est revenu, et nous voilà réunis encore, avec une année de plus, sauf les dames qui, par une grâce et une arithmétique spéciales, ont une année de moins, au moins.

Eh bien ! puisque j'y suis, mesdames et messieurs, je veux jouer la difficulté, entreprendre quelque chose d'audacieux.

Je vais vous parler de moi, et il s'agit de ne pas être haïssable.

Je vous parlerai de moi, ou plutôt d'un être qui, à la longue, m'est devenu plus cher, plus précieux que moi-même, du nommé *Poil de Carotte.*

C'est par pudeur que j'ai prié de mettre sur le programme : « Causerie sur le Théâtre. » Le vrai titre, c'était bel et bien : « Causerie sur le Théâtre à propos de *Poil de Carotte,* comédie en un acte », ou, plus franchement, sans aucune pudeur : « Causerie sur *Poil de Carotte.* »

C'est une surprise, ne dites pas : désagréable.

Je trouve, à ma témérité, plusieurs excuses.

Premièrement. Je peux dire, sans me vanter, que le sujet m'est familier. J'ai lu et j'ai vu jouer un nombre considérable de pièces, mais tout de même, celle que je connais le mieux, c'est encore la mienne, et puisque je me proposais, je ne dis pas de vous donner une leçon de théâtre, mais de démonter, de désarticuler devant vous des personnages scéniques, je n'avais qu'à me servir des petits pantins que j'ai façonnés, cloués, collés, ficelés, assemblés moi-même.

Deuxième excuse, et j'aurais dû commencer par elle, je profite de l'occasion que vous m'offrez, et je ne retrouverai pas tous les jours, pour lui parler de mes affaires, un public comme celui que vous êtes, sachant écouter parce qu'il a l'habitude d'instruire. Je passe avec légèreté sur ce compliment, dans la crainte de soulever les protestations tumultueuses de votre modestie.

Troisièmement, vous ne m'accuserez pas, j'en suis sûr, de faire une réclame mercantile à *Poil de Carotte.* Cette pensée, qui me serait intolérable, ne peut vous venir. *Poil de Carotte* ne se vend pas à ses amis, il se distribue, il ne se refuse jamais.

Et d'ailleurs son succès ne dépend plus de ma réclame. Ce petit bonhomme est plus connu, plus vivant que moi. Je ne peux plus rien ni pour, ni contre lui !

Je supporte ce qu'il m'est impossible d'empêcher : il va tout seul, libre et détaché, par le monde. Par gratitude, il m'adresse fréquemment de ses nouvelles ; les dernières sont excellentes.

Quatrièmement, enfin, suprême excuse, j'ai offert plusieurs sujets à notre camarade Gaujour, bien connu par son dévouement à l'Amicale et par sa taille au-dessus de la moyenne. Il a choisi *Poil de Carotte.* Était-ce un piège ? Je ne sais, mais il faut qu'il garde la part de responsabilité qu'il a prise. Je le livre à vos représailles, à vos pommes cuites, à vos clameurs, si toutefois elles peuvent monter jusqu'à ses oreilles inaccessibles.

Mais voilà bien des précautions inutiles, inexcusables.

Et, d'abord, pourquoi ai-je tiré une comédie du livre de *Poil de Carotte* ?

On a souvent assimilé l'œuvre littéraire à une délivrance. Sans insister sur ce qu'a de fâcheux, d'obstétrical, cette comparaison, je la trouve exacte. Un auteur porte en lui-même un livre — (un ou plusieurs livres, mais le plus souvent ils peuvent tous se ramener à un seul, il n'y a que le titre et la couverture qui changent) — il faut qu'il s'en débarrasse. Il y a dans la production de ce livre quelque chose d'obligatoire, d'inévitable.

De combien de livres ne peut-on pas dire : pourquoi l'auteur a-t-il écrit ça ? Il n'avait pas besoin d'écrire ça, il pouvait aussi bien écrire autre chose, ou ne rien écrire du tout. Ce caractère de *nécessité*, c'est la marque de certains livres, bons ou mauvais, d'ailleurs, qui les distingue des autres livres. L'auteur, qu'il ait du génie, du talent ou que ce soit un sot, ne peut pas ne pas écrire ce livre. Il faut qu'il l'écrive, sous peine d'être toute sa vie accablé, languissant, maladif. C'est une question de santé intellectuelle.

Donc j'avais porté longtemps, fort longtemps, *Poil de Carotte* et je m'en étais délivré par le livre. J'allais mieux, pas tout à fait bien pourtant. Malgré le bon accueil ou à cause du bon accueil fait au livre *Poil de Carotte*, il me restait encore du Poil de Carotte. (Il m'en reste encore d'ailleurs, il m'en restera toujours, car il y a — est-ce un avantage ou une infériorité ? — il y a l'homme d'un seul livre, comme il y a l'homme d'une seule femme.) Je ne voulais pas recommencer le livre, sous prétexte de le continuer. Il ne me plaisait pas d'écrire un *Poil de Carotte* en deux, trois, quatre... trente-six volumes.

C'est alors que je songeai au théâtre. C'était tentant et difficile. Tentant, parce qu'en cas de succès *Poil de Carotte* sortait de la pâle clarté du livre, bondissait en pleine lumière. (Je voyais déjà son nom cocasse en grosses lettres, sur les affiches.) Difficile, parce qu'une pièce de théâtre est à peu près le contraire d'un livre.

L'auteur est à l'aise dans le livre ; au théâtre, il subit des lois presque inflexibles. Le lecteur fait crédit. Il a et il donne le temps. Il prend le livre, le pose, le reprend. Le spectateur est pressé. Il faut agir sur lui vite et fort, fort et même gros, et, sauf des cas très rares, il n'y a qu'une impression qui compte, c'est la première. Si elle rate, c'est perdu. Voyez-vous un spectateur revenant le lendemain pour voir s'il ne s'est pas trompé dans son jugement ? Il a bien autre chose à faire. Mais cette difficulté du théâtre est son attrait, son principal excitant. Le théâtre n'est pas, comme on l'a dit, un art inférieur. C'est un art particulier et limité ! C'est l'art des minutes intenses, des secousses rapides, l'art des crises, crises de larmes ou crises de rire.

C'est pourquoi il vit presque exclusivement d'amour, de scènes d'amour, de drames, de batailles, de réconciliations d'amour. Or si l'amour n'est pas, loin de là, toute la vie, c'est peut-être (à en juger par l'histoire des littératures) ce que la vie nous offre de plus émouvant et de plus comique.

Il y avait, éparpillés dans le livre de *Poil de Carotte*, presque tous les éléments d'une pièce en un acte. Il s'agissait de les extraire, de les réunir, de les ordonner, de les compléter. Je dis une comédie en *un* acte. On m'a dit souvent depuis (il est vrai que mes conseilleurs se plaçaient au point de vue pécuniaire qu'il faut toujours, en art, avoir le courage de négliger) : « Pourquoi n'avez-vous pas fait une pièce en trois actes ? C'était aussi facile. »

Aussi facile mais plus dangereux.

J'ai toujours cru qu'un *Poil de Carotte* en trois actes, et même en deux, eût été insupportable à la scène. Le public aurait fini par demander : « A quelle heure le couche-t-on ? Il n'a donc pas de lit ? » D'ailleurs un acte, au théâtre, c'est peut-être le cadre idéal. Il faut bien, là, se plier à la fameuse loi classique des trois unités. Une fois pris, si on a la chance de l'attraper, le public ne s'échappe plus, et sans aucun doute *Poil de Carotte* a bénéficié de cette forme resserrée.

Par quel moyen allais-je transposer le milieu, et, comme on dit, créer l'atmosphère du livre ? J'adoptai la cour de la maison des Lepic, c'est là que Poil de Carotte a vécu le plus tranquille (sauf les alertes), près de ses lapins et de ses poules, à distance respectueuse de sa famille. Donc la scène représentera une cour, avec un arbre au milieu, une grange, des communs à droite, la maison à gauche, et au fond une grille, une grille afin que Poil de Carotte ne se sauve pas dans la rue à volonté! Antoine, soucieux de la vérité, mit de la terre dans cette cour, de la terre et un tapis d'herbe renouvelable. Il eut même l'idée d'y nourrir des lapins. C'est ainsi que, dans la *Terre*, de Zola, il a montré une vache et lâché des poules. Mais c'était dans un tableau pittoresque de la *Terre* où vaches et poules ne gênaient pas le texte. Avec *Poil de Carotte*, c'eût été périlleux. Un lapin aux oreilles trop remuantes pouvait couper l'émotion. Antoine renonça à son idée et fit bien. Je ne sais quel directeur de province — à Reims, je crois — désireux de battre Antoine en réalité, risqua les lapins ; il avait engagé un couple de lapins qui s'aimèrent, et n'eut que des ennuis, avec la municipalité, à cause des dégâts, avec le concierge du théâtre dont les lapins troublaient le précieux sommeil. A Paris, ils auraient peut-être fait tomber la pièce.

Quels personnages devais-je prendre au livre ? Poil de Carotte, naturellement. Mme Lepic, sa mère, aussi indispensable que Poil de Carotte. M. Lepic qui, un peu effacé dans le livre, est passé dans la pièce au premier rang, sur le même plan que Poil de Carotte. J'ai laissé de côté sœur Ernestine. C'est une pâle figure de jeune fille, mal dessinée dans le livre. J'y reviendrai peut-être quelque jour, dans une autre pièce, car elle m'intéresse. J'ai aussi laissé de côté grand frère Félix, pourtant comique, non sans l'avoir essayé. On le voyait à la fin. Mais son apparition tardive n'apportait rien de neuf. Au dernier moment, je l'ai supprimé.

Mais Poil de Carotte, Mme Lepic, M. Lepic, par eux-mêmes, ne donnaient rien. Ce sont des personnages plutôt silencieux. Ils ne s'expliquent pas. Ils n'agissent pas seuls. D'eux-mêmes ils ne se feraient jamais connaître au théâtre, car il faut toujours supposer que le public n'a pas lu le livre.

Qui les mettra en mouvement, en scène, en représentation, en conflit ? Un quatrième personnage, le personnage de la servante Annette. Il m'a été très utile. Annette existe déjà dans un chapitre du livre. Sur la scène, c'est elle qui a tiré toutes les ficelles. Étrangère, elle arrive, elle entre en place. Elle ne connaît pas la famille Lepic. Elle interroge Poil de Carotte. Poil de Carotte la renseigne et du même coup il renseigne le public.

— Je suis, dit-elle, la nouvelle servante que Mme Lepic a louée jeudi dernier à Lormes.

— Ah ! je vous attendais, dit Poil de Carotte. Comment vous appelez-vous ?

— Annette Perreau.

— Annette Perreau... Je vous appellerai Annette. C'est facile à prononcer. Moi, je suis Poil de Carotte.

— Plaît-il ?

— Poil de Carotte. Vous savez bien ?

— Non.

Poil de Carotte s'explique et ajoute :

— Appelez-moi Poil de Carotte, c'est mon nom.

— Monsieur Poil de Carotte.

— Pas monsieur. Appelez-moi Poil de Carotte tout court, comme je vous appelle Annette.

— Poil de Carotte, ce n'est pas un nom de chrétien. Vous avez un autre nom, un petit nom de baptême.

— Il ne sert pas depuis le baptême. On l'a oublié... Appelez-moi Poil de Carotte.

— Je n'ose pas.

— Puisque je vous le permets.

— Poil de...

— Puisque je vous l'ordonne... Écoutez, Mme Lepic...

Et Poil de Carotte continue ses explications.

Vous voyez, c'est un truc, un truc de théâtre ; bien entendu, je n'ai pas fait ma pièce avec cette logique aisée et rapide ; je vous explique, après coup, par le raisonnement, ce que j'ai fait par tâtonnements instinctifs. Après dix minutes de conversation entre cette nouvelle venue et Poil de Carotte, vous êtes fixés, vous connaissez la famille Lepic. Et, la connaissant, vous pouvez vous intéresser à elle, au petit drame qui dressera ces êtres de théâtre les uns contre les autres. Quel drame ? Il fallait encore choisir. Il n'arrive pas grand-chose aux Lepic. Ils ne souffrent que par incompatibilité d'humeur. Il faut donc choisir parmi leurs accès quotidiens. Peu importe que l'aventure soit insignifiante, ordinaire, d'intérêt mince, si elle est grosse de conséquences, si elle met, malgré eux, ces personnages hors d'eux, si elle les oblige à se livrer, si elle les découvre jusqu'au fond.

M. Lepic dit à Poil de Carotte : *Viens à la chasse*. Poil de Carotte dit : *J'irai*. Mais Mme Lepic dit, en cachette, à Poil de Carotte : *Je te défends d'y aller*. Et Poil de Carotte, résigné, dit : *Je n'irai pas*. Voilà tout. C'est le point de départ. Il ne peut pas être plus banal. Et, sans Annette, les choses en resteraient là. M. Lepic, haussant les épaules, dirait : *Ce Poil de Carotte ne sait jamais ce qu'il veut*. Il partirait seul à la chasse et personne ne penserait plus à cette histoire, ni M. Lepic, ni Mme Lepic, ni même Poil de Carotte qui ne se pose point en enfant martyr. Mais Annette veille. C'est le ressort dramatique. *Dea ex machina*. Ce qu'elle entend, ce qu'elle voit, ce qu'elle devine depuis qu'elle est dans cette cour la stupéfie. Elle n'est pas habituée au mensonge. Elle n'a pas assez respiré l'air de la maison. Pitoyable, révoltée, elle dit à M. Lepic :

— Votre enfant refuse de vous suivre, non par caprice, mais parce que votre femme — j'étais là — le lui a défendu.

A ces mots, Poil de Carotte dit à Annette : *Vous avez fait un beau coup*. Il croit à une catastrophe. Pas du tout, c'est le salut.

M. Lepic, étonné, questionne Poil de Carotte, qui hésite d'abord, puis s'enhardit, puis répond. Ces deux êtres causent. Ils s'expliquent. C'est la première fois de leur vie que ça leur arrive. L'ébauche de la scène se trouve dans le livre. Ce père et ce fils font connaissance. Est-ce étrange ! Ils vivaient côte à côte et s'ignoraient. Mme Lepic les séparait. Un incident vient de les rapprocher, les unit, les confond. Poil de Carotte ne se sent plus seul dans la vie. Par le bavardage d'Annette, il se croyait perdu, il est sauvé. Il met, comme un homme, sa petite main dans la main de cet homme, pas plus heureux que lui, qui est son père. Ils tombent dans les bras l'un de l'autre. Vous voyez comme c'est simple ; et, comme tout ce qui est simple, ça n'a pas trop mal réussi. Mais nous ne sommes pas encore à la réussite.

Dès qu'un auteur dramatique vient d'écrire une pièce, il a l'impatience, la manie de la lire à ses amis.

Ce serait pardonnable s'il la lisait, comme il le prétend, pour accepter des conseils, des critiques, mais il ne la lit, au fond, que pour recevoir des compliments, un acompte, une avance d'éloges. Des cris d'enthousiasme ne l'effraieraient pas. De là des déboires.

Mon premier auditeur fut, pour *Poil de Carotte*, le célèbre humoriste que vous connaissez, Tristan Bernard (l'auteur des *Mémoires d'un jeune homme rangé*, d'*Un mari pacifique* et de ce chef-d'œuvre comique en un acte : *L'Anglais tel qu'on le parle*, universellement joué). C'est un ami sincère mais redoutable, non parce qu'il est trop sincère, mais parce qu'il écoute mal, vite distrait, perdu dans sa large barbe noire, absorbé par ses propres pensées, ses pièces à lui, car, n'est-ce pas, chacun a ses affaires.

Je lui lus le premier jet de *Poil de Carotte*, le premier manuscrit, celui qu'on écrit avec verve et passion, quand on se croit inspiré ! Il faut se défier de ces inspirations-là ! Ma lecture à Tristan Bernard fut un désastre. Je le sentis tout de suite. Je lus mal, et n'achevai même pas la lecture. Je m'arrêtai au milieu devant la figure consternée de Bernard.

— C'est injouable, dans cet état, me dit-il.

Et il me donna, en détail, ses raisons que j'ai oubliées.

Diable ! Il avait amené avec lui sa sœur, une de ses sœurs, l'autre est mariée à Pierre Veber, Mad. Strauss, la femme du sénateur, de sorte que rien ne manqua à ma honte.

Je serrai, plutôt froidement, la main de Tristan. Je passai une mauvaise nuit, et je faillis me brouiller, pour quelques heures, avec ce vieil ami de quinze ans. Je me suis vengé, ce qui est très mal, sur une de ses pièces qu'il est venu me lire à son tour, et qui n'est pas encore jouée. Mais je ne veux pas lui faire une réputation de mauvais goût.

Le lendemain, je relus ma pièce seul, et je me rendis compte que, si Bernard avait été dur, j'avais eu le tort, moi, de lui lire une pièce qui n'était pas au point. Le fond me paraissait solide, mais il fallait retravailler la forme. L'inspiration, c'est de travailler, a dit Baudelaire. C'est ce que je fis et, incorrigible, je lus la pièce dans son texte neuf à un autre ami, à l'acteur Lucien Guitry. Il n'était pas alors directeur du théâtre de la Renaissance.

La première partie de la pièce l'émut. Je le vis au picotement de ses yeux. La seconde partie lui parut beaucoup trop longue.

— Le public n'avalera pas tout, me dit-il.

Et il me conseilla, suivant une expression qui lui est familière, de flanquer un coup de fusil dans cette seconde partie pour l'alléger.

Mais, justement, moi je préférais cette seconde partie.

— Ma foi, me dis-je, flûte pour les amis ! Si on les écoutait, on démolirait tout ce qu'on a bâti. Je ne touche plus à ma pièce.

Cependant, j'avais reçu un télégramme d'Antoine : *On me dit que vous avez un* Poil de Carotte. *Le Théâtre Antoine vous est ouvert tout grand.*

La lecture à Antoine marcha bien, et le rôle de M. Lepic lui plut.

Qui allait jouer le rôle de Poil de Carotte ? Ce ne pouvait pas être un homme. Les acteurs, comme les actrices, se rajeunissent volontiers, mais un acteur capable de retourner à l'âge de 12 à 14 ans, ça n'existe pas. Il fallait une femme en travesti, une femme qui eût beaucoup de talent et pas trop de hanches. Il y en avait alors deux chez Antoine : Marthe Mellot et Suzanne Desprès.

Marthe Mellot est une des créatrices des *Deux Gosses*, à l'Ambigu, c'est aussi la fameuse *Tatiana* des *Oiseaux de passage* de Donnay et Descaves, joués avec tant d'éclat, l'année dernière, chez Antoine. C'est une femme charmante, pas cabotine du tout. Comme je la connaissais, je lui offris le rôle. Elle me dit modestement qu'elle ne se sentait pas, étant un peu menue, la force physique de le jouer, et en bonne camarade, ce qui est rare au théâtre, elle m'affirma que Desprès y serait mieux qu'elle. Suzanne Desprès commençait à devenir célèbre. Elle avait débuté au Théâtre de l'Œuvre, sous la direction de Lugné-Poe, aujourd'hui son mari. Elle venait de jouer, au Gymnase, *L'aîné*, de Jules Lemaître, qui, en ce temps-là, ne faisait pas de politique, avec beaucoup de succès. Engagée depuis peu par Antoine, elle attendait un rôle. Elle trouva *Poil de Carotte* à son goût et les répétitions commencèrent, c'est-à-dire que, les rôles copiés et distribués, on se mit à parler et à se mouvoir sur ces planches où des chaises renversées figuraient le décor.

Oh ! ces répétitions de *Poil de Carotte,* je ne les oublierai jamais. Jamais je n'ai vu pleurer dans la vie comme sur la scène du Théâtre Antoine. Les trois femmes de ma pièce, Suzanne Desprès (*Poil de Carotte*), Ellen Andrée (*Mme Lepic*), Renée Maupin (*Annette*), pleuraient chacune leur tour, et souvent toutes les trois ensemble. Ne vous y trompez pas. Elles pleuraient non d'émotion à l'étude de leurs rôles, mais parce qu'Antoine était terrible.

— Je me suis mis dans la tête, criait-il (car Antoine aime crier), que cette pièce serait bien jouée, et elle le sera.

» *Vous n'êtes bonne à rien*, criait-il à Desprès, *je vous ôterai le rôle. Vous ne comprenez pas un mot*, criait-il à Ellen Andrée, *rendez-moi ça. Vous abîmez toute la pièce*, criait-il à Renée Maupin, *fichez-moi le camp !* »

Et ces dames pleuraient, pleuraient ! Je tâchais de les consoler, en tout bien tout honneur.

— Ne vous frappez pas, me disait Antoine, c'est des manières, de la comédie.

Dans le feu de l'action, l'une d'elles se coupa à la main avec un morceau de bol cassé ! Le sang jaillit. Antoine ne parut pas touché ! Quel homme ! (Le bol a été supprimé au théâtre. Il reste dans la brochure. On s'en sert en province.) A son école, je m'endurcis, je m'habituai aux sanglots de ces dames, et puis je m'aperçus qu'Antoine avait beau les rudoyer, les mener raide, elles l'adoraient !

D'ailleurs, elles travaillaient de toute leur âme. Une seule m'inquiétait. C'était Mlle Renée Maupin, qui répétait le rôle d'Annette. Elle venait au théâtre dans des toilettes d'un chic tout à l'honneur du grand couturier Doucet. Ce n'est qu'à la fin qu'on répète dans le décor, en costume, avec les accessoires. Je me rappelais Granier qui, malgré les supplications, avait joué *Plaisir de Rompre* — (un rôle de femme sans fortune) — avec un peignoir de 1 500 francs sur le dos. Quand Maupin me demandait mon avis, pas sur ses toilettes, sur sa façon de répéter le rôle d'Annette, je lui répondais :

— Mademoiselle, je ne peux rien vous dire, il m'est impossible de deviner par quel miracle de costume une Parisienne comme vous se transformera soudain, le jour venu, en une pauvre servante nivernaise, et même morvandelle.

— Elle sera très bien, me disait à part Antoine, avec malice. Elle voudrait jouer les grandes coquettes, mais elle est faite pour jouer les servantes.

Ainsi me rassurait Antoine. Mais j'avoue que je n'étais pas très rassuré sur son compte à lui.

C'est intéressant de regarder Antoine, quand il travaille, mais il ne travaille pas toujours. Quelquefois il ne vient pas au théâtre, ça l'ennuie. On répète sans lui. N'importe qui, le souffleur, lit son rôle, ânonne son rôle à sa place, et le pauvre auteur souffre à ses nerfs. Une autre fois, Antoine vient et ne reste pas sur la scène. Il s'assied dans la salle vide et écoute ses camarades sans dire un mot. On ne sait que penser, on est paralysé. Une autre fois, il les interrompt à chaque réplique, fait recommencer dix fois la même scène, bouscule, injurie, massacre tout le monde. Et les répétitions d'une petite comédie comme *Poil de Carotte* peuvent durer plus d'un mois.

Et puis il a la réputation de ne jamais apprendre ses rôles, par conséquent de ne jamais les savoir. C'est un défaut commun chez les acteurs. Ils ont tant joué ! Leur mémoire surchargée refuse les nouveaux textes. Et puis ils se défient des variantes de l'auteur. Ils apprennent le plus tard possible, pour moins se fatiguer. Mais on peut dire qu'Antoine apprend le moins possible. Si on sténographiait certains rôles qu'il a joués des centaines de fois, si on les sténographiait tels qu'il les dit, et si on les comparait avec le manuscrit de l'auteur, on serait étonné des différences. On aurait de la peine à retrouver le texte original. Ajoutez qu'Antoine parle bas, et qu'il tourne volontiers le dos au public.

Sa mémoire lui joue des tours comme celui-ci. Dans une autre pièce de moi, *M. Vernet*, le soir de la première, il a passé une scène entière, une scène de trois pages, à la stupeur de Mlle Cheirel qui lui donnait la réplique et de Signoret. Le public ne s'en est pas aperçu. Preuve que la scène était inutile. J'y ai gagné. *Ce qui est supprimé n'est pas sifflé*, a dit Scribe. Mais je ne bêche pas Antoine. Je vous le raconte avec ses défauts et ses qualités.

C'est un homme extraordinaire et soyez sûrs que son théâtre tiendra une belle place dans l'histoire de notre théâtre français.

Antoine a beaucoup travaillé le rôle de M. Lepic, l'extérieur et les dessous du rôle. Nous causions de M. Lepic comme d'un tiers vivant...

Je lui écrivais des notes sur les habitudes, les tics de M. Lepic, sa manière de marcher les mains derrière le dos, de fumer une cigarette. Antoine fourrait mes notes dans sa poche, et à la répétition suivante je m'apercevais qu'il les avait lues, avec profit.

Certains auteurs ne touchent plus ou presque plus à leur pièce dès qu'ils l'ont remise aux acteurs. Le texte est établi. Ils n'y changent, n'y ajoutent rien. Ils ne s'occupent que du jeu des acteurs. Je crois que Courteline est de ceux-là. D'autres, au contraire, modifient, corrigent constamment. Chaque jour ils apportent des *béquets*, c'est-à-dire des mots, des phrases, des scènes même nouvelles. On dit alors que la pièce *engraisse*. Tristan Bernard est un de ces auteurs-là. Il fait le meilleur de son travail à l'avant-scène, c'est-à-dire au théâtre. Un directeur lui disait (à propos de la famille du *Brosseur*) :

— Vous êtes fou ! vous me donnez seulement ce soir, deux jours avant la représentation, une scène qui est la plus jolie scène de votre pièce. Comment voulez-vous que les acteurs l'apprennent ?

Et Tristan Bernard répondait avec son flegme d'auteur jamais pressé, souriant dans sa barbe assyrienne :

— Ne dites donc pas ça, je vous donnerai peut-être demain une scène qui sera encore plus jolie !

Tristan Bernard exagère, mais il est certain que le travail d'avant-scène est fructueux. Une pièce n'est jamais finie, et, si l'énervement peut la gâter, il y a des heures de clairvoyance brusque et tardive où l'on donnerait cher pour avoir le temps de recommencer une pièce. A ce travail d'avant-scène, certains acteurs — et de très bons acteurs — sont incapables de donner un conseil à l'auteur. On entend fréquemment ce bout de dialogue. L'acteur s'arrête comme au bord d'un trou, d'un précipice, et dit :

— Ça ne va pas.

— Ah ! qu'est-ce qu'il y a ?

— Je ne sais pas, mais ça ne va plus.

— Que faut-il faire ? demande l'auteur, inquiet.

— Je n'en sais rien, répond l'acteur. Ça vous regarde. C'est votre affaire, non la mienne. Je suis acteur, je m'occupe de mon rôle et non de votre pièce. Vous êtes l'auteur, arrangez-vous. Je vous préviens, si vous laissez ça comme ça, votre pièce est par terre !

C'est charmant. L'auteur cherche, seul, et trouve ce qu'il peut.

Certains acteurs, au contraire, sont des collaborateurs précieux, des guides sûrs. On peut se fier à leur bon sens et à leur instinct. Quand ils s'obstinent à ne pas dire une phrase, c'est que la phrase ne vaut rien. Je me rappelle Jeanne Granier, elle n'a pas un respect exagéré pour le texte de son auteur. « Ce n'est pas coulé en bronze », dit-elle. Dans *Plaisir de Rompre*, elle devait dire : « *Ah! que vous êtes maladroit* »; elle disait aux répétitions : « *Tu ne fais que des gaffes* », et cela pour se donner le ton.

— Laissez-moi, assurait-elle, je dirai votre texte devant le public, puisque vous y tenez.

Elle déclarait encore :

— Là, Renard, je voudrais un mot.

— Quel mot ?

— Un mot drôle, qui me permette de sourire ; j'ai besoin de sourire à cet endroit-là.

Je lui offrais plusieurs mots. Elle en choisissait un. Elle souriait, et comme elle avait un sourire délicieux, le plus joli sourire du monde, j'étais bien tranquille sur le sort de mon mot. Drôle ou pas drôle, il produirait son effet.

Autre exemple. On répétait la triomphante *Veine*, d'Alfred Capus. Le premier acte se passait chez une modiste. C'était plutôt terne, incolore. On voyait des chapeaux sur des supports de bois, comme des perroquets sur leurs perchoirs. L'acteur Guitry faisait la moue. Il dit à Capus :

— Vous tenez beaucoup à votre modiste ?

— Moi ? non, ça m'est égal, dit Capus qui ne tient pas à grand-chose.

— Si nous remplacions votre modiste par une fleuriste ?

— Je veux bien. Pourquoi ?

— Parce que ce sera plus gai.

Et, en effet, l'idée de Guitry métamorphosa le premier acte de *La Veine*. Il fut illuminé par les fleurs, de fraîches fleurs naturelles. La pièce partit dans un éclat de fleurs, une joie, une fête de couleurs monta jusqu'aux nues. Mais Guitry est une exception. C'est presque un homme de lettres. Il est capable d'écrire les pièces qu'il joue. Je sais qu'une des meilleures scènes du *Monsieur Bergeret*, d'Anatole France, est de lui. Ne le répétez pas ! Quand Guitry ne pourra plus jouer, il se fera auteur dramatique. Et ce ne sera pas le moins applaudi.

Antoine est moins littéraire, moins poète. Mais c'est un metteur en scène de premier ordre. Il n'a pas écrit un mot, je vous le jure, mais il a trouvé un des effets les plus sûrs de *Poil de Carotte*. Poil de Carotte et M. Lepic sont dans la cour. Ils se sont expliqués ; ils s'attendrissent. Tout à coup, Poil de Carotte tressaille. Il s'aperçoit que Mme Lepic les observe, les épie.

— Chut ! dit-il, elle nous surveille par la fenêtre.

— Eh bien ! dit M. Lepic, va fermer les volets.

— Ah ! non...

— Tu as peur ?

— Oh ! oui, par les carreaux elle me foudroierait ; fais ta commission toi-même.

Et M. Lepic va fermer les volets.

Antoine y allait. Et c'est là qu'il avait fait cette trouvaille. Il allait lentement fermer les volets, mais, à mesure qu'il s'approchait, on sentait qu'il avait un petit peu peur, lui aussi, peur de se trouver nez à nez avec Mme Lepic cachée derrière les vitres. Alors, au lieu de fermer les volets, comme vous et moi aurions fait, il les ferma en leur tournant le dos comme ça.

Nous étions, quand il trouva ce jeu de scène, quelques amis intimes dans la salle. Ce fut un éclat de rire, et le même effet se reproduit toujours, multiplié, devant le public.

Je vous parle surtout d'Antoine, parce que c'est surtout Antoine qui a mis *Poil de Carotte* debout. Il dirigeait Suzanne Després qui n'avait d'ailleurs qu'à se livrer, à s'abandonner à sa nature primitive. Comme cette artiste de grande valeur est parfois têtue, volontairement sauvage, je lui ai dit souvent, plus tard :

— Ma chère Després, vous êtes bien insupportable !

Elle me répondait, l'œil de travers, oblique, comme ça :

— Si je n'étais pas insupportable, est-ce que j'aurais bien joué *Poil de Carotte* ?

Que répliquer ? J'étais désarmé. Mais jusqu'à la dernière répétition, la répétition générale, Antoine me fit l'effet de ne pas savoir un mot de son rôle. Quand il n'avait pas le manuscrit sous les yeux, il bredouillait. Je n'entendais que le souffleur. Je le fis observer à Antoine.

— Ne vous tourmentez pas, me dit-il, jamais je n'ai su un rôle comme celui-là.

Je connaissais les plaintes de mes confrères, j'étais désolé. Il en avait de bonnes ! Aux dernières répétitions d'une pièce, on est arrivé à un tel état de surexcitation qu'on ne voit plus clair du tout. Il semble qu'on regarde déjà dans un four. C'est noir. J'ai été sur le point de faire dire à Antoine, par la Société des Auteurs Dramatiques, que je ne trouvais pas la pièce prête, et que je le sommais de reculer la représentation.

Le régisseur du théâtre, alors M. Paul Edmond, qui connaissait bien son Antoine, m'arrêta.

— Vous verrez qu'Antoine sera admirable, me dit-il.

J'attendis, les yeux fermés, le Destin.

Vous savez qu'à Paris la vraie première d'une pièce ce n'est pas la première. Avant la première représentation d'une pièce, la première représentation pour le public payant, on offre toujours une répétition générale à la presse, à la critique. En réalité, cette répétition générale est la vraie première. C'est d'elle que dépend le succès de la pièce.

Le public de répétition générale ne se compose pas seulement de critiques. Il y a de tout. Les amis de l'auteur (les bons et les mauvais), les amis des autres auteurs joués en même temps, les amis des acteurs et des actrices, les femmes des journalistes, des mondaines et des demi-mondaines, et des personnalités vagues qui ne sont même pas invitées, qui se faufilent on ne sait comment. C'est ce public mêlé, frivole, capricieux, qui décide en un soir du sort d'une pièce et même d'un auteur. Vous voyez qu'il convient de n'accepter qu'avec réserve les réputations surfaites ou défaites.

D'ordinaire, l'auteur écoute sa pièce derrière la toile de fond. C'est là un genre de sport que je ne vous recommande pas. Quand ça va, passe, mais quand ça marche mal ou tantôt bien ou tantôt mal, c'est le supplice. Derrière cette toile, si l'auteur manque d'estomac, il abrège sa vie. Rappelez-vous vos examens les plus durs, c'est ça, c'est pire que ça. Il paraît qu'à chacune de ses pièces Sardou dévorait un mouchoir. Maurice Donnay donne des coups de pied au mur, tripote des boulettes de pain ou de mastic. Ça calme ses doigts. Rostand s'enfonce son monocle dans l'œil et s'arrache la moustache à force de la tirer. Paul Hervieu serre les dents. Il me disait après le *Dédale* : « *Je ne peux pas m'y habituer ; chacune de mes pièces fait faire un progrès à ma maladie de cœur.* » Capus bâille et affecte de plaisanter avec le directeur qui est aussi pâle que lui, etc., etc. Tristan Bernard, lui, est plus courageux. Il monte au poulailler où il n'y a personne. Il s'installe, regarde et écoute de haut sa comédie, comme si elle était d'un autre, et il tâche de rire plus fort que le public. Les plus malins restent chez eux. Ils se font renseigner par quelqu'un, une femme aimée, par exemple, une véritable amie, tendre et délicate, qui exagère le succès ou adoucit la défaite. On ne sait pas trop à quoi s'en tenir, mais on vit plus longtemps.

Je ne parle pas du trac des acteurs. Sarah même l'a. Tous l'ont. Les plus vieux davantage, Granier est malade huit jours d'avance. Elle devient laide. Le moment venu, elle redevient jolie.

Le soir de *Poil de Carotte*, je n'étais pas derrière la toile de fond.

Était-ce lâcheté ou fausse indifférence ? Je ne me souviens plus.

On venait de jouer, avant *Poil de Carotte*, une pièce en trois actes, d'Abel Hermant, *L'Empreinte*. Deux auteurs qu'on répète ensemble sur le même théâtre s'ignorent aussi complètement que deux locataires parisiens qui habitent sur le même palier. Chacun pour soi. La pièce d'Hermant avait-elle réussi, avait-elle échoué ? Peu m'importait. C'était mon tour. J'étais resté dans la loge d'Antoine, une loge étroite, comme ces petites prisons qu'il y avait autrefois dans nos lycées (je suppose qu'elles n'existent plus) et qu'on appelait des séquestres. J'étais là, je ne dis pas me promenant de long en large, c'eût été trop vite fait, mais tantôt assis, tantôt debout, intérieurement agité. Je jouais une assez grosse partie. N'avais-je point gâté à la scène le *Poil de Carotte* du livre ? On m'attendait un peu comme au coin d'un bois.

Je n'avais pour compagnon que le coiffeur d'Antoine, celui qui soigne ses perruques, un brave homme, mais sans aucune conversation. Le régisseur Paul Edmond, qui m'avait déjà rendu courage à propos de la mémoire d'Antoine passant par hasard devant la loge, me dit :

— Vous n'écoutez donc pas votre pièce ?

— Non.

— Pourquoi ?

— Parce que je suis bien là.

— Je vais voir comment ça marche et je reviendrai vous le dire.

Le régisseur partit et ne revint plus.

Quelques instants après, l'acteur Duményy, celui qui a créé *Le Retour de Jérusalem*, et qui était alors chez Antoine, passe aussi devant la loge et me dit :

— Qu'est-ce que vous faites là, Renard ?

— J'attends.

— Mon pauvre ami, je cours aux nouvelles et je vous les apporte.

— Oui, dis-je, et ne faites pas comme l'autre.

— Quel autre ?

— Un autre messager que je n'ai plus revu.

— Oh ! dit Duményy, on ne fait pas de ces blagues-là. Une seconde et je suis à vous.

Duményy me quitte et ne revient plus. Je commençais à être mal à l'aise. Je craignais je ne sais quelle catastrophe. Au bout d'une cinquantaine de minutes, c'est ce que dure *Poil de Carotte*, joué lentement et interrompu par des applaudissements, l'acteur Gémier se précipite dans la loge et se met à pleurer dans un coin. Je ne dramatise pas, je ne dis que la vérité. L'acteur Gémier était alors aussi chez Antoine. Ils étaient fort amis, et Antoine l'avait prié, pour ce jour-là, de lui servir de souffleur. Gémier avait donc soufflé toute la pièce et la pièce était finie, puisqu'il était là, pleurant dans son coin.

Je lui demandai :

— Qu'est-ce que vous avez, Gémier ?

— C'est votre pièce.

— Ma pièce, quoi ? Qu'est-ce qu'il y a ?

Gémier ne répondit pas. Ça devenait de l'angoisse. Heureusement, elle dura peu. Antoine apparut et me dit :

— C'est un gros succès.

Des portes s'ouvrirent. Mes amis (les bons et les mauvais) débouchèrent avec des figures rayonnantes, des yeux humides et de bonnes poignées de main. Ce fut très agréable.

Rappelez-vous vos examens quand vous étiez reçus.

Ces représentations ressemblent aux mariages, défilés de sacristie. Il y a des gens, comme certains parents, qu'on ne voit que ce jour-là.

J'ai su plus tard que le régisseur Paul Edmond et l'acteur Duruény, qui avaient couru aux nouvelles, pris par le jeu des acteurs, m'avaient simplement oublié ! Quant à Gémier, ma pièce lui avait rappelé des souvenirs d'enfance personnels et douloureux. De là sa crise de larmes. Les acteurs pleurent facilement, même quand c'est pour leur propre compte. A la fin de *Poil de Carotte*, Gémier, ému, ne pouvant plus souffler Antoine, Antoine s'en passa.

Il fut très beau, Antoine. Quand il ne savait pas, il remplaçait les mots par les gestes, et c'était irrésistible. Pour Suzanne Després, elle est si bien entrée ce soir-là dans la blouse de Poil de Carotte, que depuis quatre ans elle n'en sort que pour y rentrer avec plaisir.

— Je jouerai votre *Poil de Carotte*, me dit-elle, tant que mon postérieur pourra tenir dans une culotte de garçon.

Ce qui ne l'empêche pas de jouer *Phèdre*, de Racine, et d'y être très belle.

Il ne faut pas que j'insiste trop sur le succès de *Poil de Carotte*, ce serait de mauvais goût. *Poil de Carotte* aurait dû faire un four. C'eût été plus *Poil de Carotte*. On n'a pas toutes les chances. Seuls ou à peu près, les lecteurs de la *Gazette de France* ont dû bien me mépriser.

Son critique écrivait : « Quant à *Poil de Carotte*, de M. Renard, j'avoue n'avoir jamais pu trouver à cet auteur une ombre de talent. C'est par snobisme, assurément, qu'on l'admire, et d'autant plus qu'on le comprend moins. Je ne m'y arrêterai donc pas davantage. »

Mais j'ai le droit strict de dire qu'il a été joué partout en France, même à Nevers, et qu'il a fait son tour d'Europe, presque son tour du monde. Il a trouvé en Amérique une Després qui le joue aussi souvent que la Després française.

Seule l'Allemagne n'a pas voulu de *Poil de Carotte*. Échec complet. Est-ce ma faute, celle du traducteur ou celle des Allemands, je l'ignore. Et je suis, dit-on, internationaliste. Que serait-ce si *Poil de Carotte* avait triomphé en Allemagne ?

Je voudrais bien vous dire quelle est, à mon sens, la raison capitale du succès persistant de *Poil de Carotte*. Cette petite pièce a de grands défauts.

La première partie, celle qu'on pourrait appeler l'exposition, est lourde, traînante. Elle étonne, déroute le public, quand l'actrice qui joue le rôle de la servante Annette ne le joue pas assez comique pour mettre le public en train.

Des mots remarqués dans le livre, connus par le livre, et sur lesquels je comptais à la scène, ne produisent pas d'effet. Ils sont mal placés.

L'entrée de Mme Lepic ne fait pas l'impression que j'espérais. Elle n'arrive pas au bon moment. Je le vois aujourd'hui avec netteté.

Mais tel quel, avec ses imperfections, *Poil de Carotte*, bien ou moins bien joué, joué dans son décor ou sans décor (on l'a joué sur une place publique, dans un salon, *Poil de Carotte* dans un salon !), *Poil de Carotte* amuse et émeut le public, c'est incontestable. Pourquoi ? Parce que *Poil de Carotte* est un tableau — point flatté! mais exact — de plus d'une famille.

— Il y a, dit M. Lepic à Poil de Carotte, il y a dans l'espèce humaine plus de quatre familles comme la nôtre, sans compter celles qui ne s'en vantent pas. Oui, en ce sens j'ose dire que *Poil de Carotte* est un spectacle de famille.

J'imagine qu'après avoir écouté *Poil de Carotte* une part des spectateurs se contente de plaindre le petit bonhomme, mais que le reste des spectateurs se dit :

— Sommes-nous bien sûrs d'aimer nos enfants comme il faut les aimer ?

Ceux-là, le souvenir de *Poil de Carotte* les poursuit jusqu'à la maison, et peut-être que le lendemain plus d'un grosse déjà bien partagé doit à Poil de Carotte un supplément de caresses, un dessert de douceurs maternelles et paternelles auquel il ne s'attendait pas. Ça ne peut toujours pas lui faire de mal.

En écrivant *Poil de Carotte*, je n'ai eu d'autre but que d'écrire une œuvre d'art. Je n'avais pas la moindre intention sociale. Ce n'est pas une thèse, une œuvre à tendances voulues, préméditées. Mais il se trouve que cette petite pièce est aussi une petite leçon. Tant mieux !

Je ne cherchais pas ce résultat. Il est venu en plus tout seul ; ça me fait plaisir. On joue, on lit fréquemment *Poil de Carotte* dans les réunions populaires. On l'a joué au Théâtre du Peuple de Bussang, fondé par Maurice Pottecher. Mais par exemple, on l'a joué devant des parapluies, car le théâtre est découvert, et il pleuvait ce jour-là à torrents.

Poil de Carotte en avait vu bien d'autres.

On l'a joué au Château du Peuple, près de Paris, car vous savez que le peuple de Paris a un château, déjà, en plein bois de Boulogne.

Rien ne m'a été plus précieux que cette expérience populaire. Il semble qu'il y ait, chez le peuple, beaucoup de Poil de Carotte. Puissent-ils, grâce au mien, devenir de plus en plus rares !

Le livre de M. Frapié *La Maternelle* est plein de petits Poil de Carotte.

Mais je n'ai pas eu que des approbations. Les publics cléricaux (il en reste) aiment moins *Poil de Carotte* que les publics avancés. Pourquoi ? C'est peut-être parce que M. Lepic dit dans la pièce : « *Je déteste le bavardage, le désordre, le mensonge et les curés.* »

M. le curé de mon village m'a reproché, éloquemment, en pleine église, du haut de la chaire, s'il vous plaît, d'avoir écrit contre la famille. Ce reproche me vient presque toujours des célibataires. Il est vrai qu'en ce temps-là je n'étais pas encore maire de ma commune (Monsieur le Maire ! comme on dit dans *Les Oiseaux de passage*). J'ai protesté avec énergie et je proteste encore, M. le curé de ma commune (et je le dis avec les égards que doit à cet honorable fonctionnaire un partisan plein d'espoir de la séparation de l'Église et de l'État). M. le curé se trompe. Sans le faire exprès, il m'a calomnié !

Moi, un ennemi de la famille ! Quelle erreur ! Je crois, au contraire, que le bonheur ne peut être complet que dans la famille. Seulement, si ce n'est pas difficile à planter, une famille, c'est très difficile à cultiver. Il devrait y avoir des écoles normales supérieures où l'on enseignerait aux jeunes ménages l'art de vivre en famille. Le ménage modèle. J'ai seize ans de ménage, je demanderais une place de surveillant.

Certes, il y a des cas irrémédiables, des familles où l'homme est une brute, la femme une coquine. Un proverbe dit qu'il n'y a pas de remède de bonne femme contre les mauvaises. Je ne parle pas de ces familles-là. Mais combien de familles tournent mal, simplement parce qu'elles n'ont pas su s'y prendre. L'homme a manqué de raison, la femme de finesse, et les enfants, c'était forcé, de gratitude. On n'y est pas criminel, on y est maladroit.

Pris isolément, cet homme est un brave homme, et cette femme une brave femme, et ces enfants ont une bonne nature. En contact, ils ne savent que se heurter, s'écorcher, se blesser. Ils sont fragiles et ils ignorent la façon de se toucher. Ils ne prennent aucune précaution pour manier cet objet d'art qu'est le cœur humain.

C'est rarement que le bonheur d'une famille se détruit par la faute d'un seul, et presque toujours chacun a ses torts. Qui dit cela ? M. Lepic lui-même. Il dit à Poil de Carotte :

— *Nous sommes là, tous deux, à gémir. Il faudrait l'entendre, ta mère. Peut-être qu'elle aussi trouve qu'elle est mal tombée. Qui sait si avec un autre ?... N'obtenant pas d'elle ce que je voulais, j'ai été rancunier, impitoyable, et mes duretés pour elle, elle te les a rendues. Elle a tous les torts envers toi, mais envers moi, les a-t-elle tous ? Il y a des moments où je m'interroge...*

M. Lepic n'achève pas sa pensée. Ce langage étonne Poil de Carotte, il trouve au fond que M. Lepic va un peu loin. Mais moi, l'auteur, je suis satisfait de ce mouvement tournant exécuté par M. Lepic en faveur de Mme Lepic. Ce n'était pas dans le livre. C'est un progrès, une supériorité, je crois. Si la pièce s'était prolongée, M. et Mme Lepic auraient peut-être fini par s'embrasser, au nez de Poil de Carotte, décidément ahuri.

PERSONNAGES

M. LEPIC — M. ANTOINE

POIL DE CAROTTE — Mme SUZANNE DESPRÉS

Mme LEPIC — ELLEN ANDRÉE

ANNETTE — RENÉE MAUPIN

*La scène se passe à une heure de l'après-midi,
dans un village de la Nièvre.*

Une cour bien « meublée », entretenue par Poil de Carotte. A droite, un tas de fagots rangés par Poil de Carotte. Une grosse bûche où Poil de Carotte a l'habitude de s'asseoir. Une brouette et une pioche.
Derrière le tas de fagots, en perspective jusqu'au fond de la cour, une grange et des petits « toits » : toit des poules, toit des lapins, toit du chien. C'est dans la grange que Poil de Carotte passe le meilleur de ses vacances par les mauvais temps.
Un arbre au milieu de la cour, un banc circulaire au pied de l'arbre.
A gauche, la maison des Lepic, vieille maison a mine de prison. Un rez-de-chaussée surélevé. Murs presque aussi larges que hauts.
Au premier plan, l'escalier. Six marches et deux rampes de fer. Porte alourdie de clous. Marteau.
Une culotte de chasseur, garnie de boue, est accrochée au mur.
Au deuxième plan, une fenêtre, avec des barreaux et des volets, d'où Mme Lepic surveille d'ordinaire Poil de Carotte. Un puits, formant niche dans le mur.
Au fond, a gauche, une porte pleine dans un pan de mur. C'est par cette porte qu'entre et sort le monde, librement. Pas de sonnette. Un loquet.
Au fond, a droite, une grille pour les voitures, puis la rue et la campagne, un clair paysage de septembre : noyers, prés, meules, une ferme.

1

POIL DE CAROTTE, M. LEPIC.

Poil de Carotte, nu-tête, est habillé maigrement. Il use les effets que son frère Félix a déjà usés. Une blouse noire, une ceinture de cuir noir avec l'écusson jaune des collégiens, un pantalon de toile grise trop court, des chaussons de lisière; pas de cravate à son col de chemise étroit et mou. Cheveux souples comme paille et couleur de paille quand elle a passé l'hiver dehors, en meule.
M. Lepic: veston et culotte de velours, chemise blanche de « monsieur » empesée et un gilet, pas de cravate non plus, une chaîne de montre en or. Un large chapeau de paille, des galoches, puis des souliers de chasse.
Au lever de rideau, Poil de Carotte, au fond, donne de l'herbe à ses lapins. Il vient au premier plan couper avec une pioche les herbes de la cour. Il pioche, plein d'ennui, près de sa brouette.
M. Lepic ouvre la porte et paraît sur la première marche de l'escalier, un journal à la main. En entendant ouvrir la porte, Poil de Carotte a peur. Il a toujours peur.

M. LEPIC

A qui le tour de venir à la chasse ?

POIL DE CAROTTE

C'est à moi.

M. LEPIC

Tu es sûr ?

POIL DE CAROTTE

Oui, papa : tu as emmené **mon** frère Félix la dernière fois, et il

135

vient de sortir avec ma mère qui allait chez M. le curé. Il a emporté ses lignes : il pêchera toute la soirée au moulin.

M. LEPIC

Et toi, que fais-tu là ?

POIL DE CAROTTE

Je désherbe la cour.

M. LEPIC

Tout de suite après déjeuner ? C'est mauvais pour la digestion.

POIL DE CAROTTE

Ma mère dit que c'est excellent. *(Il jette la pioche.)* Partons-nous ?

M. LEPIC

Oh ! pas si vite. Le soleil est encore trop chaud. Je vais lire mon journal et me reposer.

POIL DE CAROTTE, *avec regret.*

Comme tu voudras. *(Il ramasse sa pioche.)* C'est sûr que nous irons ?

M. LEPIC

A moins qu'il ne pleuve.

POIL DE CAROTTE, *regardant le ciel.*

Ce n'est pas la pluie que je crains... Tu ne partiras pas sans moi ?

M. LEPIC

Tu n'as qu'à rester là. Je te prendrai.

POIL DE CAROTTE

Je suis prêt. Je n'ai que ma casquette et mes souliers à mettre... Et si tu sors par le jardin ?...

M. LEPIC

Tu m'entendras siffler le chien.

POIL DE CAROTTE

Tu me siffleras aussi ?

M. LEPIC

Sois tranquille.

POIL DE CAROTTE

Merci, papa. Je porterai ta carnassière.

M. LEPIC

Je te la prête. J'ai assez de mon fusil.

POIL DE CAROTTE

Moi, je prendrai un bâton pour taper sur les haies et faire partir les lièvres. A tout à l'heure, papa. En t'attendant, je désherbe ce coin-là.

M. LEPIC

Ça t'amuse ?

POIL DE CAROTTE

Ça ne m'ennuie pas. C'est fatigant, au soleil, mais, à l'ombre, ça pioche tout seul. D'ailleurs, ma mère me l'a commandé. *(M. Lepic le regarde donner quelques coups de pioche et rentre.)*

2
──────────

POIL DE CAROTTE, *seul.*

Par précaution, je vais renfermer le chien, qui dort. *(Il ferme la porte d'un des petits toits.)* De cette façon, M. Lepic ne peut pas m'oublier, car il ne peut pas aller à la chasse sans le chien, et le chien ne peut pas aller à la chasse sans moi.

(Un bruit de loquet à la porte de la cour. Poil de Carotte croit que c'est Mme Lepic et se remet à piocher.)

3
──────────

POIL DE CAROTTE, ANNETTE.
Une paysanne pousse la porte et entre dans la cour. Elle regarde Poil de Carotte qui tourne le dos et pioche avec ardeur. Elle traverse la cour, monte l'escalier et frappe à la porte de la maison. Poil de Carotte, étonné que Mme Lepic passe sans rien lui dire de désagréable, risque un œil et se redresse.

POIL DE CAROTTE

Tiens ! ce n'est pas Mme Lepic. Qui demandez-vous... mademoiselle ?

ANNETTE. *Elle est habillée comme une paysanne qui a mis ce qu'elle avait de mieux pour se présenter chez ses nouveaux maîtres. Bonnet blanc, caraco noir, jupe grise, panier au bras.*

Mme Lepic.

POIL DE CAROTTE, *sans lâcher sa pioche.*

Elle est sortie.

ANNETTE

Va-t-elle rentrer bientôt ?

POIL DE CAROTTE

J'espère que oui. Que désirez-vous ?

ANNETTE

Je suis la nouvelle servante que Mme Lepic a louée jeudi dernier à Lormes.

POIL DE CAROTTE, *important, lâchant sa pioche.*

Je sais. Elle m'avait prévenu. Je vous attendais d'un jour à l'autre. Mme Lepic est chez M. le curé. Inutile d'entrer à la maison. Il n'y a personne, que M. Lepic qui fait la sieste et qui n'aime guère qu'on le dérange. Du reste, la servante ne le regarde pas. Asseyez-vous sur l'escalier.

ANNETTE

Je ne suis pas fatiguée.

POIL DE CAROTTE

Vous venez de loin ?

ANNETTE

De Lormes. C'est mon pays.

POIL DE CAROTTE

Et votre malle ?

ANNETTE

Je l'ai laissée à la gare.

POIL DE CAROTTE

Est-elle lourde ?

ANNETTE

Il n'y a que des nippes dedans.

POIL DE CAROTTE

Je dirai au facteur de l'apporter demain matin dans sa voiture à âne. Vous avez votre bulletin ?

ANNETTE

Le voilà.

POIL DE CAROTTE

Ne le perdez pas. Comment vous appelez-vous ?

ANNETTE

Annette Perreau.

POIL DE CAROTTE

Annette Perreau... Je vous appellerai Annette. C'est facile à prononcer. Moi, je suis Poil de Carotte.

ANNETTE

Plaît-il ?

POIL DE CAROTTE

Poil de Carotte. Vous savez bien ?

ANNETTE

Non.

POIL DE CAROTTE

Le plus jeune des fils Lepic, celui qu'on appelle Poil de Carotte. Mᵐᵉ Lepic ne vous a pas parlé de moi ?

ANNETTE

Du tout.

POIL DE CAROTTE

Ça m'étonne. Vous êtes contente d'être au service de la famille Lepic ?

138

ANNETTE

Je ne sais pas. Ça dépendra.

POIL DE CAROTTE

Naturellement. La maison est assez bonne.

ANNETTE

Il y a beaucoup de travail ?

POIL DE CAROTTE

Non. Dix mois sur douze, M. et Mme Lepic vivent seuls. Vous avez un peu de mal pendant que nous sommes en vacances, mon frère et moi. Ce n'est jamais écrasant.

ANNETTE

Oh ! je suis forte.

POIL DE CAROTTE

Vous paraissez solide... D'ailleurs, je vous aide. *(Étonnement d'Annette.)* Je veux dire... *(Gêné, il s'approche.)* Écoutez, Annette : quand je suis en vacances, je ne peux pas toujours jouer comme un fou ; alors, ça me distrait de vous aider... Comprenez-vous ?

ANNETTE, *écarquillant les yeux.*

Non. Vous m'aidez ? A quoi, monsieur Lepic ?

POIL DE CAROTTE

Appelez-moi Poil de Carotte. C'est mon nom.

ANNETTE

Monsieur Poil de Carotte.

POIL DE CAROTTE

Pas monsieur... M. Poil de Carotte !... Si Mme Lepic vous entendait, elle se tordrait. Appelez-moi Poil de Carotte, tout court, comme je vous appelle Annette.

ANNETTE

Poil de Carotte, ce n'est pas un nom de chrétien. Vous avez un autre nom, un petit nom de baptême.

POIL DE CAROTTE

Il ne sert pas depuis le baptême... On l'a oublié.

ANNETTE

Où avez-vous pris ce surnom ?

POIL DE CAROTTE

C'est Mme Lepic qui me l'a donné, à cause de la couleur de mes cheveux.

ANNETTE

Ils sont blonds.

POIL DE CAROTTE

Blond ardent. Mme Lepic les voit rouges. Elle a de bons yeux. Appelez-moi Poil de Carotte.

ANNETTE

Je n'ose pas.

POIL DE CAROTTE

Puisque je vous le permets !

ANNETTE

Poil... de...

POIL DE CAROTTE

Puisque je vous l'ordonne ! Et prenez cette habitude tout de suite, car dès demain matin, — ce soir je vais à la chasse avec M. Lepic, — dès demain matin, nous nous partagerons la besogne.

ANNETTE

Que me dites-vous là ? *(Elle rit.)*

POIL DE CAROTTE, *froid.*

Vous êtes de bonne humeur.

ANNETTE

Excusez-moi.

POIL DE CAROTTE

Oh ! ça ne fait rien !... Entendons-nous, afin que l'un ne gêne pas l'autre. Nous nous levons tous deux à cinq heures et demie précises.

ANNETTE

Vous aussi.

POIL DE CAROTTE

Oui. Je ne fais qu'un somme, mais je ne peux pas rester au lit le matin. Je vous réveillerai. Nos deux chambres se touchent, près du grenier. Aussitôt levé, je m'occupe des bêtes. J'ai une passion pour les bêtes. Je porte la soupe au chien. Je jette du grain aux poules et de l'herbe aux lapins. De votre côté, vous allumez le feu et vous préparez les déjeuners de la famille Lepic. Mme Lepic...

ANNETTE

Votre mère ?

POIL DE CAROTTE

Oui... prend du café au lait. M. Lepic...

ANNETTE

Votre père ?

POIL DE CAROTTE

Oui, — ne m'interrompez pas, Annette, — M. Lepic prend du café noir et mon frère Félix du chocolat.

ANNETTE

Et vous ?

POIL DE CAROTTE

Vous, Annette, on vous gâtera les premiers jours. Vous prendrez probablement du café au lait, comme Mme Lepic. Après, elle avisera.

ANNETTE

Et vous ?

POIL DE CAROTTE

Oh ! moi je prends ce que je veux dans le buffet : un reste de soupe, je mange un morceau de pain sur le pouce, je varie, ou rien. Je n'ai pas une grosse faim au saut du lit.

ANNETTE

Vous n'aimez pas, comme votre frère, M. Félix, le chocolat ?

POIL DE CAROTTE

Non, à cause de la peau. Toute la matinée, je travaille à mes devoirs de vacances. Vous, Annette, vous ne vous croisez pas les bras ; vous attrapez les chaussures, graissez à fond les souliers de M. Lepic.

ANNETTE

Bien.

POIL DE CAROTTE

Ne cirez pas trop les bottines : le cirage les brûle.

ANNETTE

Bien, bien.

POIL DE CAROTTE

Vous faites les lits, les chambres, le ménage. Ah ! je vous tirerai vos seaux du puits ; vous n'aurez qu'à m'appeler, c'est de l'exercice pour moi... Tenez, que je vous montre. *(Il tire avec peine un seau d'eau qu'il laisse sur la margelle.)* Ça me fortifie... Tant que vous en voudrez, Annette. Cuisinez-vous un peu ?

ANNETTE

Je sais faire du ragoût.

POIL DE CAROTTE

C'est toujours ça ; mais vous ne serez guère au fourneau. Mme Lepic est un cordon bleu, et, quand elle a bon appétit, on se lèche les doigts. A midi sonnant, je vais à la cave.

ANNETTE

Ah ! c'est vous qui avez la confiance.

POIL DE CAROTTE

Oui, Annette, c'est moi, et puis l'escalier est dangereux. Ces fonctions me rapportent : je vends les vieilles feuillettes à mon bénéfice et je place l'argent dans le tiroir de Mme Lepic. N'ayez crainte, Annette, parce que j'ai la clef de la cave : vous ne serez pas privée de vin.

ANNETTE

Oh ! une goutte à chaque repas...

POIL DE CAROTTE

Moi, jamais... Le vin me monte à la tête ; je ne bois que de notre

141

eau, qui est la meilleure du village. Bien entendu, vous servez à table. On change d'assiettes le moins possible.

ANNETTE

Tant mieux !

POIL DE CAROTTE

C'est à cause des assiettes. Après le repas, la vaisselle. Quelquefois je vous donne un coup de main.

ANNETTE

Pour la laver ?

POIL DE CAROTTE

Pour la ranger, Annette, quand on a sorti le beau service.

ANNETTE

Il y a souvent de la société ?

POIL DE CAROTTE

Rarement. M. Lepic, qui n'aime pas le monde, fait la tête aux invités de Mme Lepic, et ils ne reviennent plus. Par exemple, le soir, Annette, je n'ai rien à faire.

ANNETTE

Rien ?

POIL DE CAROTTE

Presque rien. Je m'occupe à ma guise, en fumant une cigarette.

ANNETTE

Oh ! oh !

POIL DE CAROTTE

Oui, M. Lepic m'en offre quelquefois, et ça l'amuse, parce que ça me donne un peu mal au cœur. Je bricole, je jardine, je cultive des fleurs, j'arrache un panier de pommes de terre, des pois secs que j'écosse à mes moments perdus.

ANNETTE

Quoi encore ?

POIL DE CAROTTE

Oh ! je ne me foule pas. Quand vous êtes arrivée, je désherbais la cour, sans me biler. Des pies avec leur bec iraient plus vite que moi.

ANNETTE

Et c'est tout ?

POIL DE CAROTTE

C'est tout. Je fais peut-être aussi quelques commissions pour Mme Lepic, chez l'épicière, la fermière, ou, à la ville, chez le pharmacien... et, le reste du temps, je suis libre.

ANNETTE

Et votre frère Félix, qu'est-ce qu'il fait toute la journée ?

POIL DE CAROTTE

Il n'est pas venu en vacances pour travailler. Et il n'a pas ma santé. Il est délicat...

ANNETTE

Il se soigne.

POIL DE CAROTTE

C'est son affaire... Pendant que je me repose, l'après-midi, vous, Annette, ah ! ça, c'est pénible, vous allez le plus souvent à la rivière.

ANNETTE

Ils salissent tant de linge ?

POIL DE CAROTTE

Non, mais il y a les pantalons de chasse de M. Lepic : par la pluie, il rapporte des kilos de boue. Ça sèche et c'est indécrottable. Il faut savonner et taper dessus à se démettre l'épaule. Annette, les pantalons de M. Lepic se tiennent droit dans la rivière comme de vraies jambes !

ANNETTE

Il ne porte donc pas de bottes ?

POIL DE CAROTTE

Ni bottes, ni guêtres. Il ne se retrousse même pas. M. Lepic est un vrai chasseur. Au fond, je crois qu'il patauge exprès pour contrarier Mme Lepic...

ANNETTE, *curieuse.*

Ils se taquinent ?

POIL DE CAROTTE

... Mais, comme ce n'est pas Mme Lepic qui va à la rivière, il ne contrarie que vous. Tant pis pour vous, ma pauvre Annette, je n'y peux rien : vous êtes la servante.

ANNETTE

Ils sont sévères ?

POIL DE CAROTTE, *confidentiel.*

Écoutez, Annette, sans quoi vous feriez fausse route : c'est M. Lepic qui a l'air sévère et c'est Mme Lepic... chut ! *(Il entend du bruit et se précipite sur sa pioche. Une femme passe dans la rue. Il se rassure.)* Ce chardon m'agaçait... Oui, Annette. *(Il jette sa pioche, s'assied dans la brouette, met une corbeille de pois sur ses genoux et écosse. Annette en prend une poignée.)* Oh ! laissez, profitez de votre reste... Oui, Annette, M. Lepic, à première vue, impressionne, mais on ne le voit guère. Il est tout le temps dehors, à Paris, pour un procès interminable, ou à la chasse pour notre garde-manger. A la maison, c'est un homme préoccupé et taciturne. Il ne rit que dans sa barbe, et encore ! il faut que mon frère Félix soit bien drôle... Il aime mieux se faire comprendre par un geste que par un mot. S'il veut du pain, il ne dit pas : « Annette, donnez-moi le pain. » Il se lève et va le chercher lui-même, jusqu'à ce que vous preniez l'habitude de vous apercevoir qu'il a besoin de pain.

ANNETTE

C'est un original.

POIL DE CAROTTE

Vous ne le changerez pas.

ANNETTE

Il vous aime bien ?

POIL DE CAROTTE

Je le suppose. Il m'aime à sa manière, silencieusement.

ANNETTE

Il n'a donc pas de langue ?

POIL DE CAROTTE

Si, Annette, à la chasse, une fameuse pour son chien. Il n'en a pas pour la famille.

ANNETTE

Même pour se disputer avec Mme Lepic ?

POIL DE CAROTTE

Non. Mais Mme Lepic parle et se dispute toute seule, et, plus M. Lepic se tait, plus elle cause avec tout le monde, avec M. Lepic qui ne répond pas, avec frère Félix qui répond quand il veut, avec moi qui réponds quand elle veut, et avec le chien qui remue la queue.

ANNETTE

Elle est toquée ?

POIL DE CAROTTE

Vous dites ? Faites attention, Annette, elle n'est pas sourde.

ANNETTE

Elle est maligne ?

POIL DE CAROTTE

Pour vous, la servante, elle est bien, en moyenne. Tantôt elle vous appelle ma fille, et tantôt espèce d'hébétée ; pour M. Lepic, elle est comme si elle n'existait pas ; pour mon frère Félix, c'est une mère. Elle l'adore.

ANNETTE

Et pour vous ?

POIL DE CAROTTE, *vague.*

C'est une mère aussi.

ANNETTE

Elle vous adore ?

POIL DE CAROTTE

Nous n'avons pas, Félix et moi, la même nature.

ANNETTE

Elle vous déteste, hein ?

POIL DE CAROTTE

Personne ne le sait, Annette. Les uns disent qu'elle ne peut pas me souffrir, et, les autres, qu'elle m'aime beaucoup, mais qu'elle cache son jeu.

144

ANNETTE

Vous devez le savoir mieux que n'importe qui.

POIL DE CAROTTE. *Il se lève et pose la corbeille de pois près du mur.*

Si elle cache son jeu, elle le cache bien.

ANNETTE

Pauvre petit monsieur !

POIL DE CAROTTE

Une dernière recommandation, Annette. N'oubliez pas, à la tombée de la nuit...

ANNETTE

Vous avez l'air plutôt gentil.

POIL DE CAROTTE

Ah ! vous trouvez ?... Il paraît qu'il ne faut pas s'y fier.

ANNETTE

Non ?

POIL DE CAROTTE

Il paraît.

ANNETTE

Vous avez des petits défauts ?

POIL DE CAROTTE

Des petits et des gros. Je les ai tous. *(Il compte sur ses doigts.)* Je suis menteur, hypocrite, malpropre, ce qui ne m'empêche pas d'être paresseux et têtu...

ANNETTE

Tout ça à la fois ?

POIL DE CAROTTE

Et ce n'est pas tout. J'ai le cœur sec et je ronfle... Il y a peut-être autre chose... Ah ! je boude, et c'est même là peut-être le principal de mes défauts. On affirme que, malgré les coups, je ne m'en corrigerai jamais...

ANNETTE

Elle vous bat ?

POIL DE CAROTTE

Oh ! quelques gifles.

ANNETTE

Elle a la main leste ?

POIL DE CAROTTE

Une raquette.

ANNETTE

Elle vous donne de vraies gifles ?

POIL DE CAROTTE, *léger.*

Ça ne me fait pas de mal ; j'ai la peau dure. C'est plutôt le pro-

145

cédé qui m'humilie, parce que je commence à être un grand garçon. Je vais avoir seize ans.

ANNETTE

Je ne peux pas me figurer que vous êtes un mauvais sujet.

POIL DE CAROTTE

Patience, vous y viendrez.

ANNETTE

Je ne crois pas.

POIL DE CAROTTE

Mᵐᵉ Lepic vous y amènera.

ANNETTE

Si je veux.

POIL DE CAROTTE

De gré ou de force, Annette ; elle vous retournera comme une peau de lièvre, et je vous conseille pas de lui résister.

ANNETTE

Elle me mangerait ?

POIL DE CAROTTE

Elle se gênerait !...

ANNETTE

Bigre !

POIL DE CAROTTE

Je veux dire qu'elle vous flanquerait à la porte.

ANNETTE

Si je m'en allais tout de suite ?

POIL DE CAROTTE, *inquiet.*

Attendez quelques jours. Mᵐᵉ Lepic fera bon accueil à votre nouveau visage. Comptez sur un mois d'agrément avec elle et, jusqu'à ce qu'elle vous prenne en grippe, demeurez ici, Annette ; vous n'y serez pas plus mal qu'ailleurs, et... je vous aime autant qu'une autre.

ANNETTE

Je vous conviens ?

POIL DE CAROTTE

Vous ne me déplaisez pas, et je suis persuadé que, si chacun de nous y met du sien, ça ira tout seul.

ANNETTE

Moi, je le souhaite.

POIL DE CAROTTE

Vous dites toujours comme Mᵐᵉ Lepic, soyez toujours avec elle contre moi.

ANNETTE

Ce serait joli !

POIL DE CAROTTE

Au moins faites semblant, dans notre intérêt ; rien ne nous empêchera, quand nous serons seuls, de redevenir camarades.

ANNETTE

Oh ! je vous le promets.

POIL DE CAROTTE

Vous voyez comme j'ai le cœur sec, Annette : je me confie à la première venue.

ANNETTE

Le fait est que vous n'êtes pas fier.

POIL DE CAROTTE

Je vous prie seulement de ne jamais me tutoyer. L'autre servante me tutoyait sous prétexte qu'elle était vieille, et elle me vexait. Appelez-moi Poil de Carotte, comme tout le monde...

ANNETTE, *discrètement.*

Non, non.

POIL DE CAROTTE

... Ne me tutoyez pas.

ANNETTE

Je ne suis pas effrontée. Je vous jure que...

POIL DE CAROTTE

C'est bon, c'est bon, Annette. Je vous disais que j'ai une dernière recommandation à vous faire. M. Lepic et moi, nous irons tout à l'heure à la chasse. Comme on rentre tard, j'avale ma soupe et je me couche, éreinté. N'oubliez donc pas, ce soir, de fermer les bêtes. D'ailleurs, c'est toujours vous qui les fermez.

ANNETTE

Un pas de plus ou de moins !

POIL DE CAROTTE

Oh ! oh ! Annette, les premières fois que vous traverserez cette cour noire de nuit, sans lanterne, la pluie sur le dos, le vent dans les jupes...

ANNETTE

J'aurai de la veine si j'en réchappe...

POIL DE CAROTTE

Hier soir, vous n'étiez pas là : j'ai dû les fermer, et je vous certifie, Annette, que ça émotionne.

ANNETTE

Vous êtes donc peureux ?

POIL DE CAROTTE

Oh ! non ! permettez, je ne suis pas peureux. Mme Lepic vous le dira elle-même ; je suis tout ce qu'elle voudra, mais je suis brave. Regardez cette grange. C'est là que je me réfugie quand il fait de l'orage. Eh bien ! Annette, les plus gros coups de tonnerre ne m'empêchent pas d'y continuer une partie de pigeon-vole !

ANNETTE

Tout seul ?

POIL DE CAROTTE

C'est aussi amusant qu'à plusieurs. Quand j'ai un gage, j'embrasse ma main ou le mur. Vous voyez si j'ai peur ! Mais chacun nos besognes, Annette : une des vôtres, d'après les instructions de Mᵐᵉ Lepic, c'est de fermer les bêtes, le soir, et vous les fermerez.

ANNETTE

Oh ! c'est inutile de nous chamailler déjà : je veux bien, je ne suis pas poltronne.

POIL DE CAROTTE

Moi non plus ! Annette, je n'ai peur de rien, ni de personne. Parfaitement, de personne. *(Avec autorité.)* Mais il s'agit de savoir qui de nous deux ferme les bêtes ; or la volonté de Mᵐᵉ Lepic, sa volonté formelle...

Mᵐᵉ LEPIC, *surgissant.*

Poil de Carotte, tu les fermeras tous les soirs.

4

LES MÊMES, Mᵐᵉ LEPIC.

Bandeaux plats, robe princesse marron, une broche au cou, une ombrelle à la main.
Au moment où Poil de Carotte disait : « Je n'ai peur de rien, ni de personne », elle avait ouvert la porte et elle écoutait, surprenante, droite, sèche, muette, sa réponse prête.

POIL DE CAROTTE

Oui, maman.

(Il attrape sa pioche et il offre son dos ; il se rétrécit, il semble creuser un trou dans la terre pour se fourrer dedans.)

ANNETTE, *curieuse et intimidée, elle salue Mᵐᵉ Lepic.*

Bonjour, madame.

Mᵐᵉ LEPIC

Bonjour, Annette. Il y a longtemps que vous êtes là ?

ANNETTE

Non, madame, un quart d'heure.

Mᵐᵉ LEPIC, *à Poil de Carotte.*

Tu ne pouvais pas venir me chercher ?

POIL DE CAROTTE

J'y allais, maman.

Mme LEPIC

J'en doute.

POIL DE CAROTTE

N'est-ce pas, Annette ?

ANNETTE

Oui, madame.

Mme LEPIC

Tu pouvais au moins la faire entrer. On ne t'apprend pas la politesse, à ton collège ?

ANNETTE

J'étais bien là, madame, et je causais avec monsieur votre fils...

Mme LEPIC, *soupçonneuse.*

Ah ! vous causiez avec monsieur mon fils Poil de Carotte ? C'est un beau parleur.

POIL DE CAROTTE

Maman, je la renseignais.

Mme LEPIC, *à Poil de Carotte*

Sur ta famille. *(A Annette.)* Il a dû vous en dire !

ANNETTE

Lui, madame ? C'est un trop bon petit jeune homme.

Mme LEPIC

Oh ! oh ! Annette, il n'a pas perdu son temps avec vous... *(A Poil de Carotte.)* Ote donc tes mains de tes poches ! Je finirai par te les coudre. *(Poil de Carotte ôte sa main de sa poche.)* Regardez ces baguettes de tambour ! Il userait un pot de pommade tous les matins si on lui en donnait. *(Poil de Carotte rabat ses cheveux.)* Et ta cravate ?

POIL DE CAROTTE, *cherche à son cou.*

Tu dis que je n'ai pas besoin de cravate à la campagne.

Mme LEPIC

Oui, mais tu as encore sali ta blouse. Il n'y aurait qu'une crotte de boue sur la terre, elle serait pour toi.

POIL DE CAROTTE. *En louchant, il remarque que son épaule est grise de terre.*

C'est la pioche.

Mme LEPIC, *accablée de lassitude.*

Tu pioches ta blouse, maintenant !

ANNETTE, *pose son panier sur le banc.*

Je vais lui donner un coup de brosse, madame.

Mme LEPIC

Mais il a fait votre conquête, Annette !... Vous avez de la chance, d'être dans les bonnes grâces de Poil de Carotte ! N'y est pas qui

149

veut. Laissez, il se brossera sans domestique. *(Prévenante.)* Vous devez être lasse, ma fille ; entrez à la maison vous rafraîchir, et vous prendrez un peu de repos dans votre chambre. *(Elle ouvre la porte, et, du haut de l'escalier)* : Poil de Carotte, monte de la cave une bouteille de vin.

POIL DE CAROTTE

Oui, maman.

Mme LEPIC

Et cours à la ferme chercher un bol de crème.

POIL DE CAROTTE

Oui, maman.

Mme LEPIC

Trotte ! Ensuite... *(A Annette.)* Votre malle est à la gare ?

ANNETTE

Oui, madame.

Mme LEPIC

Poil de Carotte ira la prendre sur sa brouette.

POIL DE CAROTTE

Ah !

Mme LEPIC

Ça te gêne ?

POIL DE CAROTTE

Je me dépêcherai.

Mme LEPIC

Tu as le feu au derrière ?

POIL DE CAROTTE

Non, maman, mais je dois aller à la chasse, tout à l'heure, avec papa.

Mme LEPIC

Eh bien! tu n'iras pas à la chasse tout à l'heure avec « papa ».

POIL DE CAROTTE

C'est que mon papa...

Mme LEPIC

Je t'ai fait déjà observer qu'il était ridicule, à ton âge, de dire « mon papa ».

POIL DE CAROTTE

C'est que mon père me demande d'y aller, et que j'ai promis.

Mme LEPIC

Tu dépromettras. Où est-il, ton père ?

POIL DE CAROTTE

Il fait sa sieste.

Mme LEPIC. *Elle redescend vers Poil de Carotte qui recule et lève le coude.*

> Pourquoi ce mouvement ? Annette va croire que je te fais peur. Je ne veux pas que tu ailles à la chasse.

POIL DE CAROTTE

> Bien, maman. Qu'est-ce qu'il faudra dire à mon père ?

Mme LEPIC

> Tu diras que tu as changé d'idée. C'est inutile de te creuser la tête. Tu m'entends ? Si tu répondais quand je te parle ?

POIL DE CAROTTE

> Oui, ma mère. Oui, maman.

Mme LEPIC, *même ton.*

> Oui, maman. Tu boudes ?

POIL DE CAROTTE

> Je ne boude pas.

Mme LEPIC

> Si, tu boudes. Pourquoi ? Tu n'y tenais guère, à cette partie de chasse.

POIL DE CAROTTE, *révolte sourde.*

> Je n'y tenais pas.

Mme LEPIC

> Oh ! tête de bois ! *(Elle remonte l'escalier.)* Ah ! ma pauvre Annette ! On ne le mène pas comme on veut, celui-là !

ANNETTE

> Il a pourtant l'air bien docile.

Mme LEPIC

> Lui ! Rien ne le touche. Il a un cœur de pierre, il n'aime personne. N'est-ce pas, Poil de Carotte ?

POIL DE CAROTTE

> Si, maman.

Mme LEPIC, *qui sait ce qu'elle dit.*

> Non, maman. Ah ! si je n'avais pas mon Félix !
>
> *(Elle entre avec Annette et ferme la porte, mais elle la retient. C'est une de ses roueries.)*

POIL DE CAROTTE

> Rasée, ma partie de chasse ! Ça m'apprendra, une fois de plus !

Mme LEPIC, *rouvre la porte.*

> As-tu fini de marmotter entre tes dents ?
>
> *(Elle entend M. Lepic et ferme la porte. Poil de Carotte se remet à piocher. M. Lepic paraît à la grille, le fusil en bandoulière et la carnassière à la main pour Poil de Carotte.)*

POIL DE CAROTTE, M. LEPIC, puis ANNETTE.

M. LEPIC

    Allons, y es-tu ?

POIL DE CAROTTE

    Ma foi, papa, je viens de changer d'idée. Je ne vais pas à la chasse.

M. LEPIC

    Qu'est-ce qui te prend ?

POIL DE CAROTTE

    Ça ne me dit plus.

M. LEPIC

    Quel drôle de bonhomme tu fais !... A ton aise, mon garçon.

                           (Il met sa carnassière.)

POIL DE CAROTTE

    Tu te passeras bien de moi ?

M. LEPIC

    Mieux que de gibier.

ANNETTE, *vient à Poil de Carotte, un bol à la main.*

    Mme Lepic m'envoie vous dire d'aller vite à la ferme chercher un bol de crème.

POIL DE CAROTTE, *jetant sa pioche.*

    J'y vais. *(A M. Lepic qui s'éloigne.)* Au revoir, papa, bonne chasse !

ANNETTE

    C'est M. Lepic ?

POIL DE CAROTTE

    Oui.

ANNETTE

    Il a l'air maussade.

POIL DE CAROTTE

    Il n'aime pas que je lui souhaite bonne chasse : ça porte guigne.

ANNETTE

    Vous lui avez répété que Mme Lepic vous avait défendu de le suivre ?

POIL DE CAROTTE

    Mais non, Annette. N'auriez-vous pas compris Mme Lepic ? J'ai dit simplement que je venais de changer d'idée.

ANNETTE

    Il doit vous trouver capricieux.

POIL DE CAROTTE

Il s'habitue.

ANNETTE

Comme Mme Lepic vous a parlé !

POIL DE CAROTTE

Pour votre arrivée, elle a été convenable.

ANNETTE

Oui ! J'en étais mal à mon aise.

POIL DE CAROTTE

Vous vous y habituerez.

ANNETTE

Moi, à votre place, j'aurais dit la vérité à M. Lepic.

POIL DE CAROTTE, *prenant le bol des mains d'Annette.*

Qu'est-ce que je désire, Annette ? Éviter les claques. Or, quoi que je fasse, M. Lepic ne m'en donne jamais ; il n'est même pas assez causeur pour me gronder, tandis qu'au moindre prétexte Mme Lepic...

(Il lève la main, lâche le bol et regarde la fenêtre.)

ANNETTE. *Elle ramasse les morceaux du bol.*

N'ayez par peur, c'est moi qui l'ai cassé... A votre place j'aurais dit la vérité.

POIL DE CAROTTE

Je suppose, Annette, que je dénonce Mme Lepic et que M. Lepic prenne mon parti : pensez-vous que si M. Lepic attrapait Mme Lepic à cause de moi, Mme Lepic, à son tour, ne me rattraperait pas dans un coin ?

ANNETTE

Vous avez un père... et une mère !

POIL DE CAROTTE

Tout le monde ne peut pas être orphelin.

M. LEPIC. *Il reparaît à la grille de la cour.*

Où diable est donc le chien ? Il y a une heure que je l'appelle.

POIL DE CAROTTE

Dans le toit, papa.

(Il va pour ouvrir la porte au chien.)

M. LEPIC

Tu l'avais enfermé ?

POIL DE CAROTTE, *malgré lui.*

Oui, par précaution, pour toi.

M. LEPIC

Pour moi seulement ? C'est singulier. Poil de Carotte, prends garde. Tu as un caractère bizarre, je le sais, et j'évite de te heurter. Mais, ce que je refuse d'admettre, c'est que tu te moques de moi.

POIL DE CAROTTE

Oh ! papa, il ne manquerait plus que ça.

M. LEPIC

Bougre ! si tu ne te moques pas, explique tes lubies, et pourquoi tu veux et brusquement tu ne veux plus la même chose.

ANNETTE. *Elle s'approche de Poil de Carotte.*

Expliquez. *(A M. Lepic.)* Bonjour, Monsieur.

POIL DE CAROTTE, *à M. Lepic, étonné.*

La nouvelle servante, papa ; elle arrive, elle n'est pas au courant.

ANNETTE

Expliquez que ce n'est pas vous qui ne voulez plus.

POIL DE CAROTTE

Annette, si vous vous mêliez de ce qui vous regarde ?

M. LEPIC

Ce n'est pas toi ? Qu'est-ce que ça signifie ? Réponds. Répondras-tu, à la fin, bon Dieu !

(Poil de Carotte, du pied, gratte la terre.)

6

LES MÊMES, Mme LEPIC.
Mme Lepic. Elle ouvre la fenêtre, d'où elle voyait sans entendre, et d'une voix douce.

Annette, vous avez dit à mon fils Poil de Carotte de passer à la ferme ?

ANNETTE

Oui, Madame.

Mme LEPIC

Tu as le temps, n'est-ce pas, Poil de Carotte, puisque ça ne te dit plus d'aller à la chasse ?

POIL DE CAROTTE, *comme délivré.*

Oui, maman.

ANNETTE, *outrée, bas à M. Lepic.*

C'est elle qui le lui a défendu.

Mme LEPIC

Va, mon gros, ça te promènera.

M. LEPIC

Ne bouge pas.

Mme LEPIC

Dépêche-toi, tu seras bien aimable.

(Poil de Carotte s'élance.)

M. LEPIC

Je t'ai dit de ne pas bouger.

(Poil de Carotte, entre deux feux, s'arrête.)

Mᵐᵉ LEPIC

Eh bien! mon petit Poil de Carotte ?

M. LEPIC, *sans regarder Mᵐᵉ Lepic.*

Qu'on le laisse tranquille.

(Poil de Carotte s'assied, d'émotion.)

Mᵐᵉ LEPIC, *interdite.*

Si vous rentriez, Annette, au lieu de bâiller au nez de ces messieurs ?

(Elle ferme à demi la fenêtre.)

ANNETTE

Oui, Madame. *(Elle s'approche de Poil de Carotte.)* Vous voyez

POIL DE CAROTTE

Vous avez fait un beau coup.

ANNETTE

Je ne mens jamais, moi.

POIL DE CAROTTE

C'est un tort. Vous ne ferez pas long feu ici.

ANNETTE

Oh ! je trouverai des places ailleurs. Je suis une brave fille.

POIL DE CAROTTE, *grogne.*

Je m'en fiche pas mal.

ANNETTE

Vous êtes fâché contre moi ?...

Mᵐᵉ LEPIC, *rouvre la fenêtre d'impatience.*

Annette !

M. LEPIC, *tend sa carnassière qu'il donne à Annette avec le fusil.*

Emportez !

ANNETTE

Il n'est pas chargé, au moins ?

M. LEPIC

Si.

(Annette rentre à la maison.)

POIL DE CAROTTE, M. LEPIC.

M. LEPIC

Et maintenant, veux-tu me répondre ?

POIL DE CAROTTE

Cette fille aurait bien dû tenir sa langue, mais elle dit la vérité : ma mère me défend d'aller ce soir à la chasse.

M. LEPIC

Pourquoi ?

POIL DE CAROTTE

Ah ! demande-le-lui.

M. LEPIC

Elle te donne un motif ?

POIL DE CAROTTE

Elle n'a pas de comptes à me rendre.

M. LEPIC

Elle a besoin de toi ?

POIL DE CAROTTE

Elle a toujours besoin de moi.

M. LEPIC

Tu lui as fait quelque chose ?

POIL DE CAROTTE

Je le saurais. Quand je fais quelque chose à ma mère, elle me le dit et je paye tout de suite. Mais j'ai été très sage cette semaine.

M. LEPIC

Ta mère te défendrait de venir à la chasse ?

POIL DE CAROTTE

Elle me défend ce qu'elle peut.

M. LEPIC

Avec moi ?

POIL DE CAROTTE

Justement.

M. LEPIC

Sans aucune raison ? Qu'est-ce que ça peut lui faire ?

POIL DE CAROTTE

Ça lui déplaît parce que ça me fait plaisir.

M. LEPIC

Tu te l'imagines !

POIL DE CAROTTE

Déjà tu te méfies...

M. LEPIC. *Il fait quelques pas de long en large, s'approche de Poil de Carotte et lui passe la main dans les cheveux.*

Redresse donc tes bourraquins. Ils te tombent toujours dans les yeux... Qu'est-ce que tu as sur le cœur ? *(Silence de Poil de Carotte, oppressé.)* Parle.

POIL DE CAROTTE, *se dresse, résolu.*

Papa, je veux quitter cette maison.

M. LEPIC

Qu'est-ce que tu dis ?

POIL DE CAROTTE

Je voudrais quitter cette maison.

M. LEPIC

Parce que ?

POIL DE CAROTTE

Parce que je n'aime plus ma mère.

M. LEPIC, *narquois.*

Tu n'aimes plus ta mère, Poil de Carotte ? Ah ! c'est fâcheux. Et depuis quand ?

POIL DE CAROTTE

Depuis que je la connais à fond.

M. LEPIC

Voilà un événement, Poil de Carotte. C'est grave, un fils qui n'aime plus sa mère.

POIL DE CAROTTE

Je te prie, papa, de m'indiquer le meilleur moyen de me séparer d'elle.

M. LEPIC

Je ne sais pas. Tu me surprends. Te séparer de ta mère ! Tu ne la vois qu'aux vacances, deux mois par an.

POIL DE CAROTTE

C'est deux mois de trop. Écoute, papa, il y a plusieurs moyens : d'abord, je pourrais rester au collège toute l'année.

M. LEPIC

Tu t'y ennuierais à périr.

POIL DE CAROTTE

Je bûcherais, je préparerais la classe suivante. Autorise-moi à passer mes vacances au collège.

M. LEPIC

On ne te verrait plus d'un bout de l'année à l'autre.

POIL DE CAROTTE

Tu viendrais me voir là-bas.

M. LEPIC

Les voyages d'agrément coûtent cher.

POIL DE CAROTTE

Tu profiteras de tes voyages d'affaires, avec un petit détour.

M. LEPIC

Tu nous ferais remarquer, car la faveur que tu réclames est réservée aux élèves pauvres.

POIL DE CAROTTE

Tu dis souvent que tu n'es pas riche.

M. LEPIC

Je n'en suis pas là. On croirait que je t'abandonne.

POIL DE CAROTTE

Alors, laissons mes études. Retire-moi du collège sous prétexte que je n'y progresse pas, et je prendrai un métier.

M. LEPIC

Lequel choisiras-tu ?

POIL DE CAROTTE

Il n'en manque pas dans le commerce, l'industrie et l'agriculture.

M. LEPIC

Veux-tu que je te mette chez un menuisier de la ville ?

POIL DE CAROTTE

Je veux bien.

M. LEPIC

Ou chez un cordonnier ?

POIL DE CAROTTE

Je veux bien, pourvu que je gagne ma vie.

M. LEPIC

Oh ! tu me permettrais de t'aider encore ?

POIL DE CAROTTE

Certainement, une année ou deux, s'il le fallait.

M. LEPIC

Tu rêves, Poil de Carotte ! Me suis-je imposé de grands sacrifices pour que tu cloues des semelles ou que tu rabotes des planches ?

POIL DE CAROTTE, *découragé.*

Ah ! papa, tu te joues de moi !

M. LEPIC

Franchement, tu le mérites. Y penses-tu ? Ton frère bachelier, peut-être, et toi savetier !

POIL DE CAROTTE

Papa, mon frère est heureux dans sa famille.

M. LEPIC. *Il va s'asseoir sur le banc.*

Et toi, tu ne l'es pas ? Pour quelques petites scènes ? Des misères d'enfant !

POIL DE CAROTTE, *un peu à lui-même.*

Il y a des enfants si malheureux qu'ils se tuent !

M. LEPIC

C'est bien rare.

POIL DE CAROTTE

Ça arrive.

M. LEPIC, *toujours narquois.*

Tu veux te suicider ?

POIL DE CAROTTE

De temps en temps.

M. LEPIC

Tu as essayé ?

POIL DE CAROTTE

Deux fois.

M. LEPIC

Quand on se rate la première fois, on se rate toujours.

POIL DE CAROTTE

Je reconnais que, la première fois, je n'étais pas bien décidé. Je voulais seulement voir l'effet que ça fait. J'ai tiré un seau du puits et j'ai mis ma tête dedans. Je fermais le nez et la bouche et j'attendais l'asphyxie quand, d'une seule calotte, Mᵐᵉ Lepic — ma mère ! renverse le seau et me donne de l'air. *(Il rit. M. Lepic rit dans sa barbe.)* Je n'étais pas noyé : je n'étais qu'inondé de la tête aux pieds. Ma mère a cru que je ne savais qu'inventer pour salir notre eau et empoisonner ma famille.

M. LEPIC

A propos de quoi te noyais-tu ?

POIL DE CAROTTE

Je ne me rappelle plus ce que j'avais fait, ce jour-là, à ma mère. Mon premier suicide n'est qu'une gaminerie : j'étais trop petit. Le second a été sérieux.

M. LEPIC

Oh ! oh ! cette figure, Poil de Carotte !

POIL DE CAROTTE

J'ai voulu me pendre.

M. LEPIC

Et te voilà. Tu n'avais pas plus envie de te pendre que de te jeter à l'eau.

POIL DE CAROTTE

J'étais monté sur le fenil de la grange. J'avais attaché une corde à la grosse poutre, tu sais ?

M. LEPIC

Celle du milieu.

POIL DE CAROTTE

J'avais fait un nœud, et, le cou dedans, les pieds joints au bord du fenil, les bras croisés, comme ça...

M. LEPIC

Oui, oui...

POIL DE CAROTTE

Je voyais le jour par les fentes des tuiles.

M. LEPIC, *troublé.*

Dépêche-toi donc.

POIL DE CAROTTE

J'allais sauter dans le vide, on m'appelle.

M. LEPIC, *soulagé.*

Et tu es descendu ?

POIL DE CAROTTE

Oui.

M. LEPIC

Ta mère t'a encore sauvé la vie.

POIL DE CAROTTE

Si ma mère m'avait appelé, je serais loin. Je suis redescendu parce que c'est toi, papa, qui m'appelais.

M. LEPIC

C'est vrai ?

POIL DE CAROTTE, *regardant du côté du fenil.*

Veux-tu que je remonte ? La corde y est toujours. *(M. Lepic se dirige vers la grange et hésite.)* Va, va, je ne mens qu'avec ma mère.

M. LEPIC. *Il n'entre pas, il revient et saisit la main de Poil de Carotte.*

Elle te maltraite à ce point ?

POIL DE CAROTTE

Laisse-moi partir.

M. LEPIC

Pourquoi ne te plaignais-tu pas ?

POIL DE CAROTTE

Elle me défend surtout de me plaindre. Adieu, papa.

M. LEPIC

Mais tu ne partiras pas. Je t'empêcherai de faire un coup pareil. Je te garde près de moi et te jure que désormais on ne te tourmentera plus.

POIL DE CAROTTE

Qu'est-ce que tu veux que je fasse ici, puisque je n'aime pas ma mère ?

M. LEPIC, *la phrase lui échappe.*

Et moi, crois-tu donc que je l'aime ?

(Il marche avec agitation.)

POIL DE CAROTTE, *le suit.*

Qu'est-ce que tu as dit, papa ?

M. LEPIC, *fortement.*

J'ai dit : Et moi, crois-tu donc que je l'aime ?

POIL DE CAROTTE. *Il rayonne.*

Oh! papa, je craignais d'avoir mal entendu.

M. LEPIC

Ça te fait plaisir ?

POIL DE CAROTTE

Papa, nous sommes deux. Chut ! Elle nous surveille par la fenêtre.

M. LEPIC

Va fermer les volets.

POIL DE CAROTTE

Oh ! non, par les carreaux, elle me foudroierait.

M. LEPIC

Tu as peur ?

POIL DE CAROTTE

Oh ! oui. Fais ta commission toi-même. *(M. Lepic va fermer les volets. Il les ferme, le dos tourné à la fenêtre.)* Tu as du courage, lui fermer les volets au nez, en plein jour !... Qu'est-ce qui va se passer ?

M. LEPIC

Mais rien du tout, bêta.

POIL DE CAROTTE

Si elle les rouvre !

M. LEPIC

Je les refermerai. Elle te terrifie donc ?

POIL DE CAROTTE

Tu ne peux pas savoir, tu es un homme, toi. Elle me terrifie... au point que, si j'ai le hoquet, elle n'a qu'à se montrer, c'est fini.

M. LEPIC

C'est nerveux.

POIL DE CAROTTE

J'en suis malade.

M. LEPIC

Ton frère Félix n'en a pas peur, lui ?

POIL DE CAROTTE

Mon frère Félix ! Il est admirable. Je devrais le détester parce qu'elle le gâte, et je l'aime parce qu'il lui tient tête. Quand, par hasard, elle le menace, il attrape un manche à balai, et elle n'approche pas. Quel type ! Aussi elle préfère le prendre par

161

les sentiments : elle dit qu'il est d'une nature trop susceptible, qu'elle n'en ferait rien avec des coups et qu'ils s'appliquent mieux à la mienne.

M. LEPIC

Imite ton frère : défends-toi.

POIL DE CAROTTE

Ah ! si j'osais ! Je n'oserais pas, même si j'étais majeur, et pourtant je suis fort, sans en avoir l'air. Je me battrais avec un bœuf ! Mais je me vois armé d'un manche à balai contre ma mère. Elle croirait que je l'apporte, il tomberait de mes mains dans les siennes, et peut-être qu'elle me dirait merci, avant de taper.

M. LEPIC

Sauve-toi.

POIL DE CAROTTE

Je n'ai plus de jambes ; elle me paralyse ; et puis il faudrait toujours revenir. C'est ridicule, hein ? papa, d'avoir à ce point peur de sa mère ? Ne te fait-elle pas un peu peur aussi ?

M. LEPIC

A moi ?

POIL DE CAROTTE

Tu ne la regardes jamais en face.

M. LEPIC

Pour d'autres raisons.

POIL DE CAROTTE

Quelles raisons, papa ?... Oh !...

M. LEPIC

Qu'est-ce qu'il y a encore ?

POIL DE CAROTTE

Papa, elle écoute derrière la porte.
*(En effet, M*me* Lepic avait entr'ouvert la porte. Surprise en faute, elle l'ouvre, descend l'escalier et vient peu à peu, avec des arrêts çà et là, ramasser des brindilles de fagots.)*

8

LES MÊMES, Mme LEPIC.

Mme LEPIC, *à Poil de Carotte.*

Si tu te dérangeais, Poil de Carotte ? Ote ton pied, s'il te plaît !
*(M. Lepic observe le manège de M*me* Lepic et soudain perd patience.)*

M. LEPIC, *sans regarder M*ᵐᵉ *Lepic.*

Qu'est-ce que vous faites là ?

POIL DE CAROTTE

Oh !... oh !...

(Il se réfugie dans la grange.)

Mᵐᵉ LEPIC, *faussement soumise.*

Je n'ai pas le droit de ramasser quelques brindilles de fagot ?

M. LEPIC

Allez-vous-en !

Mᵐᵉ LEPIC, *début de crise, mouchoir aux lèvres. Le bruit attire Annette sur l'escalier.*

Voilà comment on me parle devant une étrangère et devant mes enfants qui me doivent le respect. Mon Dieu, qu'est-ce que j'ai donc fait au ciel pour être traitée comme la dernière des dernières ?

M. LEPIC, *calme, à Annette.*

Je vous avertis, Annette, que madame va avoir une crise ; mais ce n'est qu'un jeu ; elle se tord les bras, mais prenez garde, elle n'égratignerait que vous ; elle mange son mouchoir, elle ne l'avale pas : elle menace de se jeter dans le puits, il y a un grillage. Elle fait semblant de courir partout, affolée, et elle va droit chez le curé.

Mᵐᵉ LEPIC, *suffoquée.*

Jamais, jamais, je ne remettrai les pieds dans cette maison.

M. LEPIC

A ce soir !

Mᵐᵉ LEPIC, *déjà dans la rue, d'une voix lointaine.*

Seigneur, ne laisserez-vous pas tomber enfin sur moi un regard de miséricorde ?

ANNETTE

Je vais suivre Madame, elle est dans un état !

M. LEPIC

Comédie !

(Annette sort.)

9

POIL DE CAROTTE, M. LEPIC.

M. LEPIC. *Il cherche des yeux Poil de Carotte.*

Où es-tu ? *(Il l'aperçoit dans la grange.)* Poltron !

POIL DE CAROTTE

Elle est partie ?

M. LEPIC

Tu peux sortir de ta niche.

POIL DE CAROTTE. *Il va voir au fond et revient.*

Ce qu'elle file ! J'avais la colique. Allez-vous-en ! Allez-vous-en !

M. LEPIC

Je n'ai pas eu à le dire deux fois.

POIL DE CAROTTE

Non, mais tu es terrible.

M. LEPIC

Tu trouves ?

POIL DE CAROTTE

Tâte mes mains.

M. LEPIC

Tu trembles !

POIL DE CAROTTE

Je lui paierai ça.

M. LEPIC

Tu vois bien que je saurai te protéger.

POIL DE CAROTTE

Merci, papa.

M. LEPIC

A ton service.

POIL DE CAROTTE

Oui, quand tu seras là. Mais qu'est-ce qu'elle a pu te faire pour que tu la rembarres comme ça ? Car tu es juste, papa : si tu ne l'aimes plus, c'est qu'elle t'a fait quelque chose de grave. Tu as des soucis, je le sens, confie-les-moi !

M. LEPIC

J'ai mon procès.

POIL DE CAROTTE

Oh ! j'avoue qu'il ne m'intéresse guère.

M. LEPIC

Ah ! Sais-tu qu'un jour tu seras peut-être ruiné ?

POIL DE CAROTTE

Ça m'est égal. Confie-moi plutôt tes ennuis... avec elle. Je suis trop jeune ? Pas si jeune que tu crois. J'ai déjà une dent de sagesse qui me pousse.

M. LEPIC

Et moi je viens d'en perdre une des miennes, de sorte qu'il n'y a rien de changé, Poil de Carotte, et le nombre des dents de la famille reste le même.

POIL DE CAROTTE

Je t'assure, papa, que je réfléchis pour mon âge. Je lis beaucoup, au collège, des livres défendus que les externes nous prêtent, des romans.

M. LEPIC

Des bêtises.

POIL DE CAROTTE

Hé ! hé ! c'est instructif. Veux-tu que je devine, veux-tu que je te pose une question ? Au hasard, naturellement. Si tu me trouves trop curieux, tu ne me répondras pas. Je la pose ?

M. LEPIC

Pose.

POIL DE CAROTTE

Ma mère aurait-elle commis..

M. LEPIC, *assis sur un banc.*

Un crime ?

POIL DE CAROTTE

Oh ! non.

M. LEPIC

Un péché ?

POIL DE CAROTTE

Ah ! c'en est un.

M. LEPIC

Alors ça regarde M. le curé.

POIL DE CAROTTE

Et toi aussi, car ce serait surtout une faute, tu sais bien ? *(Il pousse.)* Aide-moi donc, papa, une faute...

M. LEPIC

Je ne comprends pas.

POIL DE CAROTTE, *d'un coup.*

Une grande faute contre la morale, le devoir et l'honneur ?

M. LEPIC

Qu'est-ce que tu vas chercher là, Poil de Carotte ?

POIL DE CAROTTE

Je me trompe ?

M. LEPIC

Tu en as de bonnes.

POIL DE CAROTTE

Je n'attache aucune importance à mon idée.

M. LEPIC

Rassure-toi ; ta mère est une honnête femme.

POIL DE CAROTTE

Ah ! tant mieux pour la famille !

165

M. LEPIC

Et moi aussi, Poil de Carotte, je suis un honnête homme.

POIL DE CAROTTE

Oh ! papa, en ce qui te concerne, je n'ai jamais eu aucun doute.

M. LEPIC

Je te remercie...

POIL DE CAROTTE

Et ce ne serait pas la même chose.

M. LEPIC

Tu es plus avancé que je ne croyais...

POIL DE CAROTTE

Mes lectures !... D'après ce que j'ai lu, c'est toujours ça qui trouble un ménage.

M. LEPIC

Nous n'avons pas ça chez nous.

POIL DE CAROTTE, *un doigt sur sa tempe.*

Je cherche autre chose.

M. LEPIC

Cherche, car l'honnêteté dont tu parles ne suffit pas pour faire bon ménage.

POIL DE CAROTTE

Que faut-il de plus ? Ce qu'on nomme l'amour ?

M. LEPIC

Permets-moi de te dire que tu te sers là d'un mot dont tu ignores le sens.

POIL DE CAROTTE

Évidemment, mais je cherche...

M. LEPIC

Rends-toi, va, tu t'égares. Ce qu'il faut dans un ménage, Poil de Carotte, ce qu'il faut surtout, c'est de l'accord, de l'entente...

POIL DE CAROTTE

De la compatibilité d'humeur !

M. LEPIC

Si tu veux. Or le caractère de Mme Lepic est l'opposé du mien.

POIL DE CAROTTE

Le fait est que vous ne vous ressemblez guère.

M. LEPIC

Ah ! non. Je déteste, moi, le bavardage, le désordre, le mensonge et les curés.

POIL DE CAROTTE

Et ça va mal ? Oh ! parbleu, je m'en doutais, je remarquais des choses... Et il y a longtemps que... vous ne sympathisez pas ?

M. LEPIC

Quinze ou seize ans.

POIL DE CAROTTE

Mâtin ! Seize ans ! L'âge que j'ai.

M. LEPIC

En effet, quand tu es né, c'était déjà la fin entre ta mère et moi.

POIL DE CAROTTE

Ma naissance aurait pu vous rapprocher.

M. LEPIC

Non. Tu venais trop tard, au milieu de nos dernières querelles. Nous ne te désirions pas. Tu me demandes la vérité, je te l'avoue : elle peut servir à t'expliquer ta mère.

POIL DE CAROTTE

Il ne s'agit pas de moi... Je voulais dire qu'à l'occasion, au moindre prétexte, des époux se raccommodent.

M. LEPIC

Une fois, deux fois, dix fois, pas toujours.

POIL DE CAROTTE

Mais une dernière fois ?...

M. LEPIC

Oh ! je ne bouge plus !

POIL DE CAROTTE, *un pied sur le banc.*

Comment, papa, toi, un observateur, t'es-tu marié avec maman ?

M. LEPIC

Est-ce que je savais ? Il faut des années, Poil de Carotte, pour connaître une femme, sa femme, et, quand on la connaît, il n'y a plus de remède.

POIL DE CAROTTE

Et le divorce ? A quoi sert-il ?

M. LEPIC

Impossible. Sans ça !... Oui, écœuré par cette existence stupide, j'ai fait des propositions. Elle a refusé.

POIL DE CAROTTE

Toujours la même !

M. LEPIC

C'était son droit. Je n'ai à lui reprocher, comme toi d'ailleurs, que d'être insupportable. Cela suffit peut-être pour que tu la quittes. Cela ne suffit pas pour que je me délivre.

POIL DE CAROTTE. *Il s'assied près de M. Lepic.*

En somme, papa, tu es malheureux ?

M. LEPIC

Dame !

POIL DE CAROTTE

Presque aussi malheureux que moi ?

M. LEPIC

Si ça peut te consoler.

POIL DE CAROTTE

Ça me console jusqu'à un certain point. Ça m'indigne surtout.
Moi, passe ! je ne suis que son enfant, mais toi, le père, toi, le
maître, c'est insensé, ça me révolte. *(Il se lève et montre le poing à
la fenêtre.)* Ah ! mauvaise, mauvaise, tu mériterais...

M. LEPIC

Poil de Carotte !

POIL DE CAROTTE

Oh ! elle est sortie.

M. LEPIC

Ce geste !

POIL DE CAROTTE

Je suis exaspéré, à cause de toi... Quelle femme !

M. LEPIC

C'est ta mère.

POIL DE CAROTTE

Oh ! je ne dis pas ça parce que c'est ma mère. Oui, sans doute. Et
après ? Ou elle m'aime ou elle ne m'aime pas. Et, puisqu'elle ne
m'aime pas, qu'est-ce que ça me fait qu'elle soit ma mère ?
Qu'importe qu'elle ait le titre, si elle n'a pas les sentiments ? Une
mère, c'est une bonne maman, un père, c'est un bon papa. Sinon,
ce n'est rien.

M. LEPIC, *piqué, se lève.*

Tu as raison.

POIL DE CAROTTE

Ainsi, toi, par exemple, je ne t'aime pas parce que tu es mon père.
Nous savons que ce n'est pas sorcier d'être le père de quelqu'un.
Je t'aime parce que...

M. LEPIC

Pourquoi ? Tu ne trouves pas.

POIL DE CAROTTE

... Parce que... nous causons là, ce soir, tous deux, intimement,
parce que tu m'écoutes et que tu veux bien me répondre au lieu
de m'accabler de ta puissance paternelle.

M. LEPIC

Pour ce qu'elle me rapporte !

POIL DE CAROTTE

Et la famille, papa ? Quelle blague !... Quelle drôle d'invention !

M. LEPIC

Elle n'est pas de moi.

POIL DE CAROTTE

Sais-tu comment je la définis, la famille ? Une réunion forcée... sous le même toit... de quelques personnes qui ne peuvent pas se sentir.

M. LEPIC

Ce n'est peut-être pas vrai dans toutes les familles, mais il y a, dans l'espèce humaine, plus de quatre familles comme la nôtre, sans compter celles qui ne s'en vantent pas.

POIL DE CAROTTE

Et tu es mal tombé.

M. LEPIC

Toi aussi.

POIL DE CAROTTE

Notre famille, ce devrait être, à notre choix, ceux que nous aimons et qui nous aiment.

M. LEPIC

Le difficile est de les trouver... Tâche d'avoir cette chance plus tard. Sois l'ami de tes enfants. J'avoue que je n'ai pas su être le tien.

POIL DE CAROTTE

Je ne t'en veux pas.

M. LEPIC

Tu le pourrais.

POIL DE CAROTTE

Nous nous connaissions si peu !

M. LEPIC, *comme s'il s'excusait.*

C'est vrai que je t'ai à peine vu. D'abord, ta mère t'a mis tout de suite en nourrice.

POIL DE CAROTTE

Elle a dû m'y laisser un moment.

M. LEPIC

Quand tu es revenu, on t'a prêté quelques années à ton parrain qui n'avait pas d'enfant.

POIL DE CAROTTE

Je me rappelle qu'il m'embrassait trop et qu'il me piquait avec sa barbe.

M. LEPIC

Il raffolait de toi.

POIL DE CAROTTE

Un parrain n'est pas un papa.

M. LEPIC

Ah ! tu vois bien... Puis tu es entré au collège où tu passes ta vie, comme tous les enfants, excepté les deux mois de vacances que tu passes à la maison. Voilà.

POIL DE CAROTTE

Tu ne m'as jamais tant vu qu'aujourd'hui.

M. LEPIC

C'est ma faute, sans doute ; c'est celle des circonstances, c'est aussi un peu la tienne ; tu te tenais à l'écart, fermé, sauvage. On s'explique.

POIL DE CAROTTE

Il faut pouvoir.

M. LEPIC

Même à la chasse, tu ne dis rien.

POIL DE CAROTTE

Toi non plus. Tu vas devant, je suis derrière, à distance, pour ne pas gêner ton tir, et tu marches, tu marches...

M. LEPIC

Oui, je n'ai de goût qu'à la chasse.

POIL DE CAROTTE

Et si tu te figures que c'est commode de s'épancher avec toi ! Au premier mot, tu sourcilles. Oh ! cet œil ! et tu deviens sarcastique.

M. LEPIC

Que veux-tu ! Je ne devinais pas tes bons mouvements. Absorbé par mon diable de procès, fuyant cet intérieur, je ne te voyais pas... Je te méconnaissais. Nous nous rattraperons. Une cigarette ?

POIL DE CAROTTE

Non, merci. Est-ce que je gagne à être connu, papa ?

M. LEPIC

Beaucoup. Parbleu, je te savais intelligent... Fichtre, non, tu n'es pas bête.

POIL DE CAROTTE

Si ma mère m'avait aimé, j'aurais peut-être fait quelque chose.

M. LEPIC

Au contraire, Poil de Carotte. Les enfants gâtés ne font rien.

POIL DE CAROTTE

Ah ?... Et tu me croyais intelligent, mais égoïste, vilain au moral comme au physique.

M. LEPIC

D'abord tu n'es pas laid.

POIL DE CAROTTE

Elle ne cesse de répéter...

M. LEPIC

Elle exagère.

POIL DE CAROTTE

Mon professeur de dessin prétend que je suis beau.

170

M. LEPIC

Il exagère aussi.

POIL DE CAROTTE

Il se place au point de vue pittoresque. Ça me fait plaisir que tu ne me trouves pas trop laid.

M. LEPIC

Et quand tu serais encore plus laid ? Pourvu qu'un homme ait la santé !

POIL DE CAROTTE

Oh ! je me porte bien... Et, au moral, papa, est-ce que tu me crois menteur, sans cœur, boudeur, paresseux ?

M. LEPIC

Arrête, arrête... Je ne sache pas que tu mentes.

POIL DE CAROTTE

Si, quelquefois, pour lui obéir.

M. LEPIC

Alors, ça ne compte pas.

POIL DE CAROTTE

Et me crois-tu le cœur sec ?

M. LEPIC

Ça ne veut rien dire. Moi aussi, j'ai le cœur sec. On nous accuse d'avoir le cœur sec parce que nous ne pleurons pas... Tu serais tout au plus un petit peu boudeur.

POIL DE CAROTTE

Je te demande pardon, papa ; je ne boude jamais.

M. LEPIC

Qu'est-ce que tu fais dans tes coins ?

POIL DE CAROTTE

Je rage, et ça ne m'amuse pas, contre une mère injuste.

M. LEPIC

Et moi qui t'aurais cru plutôt de son côté !

POIL DE CAROTTE

C'est un comble !

M. LEPIC

C'est naturel. La preuve, quand ta mère te demandait, car elle avait cet aplomb : « Lequel aimes-tu mieux, ton papa ou ta maman ? » tu répondais...

POIL DE CAROTTE

« Je vous aime autant l'un que l'autre. »

M. LEPIC

Ta mère insistait : « Poil de Carotte, tu as une petite préférence pour l'un des deux. » Et tu finissais par répondre : « Oui. J'ai une petite préférence... »

POIL DE CAROTTE

> « Pour maman. »

M. LEPIC

> Pour maman, jamais pour papa. Tu m'agaçais avec ta petite préférence. Tu avais beau ne pas savoir ce que tu disais...

POIL DE CAROTTE

> Oh ! que si... Je disais ce qu'elle me faisait dire : entre elle et moi, c'était convenu d'avance.

M. LEPIC

> C'est bien elle !

POIL DE CAROTTE

> Et elle veut à présent que je dise : mon père, au lieu de : mon papa. Mais sois tranquille !

M. LEPIC, *attendri.*

> Ah ! cher petit !... Comment aurais-je pu te savoir plein de qualités, raisonnable, affectueux, très gentil, tel que tu es, mon cher petit François !

POIL DE CAROTTE, *étonné, ravi.*

> François ! Tiens ? Tu m'appelles par mon vrai nom.

M. LEPIC

> Je devais te froisser en te donnant l'autre ?

POIL DE CAROTTE

> Oh ! pas toi. C'est le ton qui fait tout. *(Avec pudeur.)* Tu m'aimes ?

M. LEPIC

> Comme un enfant... retrouvé.
>
> *(Il serre Poil de Carotte contre lui, légèrement, sans l'embrasser.)*

POIL DE CAROTTE. *Il se dégage un peu.*

> Si elle nous voyait !

M. LEPIC

> Ah ! je n'ai pas eu de chance. Je me suis trompé sur ta nature, comme je m'étais trompé sur celle de ta mère.

POIL DE CAROTTE

> Oui, mais à rebours.

M. LEPIC

> Et ça compense.

POIL DE CAROTTE

> Oh ! non, papa... Je te plains sincèrement. Moi, j'ai l'avenir pour me créer une autre famille, refaire mon existence, et, toi, tu achèveras la tienne, tu passeras toute ta vieillesse auprès d'une personne qui ne se plaît qu'à rendre les autres malheureux.

M. LEPIC, *sans regret.*

> Et elle n'est pas heureuse non plus.

POIL DE CAROTTE

Comment, elle n'est pas heureuse ?

M. LEPIC

Ce serait trop facile !

POIL DE CAROTTE, *badin.*

Elle n'est pas heureuse de me donner des gifles ?

M. LEPIC

Si, si. Mais elle n'a guère, avec toi, que ce bonheur.

POIL DE CAROTTE

C'est tout ce que je peux lui offrir. Que voudrait-elle de plus ?

M. LEPIC, *grave.*

Ton affection.

POIL DE CAROTTE

Mon affection !... La tienne, je ne dis pas...

M. LEPIC

Oh ! la mienne... Elle y a renoncé... La tienne seulement.

POIL DE CAROTTE

Mon affection manque à ma mère ! Je ne comprends plus rien à la vie...

M. LEPIC

Ça t'étonne qu'on souffre de ne pas savoir se faire aimer ?

POIL DE CAROTTE

Et tu crois qu'elle en souffre ?

M. LEPIC

J'en suis sûr.

POIL DE CAROTTE

Qu'elle est malheureuse ?

M. LEPIC

Elle l'est.

POIL DE CAROTTE

Malheureuse, comme toi ?

M. LEPIC

Au fond, ça se vaut.

POIL DE CAROTTE

Comme moi ?

M. LEPIC

Oh ! personne n'a cette prétention.

POIL DE CAROTTE

Papa, tu me confonds. Voilà une pensée qui ne m'était jamais venue à l'esprit.

(Il s'assied et cache sa tête dans ses mains.)

M. LEPIC, *avec effort.*

Et nous sommes là à gémir. Il faudrait l'entendre. Peut-être qu'elle aussi trouve qu'elle est mal tombée. Qui sait si avec un autre ?... N'obtenant pas d'elle ce que je voulais, j'ai été rancunier, impitoyable, et, mes duretés pour elle, elle te les a rendues. Elle a tous les torts envers toi, mais, envers moi, les a-t-elle tous ? Il y a des moments où je m'interroge... Et quand je m'interrogerais jusqu'à demain ? A quoi bon ? C'est trop tard, c'est fini, et puis en voilà assez... Allons à la chasse une heure ou deux, ça nous fera du bien. *(Il découvre la tête de Poil de Carotte.)* Pourquoi pleures-tu ?

POIL DE CAROTTE, *la figure ruisselante.*

C'est ton idée : ma mère malheureuse, parce que je ne l'aime pas.

M. LEPIC, *amer.*

Puisque ça te désole tant, tu n'as qu'à l'aimer.

POIL DE CAROTTE, *se redressant.*

Moi !

10

LES MÊMES, ANNETTE.

ANNETTE, *accourant.*

Monsieur, Madame peut-elle rentrer ?

(Poil de Carotte s'essuie rapidement les yeux.)

M. LEPIC, *redevenu M. Lepic.*

Elle me demande la permission ?

ANNETTE

Non, Monsieur. C'est moi qui viens devant, pour voir si vous êtes toujours fâché.

M. LEPIC

Je ne me fâche jamais. Qu'elle rentre si elle veut : la maison lui appartient comme à moi.

ANNETTE

Elle était allée à l'église.

M. LEPIC

Chez le curé.

ANNETTE

Non, à l'église. Elle a versé un plein bénitier de larmes, elle a bien du chagrin. Oh ! si Monsieur... La voilà !...

(M. Lepic tourne le dos à la porte ; Mme Lepic paraît, les yeux baissés, l'air abattu.)

174

POIL DE CAROTTE

Maman ! Maman !

(Mme Lepic s'arrête et regarde Poil de Carotte; elle semble lui dire de parler.)

POIL DE CAROTTE, *son élan perdu.*

Rien.

(Mme Lepic passe et rentre à la maison. Annette sort par la porte de la cour.)

11

POIL DE CAROTTE, M. LEPIC.

M. LEPIC

Que lui voulais-tu ?

POIL DE CAROTTE

Oh ! ce n'est pas la peine.

M. LEPIC

Elle te fait toujours peur ?

POIL DE CAROTTE

Oui. Moins ! As-tu remarqué ses yeux ?

M. LEPIC

Qu'est-ce qu'ils avaient de neuf ?

POIL DE CAROTTE

Ils ne lançaient pas des éclairs comme d'habitude. Ils étaient tristes, tristes ! Tu ne t'y laisses plus prendre, toi. *(Silence de M. Lepic.)* Pauvre papa !... Pauvre maman ! Il n'y a que Félix. Il pêche lui, là-bas, au moulin... Dire que c'est mon frère ! Qui sait s'il me regrettera ?

M. LEPIC

Tu veux toujours partir ?

POIL DE CAROTTE

Tu ne me le conseilles pas ?

M. LEPIC

Après ce que nous venons de dire ?

POIL DE CAROTTE

Oh ! papa, quelle bonne causerie !

M. LEPIC

Il y a seize ans que je n'en avais tant dit, et je ne te promets pas de recommencer tous les jours.

175

POIL DE CAROTTE

Je regrette. Mais, si je reste, quelle attitude faudra-t-il que j'aie avec ma mère ?

M. LEPIC

La plus simple, la mienne.

POIL DE CAROTTE

Celle d'un homme.

M. LEPIC

Tu en es un.

POIL DE CAROTTE

Si elle me demande qui m'a donné l'ordre d'avoir cette attitude, je dirai que c'est toi.

M. LEPIC

Dis.

POIL DE CAROTTE

Dans ces conditions, ça marcherait peut-être.

M. LEPIC

Tu hésites ?

POIL DE CAROTTE

Je réfléchis : ça en vaut la peine.

M. LEPIC

Tu es long. *(Par habitude.)* Poil de Carotte... François.

POIL DE CAROTTE

Tu t'ennuierais, seul, hein ? Tu ne pourrais plus vivre sans moi ? *(M. Lepic se garde de répondre.)* Eh bien, oui, mon vieux papa, c'est décidé, je ne t'abandonne pas : je reste !

RIDEAU

MONSIEUR VERNET

Monsieur Vernet *fut représenté pour la première fois le 6 mai 1903 au théâtre Antoine. L'éclatante reprise du 30 mai 1933 à la Comédie-Française a définitivement classé la pièce parmi les plus importantes du théâtre de Jules Renard et même de la comédie de mœurs dans le théâtre français contemporain.*

A travers la correspondance de Jules Renard, on peut suivre les affres de l'auteur qui avait tiré sa pièce de son roman L'Écornifleur. Le 30 octobre 1901, Jules Renard se plaint à Lucien Guitry de ce qu'Antoine « invente » *sa pièce.* « C'est peut-être très bien, mais la mienne n'existe pas : c'est informe, et sans goût, et à peine ébauché. » *Deux mois plus tard, il écrit à Antoine que la pièce construite en trois actes ne lui convient pas.* « Mais je crois qu'en deux actes ça peut être bien. Cette nouvelle version me travaille *assez pour que je l'espère bonne.* » *En septembre 1902, nouvelle lettre à Antoine où il s'inquiète des pièces qui doivent accompagner* Monsieur Vernet *dans le spectacle et précise :* « Monsieur Vernet irait peut-être mieux avec trois actes un peu genre Boule de Suif, *mais, je vous le répète, à votre aise. Coupez votre spectacle en autant de morceaux qu'il vous plaira, pourvu que les deux miens soient bons.* »

Au fur et à mesure que la première représentation approche, Jules Renard s'énerve. Il écrit le 16 janvier 1903 à Alfred Athis : « Je renonce

179

tout à fait au théâtre. Quelles gueules, hier soir, à cette répétition générale (celle de la pièce d'un confrère). L'idée de montrer Monsieur Vernet à tous ces porcs m'est insupportable. Donnez-moi seulement 12 000 francs de rentes et je jure de ne plus écrire une ligne. » Le 13 mars, il écrit à Antoine pour le prévenir que, s'il le laisse encore trop longtemps corriger sa pièce, « il n'en restera plus ». Trois jours plus tard, nouvelle dépression et il exige d'Antoine de mettre la pièce en répétition immédiatement et de la représenter au plus tard le 15 avril. Sans quoi, il la reprend. Antoine, en toute hâte, monte la pièce et c'est la première représentation du 6 mai avec une brillante interprétation : Antoine lui-même dans le rôle de M. Vernet, Cheirel dans celui de Mme Vernet et Signoret dans celui d'Henri Gérard, le troisième homme.

Dès lors, la pièce n'appartient plus à son auteur mais au public, et plus encore à la critique. Le spectacle était copieux, mais qui se souvient des deux pièces qui accompagnaient Monsieur Vernet sur l'affiche ? Qui se souvient de cette pièce au titre prédestiné : Le supplice du silence, et celui, lourd de menaces : Attaque nocturne, de MM. De Lorde et Masson Forestier ? C'est, bien sûr, Jules Renard dont la critique s'occupait surtout. Très bonne critique, somme toute, mais quelques réserves cependant. Le lendemain de la première représentation, Émile Arène, dans Le Figaro, note que « le second acte a paru moins bon », ce qui est aussi l'avis de Georges Roussel dans La Critique qui trouve ce deuxième acte « un peu longuet » et ajoute : « M. Jules Renard, homme modeste, a ses fanatiques qui se récriaient d'aise à chaque réplique »... mais il conclut en soulignant « ... Une adorable scène de finesse miraculeuse termine la pièce. » « Cette chute » de Monsieur Vernet enchante également Charles Martel dans L'Aurore : « L'émotion du dernier moment a gagné tout le monde. »

La Revue Dramatique analyse la pièce avec attention et distribue généreusement ses compliments aux acteurs : Monsieur Vernet est une remarquable peinture des mœurs. Doucement, traîtreusement, pourrait-on dire, tous les gestes des personnages, chacune de leurs paroles concourent à un ensemble parfait et sans faiblesse. C'est du théâtre, et du meilleur.

« M. Antoine incarne M. Vernet avec une incomparable maîtrise ; il fit ressortir à merveille ce caractère du « bourgeois » qui devine qu'il y a ici-bas des joies intellectuelles auxquelles il n'a pu goûter. Mlle Cheirel personnifiait à souhait Mme Vernet, douce compagne d'un homme bon et droit. M. Signoret joua avec son habituelle intelligence le personnage d'Henri Gérard. L'interprétation de Signoret fut pourtant discutée par Émile Arène, dans Le Figaro, qui affirmait que son jeu désorientait le public. La note dominante est celle que traduit l'article de Louis Schneider dans Le petit Bleu et qui qualifie la pièce de « bijou littéraire » joué en toute perfection. »

Le 8 mai 1903, dans La Presse, au cours d'une interview, Jules Renard expliquait la différence sensible entre la pièce et le roman dont elle fut tirée : « Quand j'ai écrit L'Écornifleur, j'étais jeune et je pensais être terrible ; maintenant je suis marié, j'ai des enfants ; je me suis transformé. » Retenons un instant cet aveu. De fait, de L'Écornifleur (1892) à Monsieur Vernet (1903), on peut constater chez Jules Renard une évolution. « Après avoir failli être un écornifleur, Jules Renard était devenu (écrit Léon Guichard dans son livre consacré à notre auteur) en partie M. Vernet : un bourgeois aux instincts de propriétaire, heureux d'avoir réussi et satisfait de vivre honnêtement avec une charmante femme, la sienne. » D'ailleurs la pièce est dédiée à sa femme, Marinette, compagne dévouée qui lui assurait l'équilibre nécessaire. Sa confiance était précieuse à Jules Renard et elle en témoignait sans cesse. Ainsi lorsque Renard avait lu Monsieur Vernet à Lucien Guitry, qui affirmait que la pièce était supérieure encore à Poil de Carotte, et qu'il raconta ce beau moment à Marinette, celle-ci lui disait simplement : « J'en étais sûre. » C'est encore elle, le soir de la première, alors que Renard, malade, était dans son lit, qui est allée se poster au théâtre d'Antoine, lui dépêchant un avii après le premier acte, pour annoncer que tout marchait bien.

Mais reprenons l'interview du 8 mai 1903. Jules Renard précisait : « Quand j'ai écrit L'Écornifleur, j'ai cherché à faire rosse parce que la rosserie était dans l'air ; maintenant souffle une bise de bonté... au théâtre et dans les livres. » Malgré la pointe d'humour, la confidence tend à expliquer les mobiles de Renard qui avait adouci sa pièce. Non seulement il avait d'abord conçu sa pièce en trois actes, mais encore elle devait être plus dramatique puisque Mme Vernet devait mourir. Renard revint ensuite au dénouement du livre L'Écornifleur, mais le départ d'Henri se fait dans des circonstances plus conformes aux bonnes mœurs. Il est vrai que la scène du viol n'était pas spécialement faite pour le théâtre.

On constate ainsi un glissement (du livre à la pièce) vers d'autres problèmes. Au cours d'une autre interview, parlant du personnage d'Henri, Renard précisait : « L'entrée de ce poète dans le milieu bourgeois et son départ : voilà toute ma pièce. » Et cette explication est à rapprocher ainsi de la remarque de Léon Guichard pour qui « Jules Renard dans Monsieur Vernet poursuit sa campagne contre la « littérature ». Toute la pièce, qui devait s'intituler d'abord Poète et Bourgeois, montre que, malgré ses petits ridicules, le bourgeois naïf et confiant garde une noblesse de sentiments, une générosité, des délicatesses dont le poète profite, quand il n'en abuse pas, et, finalement, c'est au bourgeois que reste « le beau rôle ».

Le beau rôle de M. Vernet fut gardé par Antoine soixante-sept fois dans l'année 1903, ce qui témoigne d'un beau succès à une époque où la « centième » était un événement.

Jules Renard écrivait d'ailleurs à propos de l'accueil de la critique : « C'est important et agréable. » Dans sa lettre à Lugné-Poë du 18 mai 1903, Renard ajoute cependant : « Si Monsieur Vernet ne vous avait pas plu, à vous et à mon Poil de Carotte, je serais un peu troublé, parce que je me suis donné quelque mal. »

En 1906, la pièce fut reprise et jouée soixante-sept fois encore, pour tomber dans le « creux », et en 1909 Renard se plaignait de ce que Gémier ne tenait plus sa promesse de reprendre la pièce. Quelques représentations à l'étranger et en province mises à part, elle ne fut pas jouée jusqu'en 1933 où elle fit une rentrée éclatante à la Comédie-Française ; le rôle d'Antoine était repris par André Brunot, celui de Mme Vernet par Dussane, tandis que Pierre Bertin campait le personnage du poète. La part prise par Pierre Bertin dans cette reprise fut particulièrement importante. Il est vrai qu'il s'agissait pour le comédien de payer en quelque sorte une dette de reconnaissance. Et les confidences que Pierre Bertin a bien voulu nous faire contribuent bien joliment à l'histoire du théâtre.

Pierre Bertin est venu au théâtre en quelque sorte grâce à Jules Renard. Étudiant en médecine à Lille, il appartenait à un petit groupe d'amateurs fervents qui, à cette époque, aux environs de 1910, identifiaient le théâtre véritable avec celui de Renard. Las d'une muse dont les deux mamelles étaient la grivoiserie et la vulgarité, las de Hervieu, de Capus, pour eux Renard, à travers Becque, s'inscrivait dans la traduction du Sourire pincé *de Musset et de Mérimée. Et puis Bertin, comédien amateur, a tôt compris devant certaine salle de patronage que Renard était un auteur à imposer face au conformisme provincial ; en effet, alors qu'il jouait un soir* Le Plaisir de Rompre *dans le cadre d'une représentation de charité, au fur et à mesure que les répliques fusaient il s'aperçut qu'une dame entraînait précipitamment sa fille... puis une autre... une autre encore, et Bertin finit par jouer devant une salle quasi déserte. Le véritable homme de théâtre qu'il était déjà ne s'est point découragé. Au contraire. Si bien qu'en 1912, toujours comédien amateur, ayant à participer avec sa troupe devant un jury présidé par Antoine, c'est encore* Le Plaisir de Rompre *qu'il a choisi. Antoine le remarqua et lui demanda ce qu'il attendait pour faire du théâtre en professionnel.*

— Mon concours au Conservatoire, répondit Bertin.

— Au diable, fit Antoine, je vous engage à l'Odéon.

Et voilà Pierre Bertin, interne à l'hôpital Cochin le jour, comédien le soir, grâce à Antoine, grâce à Jules Renard. Et, vingt ans plus tard, Pierre Bertin fit accepter Monsieur Vernet *au répertoire du Théâtre-Français. C'est encore lui qui a travaillé avec Grandval à la mise en scène de la pièce en 1933 et en a resserré la construction. De là vient que la critique a salué la pièce sans ces réserves qu'elle soulignait trente ans plus tôt à propos de certaines scènes languissantes. Joué en costume, ce qui n'avait encore jamais été fait, et sans entracte — passant ainsi sans transition du décor de salon du premier acte à celui au bord de mer du second — grâce à la machinerie du Théâtre-Français,* Monsieur Vernet *s'est imposé d'emblée. Après trente ans, selon la formule la pièce n'avait pas une ride, et, comme elle était affichée avec* La Chance de Françoise, *c'était l'occasion pour certains chroniqueurs d'opposer la jeunesse de la pièce de Renard aux rides de celle de Porto-Riche.*

En fait, c'était la preuve de ce que la pièce s'inscrivait dans l'Histoire du Théâtre, s'imposait au-delà des modes, et un critique pouvait écrire : « ... Les décors et les costumes sont charmants. Mais Monsieur Vernet *pourrait être joué dans le costume d'aujourd'hui et même sans aucun décor que cette comédie ne perdrait rien de sa richesse et de son honnêteté. » Et Pierre Audiat, dans* Paris-Soir *du 1ᵉʳ juin 1933 : « ... Un succès de qualité qui doit peu à la reconstitution, pourtant fort réussie, des costumes 1900, dont nous ne nous lasserons de rire que lorsque la mode actuelle les aura exactement rejoints... » C'était voir loin et juste. Pierre Mas, dans* Comœdia, *ajoutait : « Il y a des auteurs que les années grandissent lentement mais sûrement, et il en est ainsi de Jules Renard »... « ...Cette sorte de réalisme bourgeois plein de mesure contribuera également à lui assurer son rang auprès de la postérité. »*

A trente ans de distance, le point de vue de la critique évolue. Le personnage essentiel devient M. Vernet lui-même. Ainsi, tout en affirmant que « c'est guère moins qu'un chef-d'œuvre », Georges Pioch éclaire principalement le bourgeois, et puisant dans le Journal *de Renard, d'où il en extrait ce passage à l'appui :* Monsieur Vernet, *faire de lui un type très comique, une espèce de Sganarelle raisonnable et lâche et parfois émouvant et ridicule... », Georges Pioch de commenter : « Ce que veut un auteur est une chose, ce qu'il accomplit en est une autre. Et c'est presque toujours heureux : car où serait la part du génie si le talent réalisait tout ce qu'il a voulu et ne réalisait que cela ? » Edmond Sée, familier de Jules Renard, écrivait de son côté dans* L'Œuvre : « *De ce thème si savoureusement original, si mélancoliquement ironique de l'homme trop* bon que son « indécourageable » bonté entraîne sans cesse aux pires dangers, Jules Renard a fait jaillir une œuvre exquise, pénétrante, déchirante avec le sourire et qui va loin dans le cœur humain, sans avoir l'air d'y toucher. Une œuvre qui est une manière de chef-d'œuvre et dont les scènes essentielles, strictes, nuancées, riches, d'un sens profond, demeurent des modèles, des exemples, des synthèses vivantes de l'art, de la formule « renardiens », si sobres, si discrets, si purs. »

Le personnage de Monsieur Vernet s'imposait donc comme un de ces types universels, défiant le temps ; et Monsieur Vernet corrige, en quelque sorte, ces autres types universels du bourgeois que sont Géronte ou Jérôme Paturot.

La distribution n'a pas peu contribué à imposer définitivement la pièce de Jules Renard. Edmond Sée trouve « M. Brunot admirable de tendre bonhomie, d'ardeur effusive, d'ampleur naïve et si touchant, ensuite, lorsqu'il ouvre les yeux sur son hôte et s'arrache à lui, à son cœur défendant. M. Bertin a un jeu délicat, nuancé, pénétrant, merveilleux traducteur d'un personnage difficile à traduire à cause de sa complexité ». Dans Comœdia, Pierre Mas confirmait l'opinion de Pierre Lagarde pour qui... Monsieur Vernet fut remarquablement joué par Mᵐᵉ Dussane, exquise de finesse malicieuse, de naturel, de charme », et le critique de l'Excelsior trouvait... « Mᵐᵉ Catherine Fontenay amusante en sœur aînée et aigrie de M. Vernet ».

Monsieur Vernet triomphait ainsi. Il n'était que juste de rappeler la part d'Antoine qui, assistant à la représentation de 1933, fut applaudi par les spectateurs. Il était juste aussi de situer Jules Renard à sa vraie place. Mais l'auteur de tant de mots féroces risquait d'être défiguré par trop d'hommages, trop de bons sentiments. Les gens de théâtre, si proches toujours de la sensibilité de Renard, ont su veiller à ce que la légende n'en fasse pas un Monsieur Vernet, et dans les couloirs de la Comédie-Française, pendant la répétition générale, entre initiés, on rappelait ses boutades. Et voici celle qui est certainement la plus révélatrice.

Certain soir qu'une belle coquette pleurait dans son gilet et se plaignait amèrement de la trahison de son seigneur et maître, elle finit par dire :

— Il me marche sur le cœur.

Quelques instants plus tard, Jules Renard lui demanda :

— Pourquoi donc le laissez-vous traîner ?

— Qu'est-ce que je laisse traîner ? demanda la belle en regardant par terre.

— Votre cœur, fit Jules Renard, impitoyable.

Mais ce mot n'est-il pas révélateur d'une certaine pudeur des sentiments qui est le fond même de Monsieur Vernet ?

PERSONNAGES

M. VERNET — M. ANTOINE

HENRI GÉRARD — M. SIGNORET

CRUZ, *pêcheur* — M. DEGEORGE

Mme VERNET — Mme CHEIREL

PAULINE, *vieille fille, sœur de Mme Vernet* — Mme ELLEN ANDRÉE

MARGUERITE, *nièce de Mme Vernet et de Pauline* — Mme MIERIS

Mme CRUZ — Mme LUCE COLAS

HONORINE, *servante des Vernet* — Mme BARNY

A Paris, neuf heures du soir. Un petit salon qui prouve que, si M. Vernet est riche, Mᵐᵉ Vernet a du goût. Baie a droite, porte au fond ; a gauche, drapé sur un chevalet, le portrait de Mᵐᵉ Vernet. M. Vernet se promène. Mᵐᵉ Vernet range un dernier tiroir.

ACTE PREMIER

1

M. VERNET, Mᵐᵉ VERNET.

M. VERNET

As-tu donné des ordres à Honorine ?

Mᵐᵉ VERNET

Oui. Tu es sûr que M. Henri viendra ?

M. VERNET

Il me l'a promis à la salle. Je lui ai dit que nous allions quitter Paris deux mois. Il veut nous serrer la main avant notre départ.

Mᵐᵉ VERNET

Il veut... parce que tu l'as invité.

M. VERNET

Oui, tantôt je l'invite, tantôt il me dit : « Monsieur Vernet, puis-je vous faire une visite ce soir ? Et je réponds : « Vous nous ferez plaisir, à Mᵐᵉ Vernet et à moi. » Ça se passe naturel-lement. Nous devenons des amis.

Mᵐᵉ VERNET

Déjà !

M. VERNET

Je me lie rapidement avec ceux qui me plaisent et je me délie avec la même rapidité aussitôt qu'on me déplaît. Je déteste les

185

bonjours et les bonsoirs qui n'en finissent plus. Ça ne m'a pas empêché de faire fortune dans la soierie.

Mme VERNET

Comment M. Henri, qui est pauvre, peut-il fréquenter une salle d'armes.

M. VERNET

La nôtre n'est pas chère. Elle l'est pour moi parce que je lui fais quelques cadeaux. J'offre une tenture, une panoplie, un bronze. J'ai poussé Martinet à fonder une salle. C'est le moins que je le soutienne.

Mme VERNET

Tu as raison.

M. VERNET

Elle va très bien, notre petite salle. Nous songeons même à l'organiser comme un cercle et à choisir un président parmi nous. M. Henri m'aide à attirer des élèves. Il a de jeunes relations. Il représente. On s'amuse et ça me fait du bien. De 6 à 7, quand je quitte le magasin, où je n'avale que de la poussière, un bon assaut suivi d'une bonne douche me remet. Tu ne trouves pas que je me porte mieux ?

Mme VERNET

Si.

M. VERNET

Je fonds.

Mme VERNET

Tu ne grossis plus. Mais tu bois trop. C'est effrayant ce que tu as bu à dîner !

M. VERNET

J'avais tiré avec Henri.

Mme VERNET

Tu l'appelles Henri tout court ?

M. VERNET

Quelquefois, quand il a reçu la pile, comme ce soir ; ça t'offusque?

Mme VERNET

Moi, non, mais lui ?

M. VERNET

Il est charmant.

Mme VERNET

Et il te charme de plus en plus.

M. VERNET

Par sa jeunesse, sa gaîté...

Mme VERNET

Tiens !

M. VERNET

Pas toi ?

Mme VERNET

Je veux dire que ce qui me frappe en lui, ce sont ses tristesses. Brusquement, au milieu d'une phrase, il devient triste ! triste ! Ça impressionne.

M. VERNET

Ah !... moi, je le trouve gai. Il en a pour nos deux goûts.

Mme VERNET

Je ne le crois pas heureux.

M. VERNET

Les soucis de son âge.

Mme VERNET

Comment vit-il ?

M. VERNET

Comme un jeune homme qui a une belle instruction et pas encore de métier. J'imagine qu'il reçoit un peu d'argent de sa famille. Il donne quelques leçons. Il travaille pour lui.

Mme VERNET

A quoi ?

M. VERNET

Je ne sais pas au juste.

Mme VERNET

Il poursuit ses études ?

M. VERNET

Probablement.

Mme VERNET

De hautes études ?

M. VERNET

Oh ! sans doute.

Mme VERNET

Il ne t'en parle jamais ?

M. VERNET

Non, et je ne l'interroge pas. Il m'en parlera lorsqu'il voudra. Ça le regarde. Pourvu qu'il soit fort aux armes !

Mme VERNET

Moi, je le soupçonne d'être artiste.

M. VERNET

Artiste ! Dans quel art ?

Mme VERNET

Je l'ignore ; artiste, le mot dit la chose. En tout cas, il est assez maigre pour être artiste.

M. VERNET

Ça n'a aucun rapport. Si tu m'avais vu à son âge. C'est le développement qui s'achève.

Mᵐᵉ VERNET

Ou la misère qui commence. Crois-tu qu'il dîne tous les jours ?

M. VERNET

Je l'espère. Pas aussi bien que nous, peut-être.

Mᵐᵉ VERNET

Sauf quand il dîne à la maison.

M. VERNET

Ça lui est arrivé une fois depuis que nous le connaissons.

Mᵐᵉ VERNET

Encore il a mal dîné ; tu ne m'avais pas prévenue.

M. VERNET

Non. Sous prétexte que les gens sont modestes, on ne fait pas de cérémonies avec eux. On leur offre la soupe et le bœuf à la fortune du pot.

Mᵐᵉ VERNET

Ce devrait être le contraire.

M. VERNET

Je l'inviterai mieux et plus souvent l'hiver prochain.

Mᵐᵉ VERNET

Si tu veux. Mais prends garde !

M. VERNET

A quoi ?

Mᵐᵉ VERNET

A ta bonté.

M. VERNET

Je suis bon.

Mᵐᵉ VERNET

Tu n'es pas bête.

M. VERNET

Et surtout je ne suis pas de ceux qu'on embête : j'arrête à temps.

Mᵐᵉ VERNET, *avec un regard à son portrait.*

Tout de même, rappelle-toi.

M. VERNET

Est-ce que M. Henri a l'air d'un chevalier d'industrie ?

Mᵐᵉ VERNET

Oh ! le pauvre garçon !

M. VERNET

Pauvre, en effet ; d'ailleurs, d'une tenue toujours irréprochable, n'est-ce pas ?

Mme VERNET

Presque élégante. Mais as-tu remarqué un détail, ses bottines ? Il marche beaucoup avec.

M. VERNET

Ça fait de la peine. Je voudrais lui être utile.

Mme VERNET

Oh ! si tu peux.

M. VERNET

Comment ? Il paraît susceptible ?

Mme VERNET

Fier, même.

M. VERNET

Je n'ose pas lui proposer un emploi dans mes bureaux. Il ne me demande point d'argent. Je lui en donnerais. Je l'aime, moi, ce garçon. Je l'ai adopté, cordialement parlant. Je lui offrirais ma fille...

Mme VERNET

Tu vas vite.

M. VERNET

Nous n'en avons pas. Mais si j'en avais une !... J'ai été plus gueux que lui, et nous voilà riches au point que nous n'arrivons pas à dépenser nos rentes. Je dirais à Henri : « Prenez ma fille et sa dot. »

Mme VERNET

S'ils s'aimaient d'abord.

M. VERNET

Bien entendu, l'affection avant tout.

Mme VERNET

Et tu dirais cela à un jeune homme sans position ?

M. VERNET

Un beau mariage est une position. Oh ! Julie, aurais-tu fini par prendre, à force de vivre avec un bourgeois comme moi, mes idées bourgeoises ?

Mme VERNET

Mais, Victor, j'y aurais gagné. Tes idées, tu le prouves ce soir, sont de bonnes et belles idées généreuses ; je t'en félicite.

M. VERNET, *embrassant Mme Vernet.*

Tu sais bien que c'est toi qui me les as données. *(On sonne.)* Le voilà !

Mme VERNET

Ce doit être plutôt ma sœur avec notre nièce.

M. VERNET

Non, non. C'est un coup de timbre d'homme d'épée, ça ! Et Honorine ne va pas ouvrir ! *(Appelant, par la baie du salon, dans la galerie.)* Honorine !

LES MÊMES, HONORINE.
Scène très rapide.

M. VERNET

Vous n'entendez pas ?

HONORINE

Si, Monsieur. J'y allais.

Mme VERNET

Vous avez tout préparé ?

HONORINE

Oui, Madame, le thé.

Mme VERNET

Et le chocolat ?

M. VERNET

Elle l'a oublié !

Mme VERNET

Il faut du thé et du chocolat.

M. VERNET

Naturellement.

Mme VERNET

Pour qu'il ait le choix.

M. VERNET

Pour qu'il prenne les deux si ça lui plaît.

Mme VERNET

Faites vite. Et comme gâteaux ?

HONORINE

J'ai des petits fours.

Mme VERNET

Et la tarte ? Je vous avais dit une tarte.

M. VERNET

Tant pis ! Elle redescendra.

Mme VERNET

Pourvu que ce ne soit pas fermé !

HONORINE

J'ai la tarte aussi, Madame.

M. VERNET

Mais, si vous avez la tarte, allez ouvrir !

Mme VERNET

Aux cerises, la tarte ?

190

HONORINE

Aux prunes.

M. VERNET

On vous avait dit : aux cerises !

Mme VERNET

Non, j'ai oublié de le dire. Je sais seulement qu'il préfère les cerises. Enfin !

(On sonne une deuxième fois.)

M. VERNET

Mais dépêchez-vous donc, bon Dieu !

Mme VERNET

Victor, ne jure pas !

(Honorine s'éloigne en se signant.)

3
_____

M. VERNET, Mme VERNET.

M. VERNET

C'est une brave femme, mais quelle tortue !

Mme VERNET

Elle m'a vue naître.

M. VERNET

Elle me fera mourir.

Mme VERNET

Calme-toi, Victor !

(Brève agitation de deux personnes tout émues de recevoir quelqu'un.)

4
_____

LES MÊMES, HENRI GÉRARD.

HENRI, *ayant un petit paquet à la main.*

Bonsoir, madame, votre santé est bonne ?

Mme VERNET, *que la formule a surprise.*

Très bonne, monsieur... très bonne.

191

HENRI

Et la vôtre, monsieur Vernet ?

M. VERNET

Je vais comme un homme que vous avez fort malmené.

HENRI

Vous savez, madame, qu'il devient terrible. On ne le touchait plus ce soir.

M. VERNET

Nous avons fait jeu égal. Si j'ai eu un avantage, il était minime.

HENRI

Vous avez pris la belle.

M. VERNET

Oui, et par un beau coup.

HENRI

Superbe !

M. VERNET

Un liement sur votre bras tendu : ma pointe a filé dessous, comme une balle. Je vous crevais.

Mᵐᵉ VERNET

Quelle horreur !

M. VERNET

Elle déteste ça.

HENRI

Vous ne vous intéressez pas à l'escrime, madame ?

Mᵐᵉ VERNET

C'est si brutal !

HENRI

Oh ! madame ! C'est plus un jeu d'adresse que de force, c'est presque un jeu d'esprit. C'est une science, je vous assure, c'est même un art puisqu'il m'a valu de connaître Mᵐᵉ et M. Vernet.

(Mᵐᵉ Vernet s'incline.)

M. VERNET

Toujours des choses fines !

HENRI

Je ne pouvais, monsieur Vernet, vous rencontrer que dans une salle d'armes.

M. VERNET

Un homme simple comme moi !

HENRI

Vous vous méprenez : un homme de votre situation, fortuné comme vous ! C'est moi qui suis sans importance et je dis que, seule, l'escrime pouvait mettre face à face, une première fois, puis à peu près quotidiennement, deux hommes si différents, venus de points si opposés.

192

M. VERNET

Très exact !

HENRI

Et à peine croisent-ils le fer qu'ils cessent d'être étrangers l'un à l'autre. Regardez-les, madame : ils ont l'air de jouer, ils se battent pour rire, mais ils s'observent...

M. VERNET

Encore une !... continuez.

HENRI

Ils se livrent, mais ils se jugent, ils s'acharnent, mais ils s'estiment.

M. VERNET

Encore une !

HENRI

Une quoi, monsieur Vernet ?

M. VERNET

Une chose fine.

HENRI, *encouragé.*

Ah ! Et cette coutume de se serrer la main après chaque assaut, elle semble d'abord banale, mais toutes ces poignées de main font leur œuvre et, mieux que les longues années d'une vie commune, elles façonnent promptement une camaraderie, une amitié.

M. VERNET

Voilà, Julie, ce que c'est que l'escrime.

Mme VERNET

Vous me réconcilieriez avec elle, monsieur.

M. VERNET

A-t-il tourné ça ! On croirait qu'il prépare ce qu'il dit avant de venir.

HENRI

Je vous jure que c'est naturel.

M. VERNET

Je le sais bien, je plaisante.

HENRI

Bon !... Et moi, pour vous punir, monsieur Vernet, je vous annonce une grande nouvelle ! Aujourd'hui, après votre départ, les élèves de la salle se sont réunis dans un petit coin et, à l'unanimité, vous ont élu leur président.

M. VERNET, *troublé, se lève.*

Moi !

HENRI, *salue.*

Monsieur le président !...

M. VERNET

Président de la salle ! Comme vous êtes gentils, tous ! Je suis flatté, je suis...

Mme VERNET, *prenant la main de M. Vernet.*

Qu'est-ce que tu auras à faire ?

HENRI

Rien, madame. Ce n'est qu'un honneur comme toutes ces présidences-là, ni rétribué, ni dangereux.

M. VERNET

Que pourrais-je bien leur offrir, à ces messieurs ?

HENRI

Vous les remercierez demain par quelques mots.

M. VERNET

J'espère m'acquitter avec un peu plus de frais. Quel ennui que nous partions demain !

HENRI

Demain ?

Mme VERNET

Les malles sont prêtes.

HENRI

Ne vous désolez pas, je vous excuserai jusqu'à votre retour.

M. VERNET

J'aurais voulu moi-même... Ça me gâte mon plaisir. Ah ! je suis contrarié... Voulez-vous me permettre de vous débarrasser de votre petit paquet ? Je ne suis pas indiscret ?

HENRI

C'était pour vous et pour Mme Vernet. Je vous prie d'accepter ce rien en souvenir des bonnes heures, trop brèves et trop rares, passées avec vous.

M. VERNET

Qu'est-ce que ça peut être ? Je regarde ?

HENRI

Faites.

M. VERNET, *déficelant le paquet.*

Pour une année ?

HENRI

Pour une année.

M. VERNET

Ma présidence ?

HENRI

Non, non, à vie, à vie ! à **moins** que vous ne vous conduisiez mal.

194

M. VERNET

Je saurai me tenir. *(A Mme Vernet.)* Des ciseaux, Julie ! *(Henri prêtant son canif.)* Un livre ! Henri Gérard ! c'est votre nom, un livre de vous ? Titre : Des rimes. *(Ne comprenant pas.)* Des rimes ?

Mme VERNET

Des vers.

M. VERNET

Ah !... Vous êtes poète !

Mme VERNET

Je m'en doutais.

M. VERNET

Moi pas. Et il a écrit quelque chose en haut du livre.

Mme VERNET

Une dédicace.

M. VERNET, *lisant.*

« A Mme Vernet, hommage respectueux. »

Mme VERNET

Merci, monsieur.

HENRI

J'aurais pu trouver mieux, madame, mais je ne me suis pas permis de chercher.

M. VERNET

Pourquoi ?

HENRI

Par discrétion.

M. VERNET, *rendant le canif.*

Ah ! oui... « Et à M. Vernet, mon meilleur ennemi à l'épée. » Comme c'est spirituel !

(M. Vernet, serrant la main d'Henri.)

HENRI

De quel côté allez-vous ?

M. VERNET, *se rasseyant.*

Je savais que vous n'étiez pas tout le monde, je vous soupçonnais même d'être artiste, et je le disais, il n'y a qu'un instant, à Julie, mais j'ignorais que vous fussiez poète.

HENRI

Je me cache, c'est si mal vu.

M. VERNET, *à Mme Vernet.*

Et modeste ! Le titre t'a frappée, toi ? Des rimes !

Mme VERNET

C'est neuf.

HENRI

Plutôt bizarre.

M. VERNET

Original ! Et moi j'aime tout ce qui est original. C'est la première fois qu'un auteur m'offre lui-même son livre. J'espère bien que ce ne sera pas la dernière.

HENRI

Je le crains.

Mme VERNET

Nous le lirons au bord de la mer.

M. VERNET

Nous le dégusterons dans un cadre approprié.

HENRI

C'est à la mer que vous allez ?

Mme VERNET

Oui, chaque année.

HENRI

Ah ! la mer !

Mme VERNET

C'est si grandiose !

M. VERNET

Je veux le commencer ce soir dans mon lit.

Mme VERNET

Oh ! Victor, pas avant moi.

M. VERNET

Si, si, pour en avoir une idée.

Mme VERNET

Alors tu me le prêteras, et je le lirai tout haut.

M. VERNET, *jetant Des rimes à Mme Vernet.*

Tiens, je te le donne. *(A Henri.)* Je lui cède toujours. C'est votre dernier.

HENRI

Et mon premier.

M. VERNET

La presse en a parlé ?

HENRI

Pas encore.

M. VERNET

C'est donc une primeur ?

HENRI

Toute fraîche, elle vient de paraître.

M. VERNET

Ce doit être exquis. Mais je vous préviens que nous sommes des profanes.

196

HENRI

Ce sont les meilleurs juges.

M. VERNET

Moi, du moins, car ma femme...

Mᵐᵉ VERNET, *feuilletant la brochure.*

Je ne m'y connais pas non plus, mais je goûte vivement la poésie quelle qu'elle soit... et la vôtre a l'air d'être...

HENRI

Vous lisez un peu, madame ?

Mᵐᵉ VERNET

Un peu, oui, monsieur.

M. VERNET

Beaucoup. Moi je n'achète jamais de livres.

HENRI

Par principe ?

M. VERNET

Non.

HENRI

Par économie ?

M. VERNET

Non, par habitude. Mais Julie est abonnée à un cabinet de lecture.

Mᵐᵉ VERNET

Il reçoit toutes les nouveautés.

M. VERNET

Vous savez que c'est une artiste aussi dans son genre.

Mᵐᵉ VERNET

Jolie artiste !

M. VERNET

Elle comprend tous les arts, sauf l'escrime... Oh ! l'escrime !

HENRI

Ce n'est pas une lacune.

M. VERNET

En échange, tu dessines comme un architecte.

Mᵐᵉ VERNET

Ne le croyez pas, monsieur Henri !

M. VERNET

Et musicienne ! Des doigts d'une vitesse !

Mᵐᵉ VERNET

Je pianote à peine, mais la belle musique m'émeut comme la belle poésie.

M. VERNET

Au fait, si vous nous lisiez un morceau de la vôtre.

HENRI

J'ai horreur de lire mes vers.

Mme VERNET

Pour nous faire plaisir.

HENRI

Sans façons, madame ; je ne lis pas mal les vers des autres, mais les miens...

M. VERNET

Non !

HENRI

Je vous assure que je ne me ferais pas prier.

M. VERNET

Soit, parce qu'il est tard et que vous ne pourriez pas tout lire. *(Menaçant.)* Mais à notre retour...

HENRI

Vous serez obligés de m'arrêter.

M. VERNET

Soyez tranquille... poète ! Je suis l'ami, nous sommes les amis d'un poète ! Nous nous mettons bien !

HENRI

Vers quel point de la mer vous dirigez-vous ?

Mme VERNET

Nous allons à Fleuriport, sur la Manche.

HENRI

Vous y resterez longtemps ?

Mme VERNET

Deux mois.

HENRI

Que vous êtes heureux de quitter Paris !

M. VERNET

Surtout par ces chaleurs.

HENRI

Ah ! si je pouvais faire comme vous !

M. VERNET

Vous n'avez pas de congé ?

HENRI

J'en ai d'un bout de l'année à l'autre. Je suis libre par profession. Ma carrière est on ne peut plus libérale.

M. VERNET

Eh bien ! Ça me fait quelque chose d'être président de notre salle d'armes. Eh bien ?

HENRI

En fait, je ne suis pas libre. Il faut que je reste pour me tenir au courant. C'est un livre qui paraît, une première, une inauguration, un vernissage, etc., que sais-je !

Mme VERNET

Je croyais qu'après le Grand Prix...

HENRI

On est moins bousculé, moins distrait de ses travaux, madame, mais c'est égal... quelle vie !

Mme VERNET

La vie parisienne !

M. VERNET

La vie échevelée !

HENRI, *mélancolique.*

D'ailleurs, où irais-je ?

M. VERNET

Venez à Fleuriport, on se retrouvera.

Mme VERNET

C'est bien modeste pour M. Henri habitué aux plages mondaines, notre petit trou.

HENRI

Oh ! madame, vous me faites injure...

M. VERNET

Et la mer n'est nulle part un petit trou. Écoutez, Henri... monsieur Henri...

HENRI

Je vous en prie.

M. VERNET

Écoutez, mon cher Henri, oui, assez de monsieur entre nous, vous n'allez pas me faire croire que vos travaux, et j'ignore ce que vous entendez par là...

Mme VERNET

Ses travaux de poète, mon ami.

M. VERNET

D'accord, vous retiennent à Paris, quand il n'y a plus personne, comme un forçat à son boulet.

HENRI

Pas à ce point.

M. VERNET

Vous êtes votre maître ?

HENRI

Mon maître absolu.

M. VERNET

Venez avec nous.

HENRI

A Fleuriport ?

M. VERNET

Non seulement à Fleuriport, mais chez nous, dans notre villa. Nous avons de la place.

HENRI

Oh ! monsieur Vernet, vous êtes amusant.

M. VERNET

Nous vous l'offrons de bon cœur, n'est-ce pas, Julie ?

Mme VERNET, *polie.*

Certainement.

HENRI

Et je vous remercie d'un cœur qui ne le cède en rien au vôtre, mais...

M. VERNET

Mais quoi ?

HENRI

Si par hasard, monsieur Vernet, je peux m'échapper un moment de Paris, comme je n'ai pas d'endroit préféré, je profiterai de votre séjour à Fleuriport, j'irai vous voir là-bas, mais je descendrai à l'hôtel.

M. VERNET

Il n'y en a pas.

HENRI

A l'auberge.

M. VERNET

Ce serait un peu fort. *(A Mme Vernet.)* Le vois-tu à l'auberge du Mérinos dans l'ordure et nous dans notre confortable *Juliette* — oui, du nom de ma femme — car elle n'est pas mal, la *Juliette*, avec son air de vieille masure. Pour qui me prenez-vous ? Voyons. Vous avez des scrupules.

(Sur un signe de M. Vernet, Mme Vernet va faire un petit tour.)

5

M. VERNET, HENRI.

M. VERNET

Ils vous honorent, mais j'ai un moyen de les lever. Vous m'avez dit que vous donniez des leçons, des leçons de quoi ?

HENRI

De n'importe quoi, de tout.

M. VERNET

Eh bien, ma petite nièce qui passe ses vacances avec nous, là-bas, veut suivre un cours de diction, il paraît que c'est la mode. Vous êtes poète ! poète et professeur de diction, ça doit aller ensemble.

HENRI

C'est inséparable.

M. VERNET

Vous donnerez quelques conseils à Marguerite, et tout s'arrangera, le voyage, le séjour, le reste ; ne vous inquiétez de rien.

HENRI

Vous me tenteriez, monsieur Vernet, mais...

M. VERNET

Qu'est-ce que vous avez encore à répondre ?

HENRI

Mille choses.

M. VERNET

Lesquelles ? Aucune. J'ai été jeune comme vous, pauvre comme vous, car vous l'êtes, hein ? avec toute votre poésie ?

HENRI

Je ne l'avouerais pas à un autre ; ça ne rapporte guère.

M. VERNET

De quoi payer le tabac.

HENRI

Et encore parce que je ne fume jamais.

M. VERNET

Et votre famille vous a coupé les vivres ?

HENRI

Bah ! pour quelques paniers de provisions !

M. VERNET, *attendri*.

J'en étais sûr. Elle vous laisserait crever de faim. Toutes les mêmes, ces familles d'artistes !... Mon pauvre vieux, va... Ça me rajeunit de vingt ans ! Ça me rappelle ma misère, et j'étais alors réservé, moi aussi, comme vous, peut-être davantage... du moins autant, parce que, timide, je ne savais pas m'exprimer. Eh bien, je vous donne ma parole que, si, en ce temps-là, quelque brave homme de Vernet, ça se trouve, m'avait offert du même cœur la petite partie de plaisir que je vous offre, j'aurais accepté sans hésitation. Et vous savez, sur l'article délicatesse, je ne plaisante jamais. Je vous jure que ça ne vaut pas la peine de me dire merci. Est-ce que je vous paie votre imprimé, moi, votre livre de poésie ? Nous sommes quittes ! Plus un mot !

HENRI

Mais c'est un enlèvement.

M. VERNET

Je vous enlève. *(Appelant sa femme.)* Julie ! nous l'enlevons, il accepte.

6

M. VERNET, HENRI, Mme VERNET.

Mme VERNET

Ah !... Tant mieux ! J'allais me joindre à Victor.

HENRI

Alors, madame, je n'ai plus la force de résister. J'accepte avec gratitude. Mais, n'est-ce pas, chers amis, une mansarde, une lucarne, un lit de fer, une table de bois blanc, une chaise de paille...

Mme VERNET

Quel mobilier !

M. VERNET

Tu, tu, tu ! La mansarde et la lucarne, c'est pour notre vieille servante, Honorine. Vous aurez la plus belle chambre après la nôtre.

Mme VERNET

La chambre verte.

HENRI

Merci, madame.

M. VERNET

Avec deux grandes fenêtres qui donnent toutes les deux sur la mer.

Mme VERNET

Une seule, mon ami.

M. VERNET

Mais l'autre donne sur la campagne. Ça repose de la mer.

HENRI

C'est le rêve. Merci, monsieur Vernet.

M. VERNET

Ne me remerciez donc pas comme ça ! Quel remercieur vous faites ! Vous êtes prêt ?

HENRI

Toujours.

M. VERNET

Nous partons demain.

HENRI

Ce soir si vous voulez.

M. VERNET

A la bonne heure ! Mais il faut attendre à demain. Nous partirons avec ma nièce Marguerite et Pauline.

Mᵐᵉ VERNET

Ma sœur aînée.

M. VERNET

Elle dirige une pension de jeunes filles où Marguerite termine ses études. *(A Mᵐᵉ Vernet.)* Est-ce qu'elles ne viennent pas ce soir ?

Mᵐᵉ VERNET

Si ! Elles devraient être là.

M. VERNET

Je vous avertis que ma belle-sœur est insupportable. Je la supporte parce que j'ai l'esprit, je n'ai même que celui-là, l'esprit de famille.

Mᵐᵉ VERNET

Elle nous aime beaucoup au fond.

M. VERNET

A la surface elle ne peut pas nous sentir.

Mᵐᵉ VERNET

Elle est...

M. VERNET

Assommante...

Mᵐᵉ VERNET

Pas heureuse.

M. VERNET

Elle a même eu un petit roman dans sa vie. Tenez, vous qui faites des livres...

Mᵐᵉ VERNET

Victor !

M. VERNET

Je le lui dirai tôt ou tard, autant le lui dire tout de suite. Mˡˡᵉ Pauline a aimé un monsieur qui n'a pas répondu à son amour et elle s'est donné un tas de petits coups de couteau.

HENRI

Oh ! pauvre femme ! Elle est morte ?

M. VERNET

Elle va venir tout à l'heure.

HENRI

Oh ! pardon !

M. VERNET

Ça ne fait rien. Elle s'était donné ses coups de canif du côté du cœur, mais trop bas. Elle s'est tailladé la cuisse. Hein ! cette histoire-là en vers !

Mᵐᵉ VERNET

Comme tu es dur pour Pauline !... Je vous assure, monsieur Henri Gérard, qu'elle a souffert...

HENRI

Je ne suis pas de ceux, madame, qui raillent un désespoir de femme.

M. VERNET

C'est une vieille fille, aigre, maligne...

Mᵐᵉ VERNET

Chut !

M. VERNET

C'est une vipère !

Mᵐᵉ VERNET

Tais-toi, Victor.

M. VERNET

Une vipère à lunettes ! Je le lui dirai quand elle voudra.

Mᵐᵉ VERNET

Mais tais-toi donc... J'entends.

M. VERNET

Nous le lui dirons tous deux, Henri, là-bas, le soir, au bord de la mer !

7

Mᵐᵉ VERNET, M. VERNET, PAULINE, MARGUERITE, HENRI.
Entrée de Pauline et de Marguerite. Les dames s'embrassent.
Henri se tient à l'écart.

PAULINE

Tu as une visite ?

Mᵐᵉ VERNET

Oui, un jeune homme très distingué, venez que je vous présente. *(A Henri.)* Ma sœur et ma nièce. *(A Marguerite et Pauline).* M. Henri Gérard.

204

M. VERNET

Un poète.

PAULINE

Un poète ?

Mᵐᵉ VERNET

Oui, M. Henri Gérard est un poète.

M. VERNET

Et un vrai.

PAULINE

Ah !

M. VERNET, *montrant le livre à Pauline.*

La preuve.

PAULINE

La couverture attire l'œil : des limes.

Mᵐᵉ VERNET

Des rimes, *des rimes.*

HENRI

C'est un R, mademoiselle.

PAULINE

J'ai la vue si basse, monsieur.

M. VERNET

Elle l'a fait exprès. Des limes ! Elle voudrait les mordre !

Mᵐᵉ VERNET

Tes préparatifs sont terminés ?

PAULINE

Oui, je ne me surcharge pas.

M. VERNET

Qui vous le défend ?

PAULINE

La simplicité de ma garde-robe.

M. VERNET

Vous trouvez peut-être que Julie emporte trop ?

Mᵐᵉ VERNET

Victor, c'est toi qui commences...

HENRI

Monsieur Vernet, je suis témoin.

M. VERNET

Elle se rattrapera. A propos, Henri, vous avez beaucoup de bagages ?

HENRI

Une valise.

M. VERNET

Ce que vous voudrez, n'ayez pas encore des... scrupules.

HENRI

C'est une grosse valise.

Mme VERNET

M. Henri veut bien nous faire le plaisir de venir avec nous.

PAULINE

Ah ! ah !

M. VERNET

Le plaisir et l'honneur. Ça vous surprend qu'un poète...

PAULINE

Du tout. *(A Henri.)* Je sais, monsieur, que ma sœur et mon beau-frère aiment les artistes.

M. VERNET

Nous ne pouvons pas nous en passer.

PAULINE

Vous n'êtes pas le premier qu'on me présente. J'ai déjà eu le plaisir, et l'honneur, de dîner ici avec le peintre qui a fait ce portrait.

(Tous regardent le portrait.)

M. VERNET

Le peintre Morneau. Vous le connaissez ?

HENRI

Non.

M. VERNET

Comment le trouvez-vous ?

HENRI, *léger.*

Très bien.

Mme VERNET, *gaie.*

Vous dites ça sans enthousiasme.

HENRI

Je le dis comme je le pense.

M. VERNET

Mais c'est ma femme.

HENRI

Madame Vernet ?

Mme VERNET

Il ne me ressemble pas ?

HENRI

Si, si, madame, quoique la bouche...

M. VERNET

Ratée ?

HENRI

Plutôt. Et ce n'est pas votre front si net, presque carré, oui, un peu têtu. On ne vous fait pas penser ce qu'on veut.

M. VERNET

Eh ! eh ! Julie, quel physionomiste !

PAULINE

Vous n'avez rien à dire des yeux ?

HENRI

Oh ! les yeux, mademoiselle, c'est ce que les peintres réussissent le moins.

Mme VERNET

Que va-t-il en rester ?

M. VERNET

Oui, je finirai par le mettre au grenier.

HENRI

Excusez-moi, madame, une femme comme vous est rare, même en peinture.

M. VERNET

Attrape, Julie... Moi qui me promettais de faire faire mon portrait l'année prochaine.

HENRI

Par le même peintre ?

M. VERNET

Ou par un autre.

PAULINE

Il ne manque pas d'autres peintres, moins chers.

M. VERNET

Dirait-on pas que j'ai payé M. Morneau avec votre argent.

PAULINE

Vous l'avez très bien payé... et lui aussi.

(Honorine apporte le thé.)

HENRI

Vous le voyez encore ?

Mme VERNET, *gênée, se levant pour verser le thé.*

Oh ! non. C'était une simple relation de vernissage.

M. VERNET, *bas.*

Il s'est conduit comme...

PAULINE, *haut.*

Comme un artiste !

HENRI

Mademoiselle Pauline déteste les artistes ?

PAULINE

Un peintre n'est pas un poète, monsieur.

M. VERNET

Et réciproquement. *(A Henri.)* Elle n'a que du miel pour vous. Prenez, mon ami, prenez, c'est une faveur.

HENRI

Je goûte.

M. VERNET

Et toi, Marguerite, tu n'ouvres pas la bouche ! Tu es contente de passer deux mois avec un poète ?

HENRI

Aucun effet.

MARGUERITE

Monsieur est un poète ?

Mme VERNET

Tu n'as pas entendu ?

HENRI

Soyez franche, mademoiselle, vous vous imaginiez que c'était autre chose.

MARGUERITE, *riant.*

Oui.

HENRI

Un beau jeune homme pâle.

MARGUERITE

Oui. Avec des moustaches.

HENRI

Ah ! vous confondez : les moustaches, c'est pour les militaires Avec de longs cheveux ?

MARGUERITE

Oui.

HENRI

Noirs.

MARGUERITE

Oui, ou blancs comme de la neige.

HENRI

Quand le poète est vieux ; ça me viendra. Ça vient même aux poètes qui ont, comme moi, les cheveux courts.

PAULINE

C'est une nouvelle école ?

HENRI

C'est simplement une nouvelle coupe de cheveux. Et, n'est-ce pas, mademoiselle Marguerite, le poète de vos rêves étalait une cravate comme une salade de laitue ?

MARGUERITE

C'est ça.

HENRI

Et il ne portait point de gilet sous sa redingote râpée et boutonnée jusque-là pour cacher la chemise. Hélas ! j'en porte un, avec une chaîne et une montre, une montre de famille, et je regarde prosaïquement l'heure, et j'ai l'air à peu près correct. Je comprends votre déception, mademoiselle.

MARGUERITE

Je m'y ferai.

Mme VERNET

Marguerite, tu importunes M. Henri.

MARGUERITE

Mais je ne lui demande rien, moi !

M. VERNET

Tu as reçu une éducation, ma fille.

PAULINE

Celle que je lui ai donnée, mon beau-frère.

M. VERNET

Ça ne m'étonne plus.

Mme VERNET

Excusez ma nièce, monsieur Henri. Ce n'est pas une fille, c'est un gros garçon.

HENRI

C'est bien une jeune fille naturelle. Elle est sans mystère. *(A Pauline.)* Et je vous félicite, mademoiselle.

M. VERNET, *à Pauline.*

Une autre dirait merci.

PAULINE

Ah ! c'était pour moi !

M. VERNET

Écoutez tous ! Voilà le programme de la journée à Fleuriport : d'abord, chaque matin, une heure d'escrime pour les hommes. *(A Pauline.)* Car Monsieur n'est pas seulement un poète, c'est aussi un escrimeur hors ligne.

PAULINE

Tous les talents.

M. VERNET, *à Henri.*

N'oubliez pas d'emporter vos fleurets. Ensuite, baignade. Vous savez nager ?

HENRI

Comme un poisson d'eau douce.

M. VERNET

Ce sera le reste là-bas. Vous volerez sur l'eau salée de la mer. Moi, je nage au fond.

HENRI

Au fond de la mer, c'est déjà loin.

M. VERNET

L'après-midi, promenades variées. On visite, par exemple, une vieille église des environs. Vous aimez les vieilles églises ?

HENRI

Assez quand elles sont vides et qu'il y fait frais.

M. VERNET

Ces dames se recueillent. Moi, je monte en chaire et je prêche ce qui me vient par le Saint-Esprit.

MARGUERITE

Et tu nous fais bien rire, mon oncle.

PAULINE

C'est d'un goût !

M. VERNET

Taisez-vous donc, vous vous tordez. Et puis vous n'avez qu'à rester dehors, à la porte.

PAULINE

Dans le cimetière.

M. VERNET

C'est une habitude à prendre.

HENRI

Monsieur Vernet, vous êtes lugubre.

M. VERNET

Oh ! je ne demande pas sa mort tout de suite. Pourvu qu'elle meure avant moi !

Mme VERNET

Ne vous scandalisez pas, monsieur Henri, c'est leur façon de s'aimer.

HENRI

Des taquineries !

M. VERNET

Non, non, nous nous détestons sérieusement.

HENRI

Et la fin du programme ?

M. VERNET

Dîner à sept heures. Un petit tour sur le port. Un coup d'œil aux étoiles, s'il y en a, et dodo. Ça vous va ?

HENRI

Approuvé !

M. VERNET, *à Pauline.*

Votre avis ?

PAULINE

Je n'en ai pas.

M. VERNET

Je l'espérais bien.

HENRI

Vous oubliez, dans ce programme, mes fonctions.

M. VERNET

Oui, Marguerite, M. Henri aura la gentillesse de te donner le matin ou le soir, peu importe, des leçons de lecture.

PAULINE

Ah ! Monsieur est aussi professeur de...

M. VERNET

C'est un homme universel.

Mᵐᵉ VERNET, *à Marguerite.*

Ça te fera plaisir de prendre ces leçons ?

MARGUERITE

Je ne sais pas, ma tante.

M. VERNET

Elle en mourait d'envie.

MARGUERITE

Moi ?

M. VERNET

Et, si elle ne les prend pas, je les prendrai. *(A Henri.)* Elles ne seront point perdues.

HENRI, *à Marguerite.*

Je ne me montrerai pas terrible, mademoiselle. Je serai moins un professeur qu'un camarade de jeu. Je suis très joueur.

M. VERNET

Dans les tripots ?

HENRI

De ma vie, je n'ai touché...

MARGUERITE

Au tennis ?

HENRI

A la corde, au cerceau...

MARGUERITE

A la peste !

HENRI

Je ne connais pas.

M. VERNET, *à Pauline.*

La peste, ce doit être un jeu pour vous.

211

PAULINE

Oui, et je vous préviens que ça se communique.

MARGUERITE, *à Henri.*

N'est-ce pas : je vous donne la peste, je me sauve et vous courez après moi pour me la rendre.

HENRI

Nous jouerons à tout ce qu'il vous plaira, mademoiselle, et je parie de vous battre.

MARGUERITE, *tendant la main.*

Parions.

PAULINE

Marguerite !

HENRI

Ce n'est pas pour parier, c'est pour nous donner la main et faire connaissance.

M. VERNET, *à Pauline.*

Il vous désarme, hein ! celui-là ?

PAULINE

On voit tout de suite que Monsieur n'est pas un sot.

M. VERNET

Une tasse de thé, ma belle-sœur ?

PAULINE

Merci, j'en ai déjà pris une chez moi.

M. VERNET

Une autre ?

PAULINE

Elle m'empêcherait de dormir.

M. VERNET

Sans ça, vous l'offrirais-je ?

PAULINE

Quelle verve !

M. VERNET

Vous m'inspirez.

PAULINE, *à Henri.*

A force de fréquenter des artistes comme vous, monsieur, il finira par avoir de l'esprit.

M. VERNET

Alors, malheur à vous !

PAULINE

Mais vous vous fatiguez ce soir, monsieur Vernet ; il est temps que je vous laisse vous reposer.

(*Salutations.*)

Mme VERNET, *à Henri.*

Et moi aussi, je vous laisse, monsieur Henri ; je suis lasse d'avoir fait des malles et j'ai quelques mots à dire en particulier à ma sœur.

HENRI

Mais, madame, je me retire.

Mme VERNET

Non, non, restez avec mon mari.

M. VERNET

Encore cinq minutes, nous causerons entre hommes !... A demain, gare de l'Ouest, ma belle-sœur !... si vous voulez que je vous embrasse, approchez-vous.

PAULINE

Pour le plaisir que ça nous ferait...

M. VERNET

Aucun... N'oubliez pas votre sac à malice.

PAULINE

Comptez sur lui !

M. VERNET

J'y compte.

8

M. VERNET

Et elle l'apportera. Hein ! la vieille demoiselle ! Qu'est-ce que je vous disais ?

HENRI

Oui, un peu rêche, mais vous avez une femme si charmante !

M. VERNET

Oh ! celle-là ! et elle m'adore.

HENRI

Elle est gracieuse, fine...

M. VERNET

Je l'adore.

HENRI

Je le crois... et avec ça, ce qui ne gâte rien, très jolie, si vous permettez.

M. VERNET

Je permets : nous nous adorons.

HENRI

Vous vous adorez. Il y a longtemps ?

M. VERNET

Depuis notre nuit de noces, depuis neuf ans. Je l'ai épousée le 2 avril 1894. Elle travaillait ; une femme comme elle, ça faisait pitié ! Elle tenait une pension de jeunes filles avec sa sœur. Moi, je venais de créer ma maison de soieries. Je gagnais de l'argent. Elles étaient toutes deux à marier, avec une nièce sur les bras. J'avais le choix, j'ai choisi, je n'ai pas besoin de vous dire laquelle.

HENRI

Je le devine.

M. VERNET

Croiriez-vous que Pauline, sous prétexte qu'elle était l'aînée, m'en a voulu ? Ses petits coups de canif, c'était à cause de moi !

HENRI

Je vous félicite.

M. VERNET

Et elle m'en veut toujours, comme si j'avais pu hésiter !

HENRI

Il aurait fallu être myope.

M. VERNET

J'ai donc tiré Julie de l'ornière ; elle m'est reconnaissante, et je suis un homme heureux.

HENRI

Ça se voit.

M. VERNET

Je le dis tout haut. Et Julie, interrogez-la, dit comme moi. Il ne nous manque qu'un enfant. Je ne sais pas pourquoi.

HENRI

Vous en aurez.

M. VERNET

Après neuf ans ?

HENRI

Je connais un ménage qui, après neuf années...

M. VERNET

Oui, oui, je le connais aussi ; tout le monde nous dit la même chose. Hélas ! je désespère.

HENRI

Et Mlle Marguerite ?

M. VERNET

Ce n'est que notre nièce, et sa tante Pauline en a la moitié, ça gâte le tout. Ah! cet unique point noir nous attriste, Julie et moi. Nous avons beau nous adorer, quelquefois, surtout aux heures de tête-à-tête, nous nous embêtons un peu.

HENRI

En si bonne compagnie !

M. VERNET

Eh ! oui, parce qu'elle m'est supérieure comme culture ; si, si, j'ai mes qualités... mais, à ce point de vue, je ne la vaux pas. Je fais pourtant mon possible. Tenez : avant de la connaître, j'avais horreur du piano. A présent, qu'elle s'y mette, je m'approche derrière elle et j'écoute des heures, les yeux sur ses mains. C'est stupide !

HENRI

Non, monsieur Vernet.

M. VERNET

Non ? *(Henri prenant un petit gâteau.)* Mangez, mangez donc !.. Et là-bas, à Fleuriport, quand elle observe le ciel, elle me communique ses réflexions, moi je fais aussi les miennes, et il nous arrive, mon cher, le soir, sur notre banc, tout bourgeois que nous sommes, de parler de la lune comme d'une amie ; ça, par exemple, c'est idiot !

HENRI

Non, non, monsieur Vernet ; n'ayez pas de fausse pudeur.

M. VERNET

Oh ! je tiens ma partie comme je peux ; mais je sens que ma conversation ne suffit pas à Julie, et c'est quand je l'aime le plus que j'ai le moins de choses à lui dire. Expliquez ça.

HENRI

C'est toujours comme ça.

M. VERNET

Vous ne devez pas connaître ce désagrément ; vous ne cessez pas d'être étourdissant. Vous le serez, hein ? Je suis content que vous veniez. Vous vous mettrez en frais, dites, vous nous amuserez, vous...

HENRI

Je ferai l'enfant.

M. VERNET

Vous pourriez être le mien. Quel âge avez-vous ?

HENRI

Vingt-six.

M. VERNET

Hé ! hé !... ah ! non, tout de même ; je ne me suis pas marié jeune. Mais je veux dire que vous aurez de l'entrain, de la drôlerie. Nous ne sommes pas bégueules. On criera, on chantera, on dansera, ça ronflera ; ce n'est peut-être pas votre genre ?

HENRI

Mais si, mais si, et je me forcerai, au besoin.

M. VERNET

Je suppose que la mer ne vous donne pas des idées sombres.

HENRI

Je n'en sais rien.

M. VERNET

Comment ça ?

HENRI

Je ne l'ai jamais vue.

M. VERNET

Vous n'avez pas vu la mer ?

HENRI

Non.

M. VERNET

Vous n'avez pas vu la mer ?

HENRI

Mais non.

M. VERNET

Vous n'avez...

HENRI

Je vous le dirais, monsieur Vernet ! Ce n'est pas un secret.

M. VERNET

Un garçon comme vous !

HENRI

La mer doit être vexée.

M. VERNET

Vous m'abasourdissez.

(Il sonne.)

9

M. VERNET, HENRI, HONORINE.

M. VERNET

Madame est-elle couchée ?

HONORINE

Pas encore, Monsieur...

M. VERNET

Dites à Madame que j'ai à lui parler.

HONORINE

Pas encore, Monsieur, mais presque...

M. VERNET

Honorine, dites à Madame de venir pour une communication urgente. *(Honorine sort. A Henri.)* Elle va être stupéfaite et ravie... Il n'a pas vu la mer ! Je vous assure que c'est à voir...

10

Mᵐᵉ VERNET en peignoir de couleur tendre, HENRI, M. VERNET.

Mᵐᵉ VERNET

Qu'est-ce qu'il y a ? Honorine me fait peur.

M. VERNET

Figure-toi qu'il n'a jamais vu la mer !

HENRI

C'est pour ça que vous avez fait revenir Mᵐᵉ Vernet ?... Oh ! madame !...

Mᵐᵉ VERNET

Un homme comme vous !

M. VERNET

C'est ce que je lui disais.

Mᵐᵉ VERNET

Par suite de quelles circonstances exceptionnelles n'avez-vous jamais pu la voir ?

HENRI

Je ne me suis pas dérangé...

M. VERNET

Aujourd'hui, on va à la mer en quatre heures.

HENRI

Oh ! ce ne sont pas les quatre heures qui me manquaient. Je dois dire que j'ai aperçu le lac de Genève et il paraît que...

M. VERNET

Qu'il en donne une idée ! Le lac de Genève, cette cuvette ! mon ami... quel blasphème ! *(Solennel.)* Je me fais une joie de vous montrer ça.

Mᵐᵉ VERNET

Nous jouirons de votre surprise.

M. VERNET

Et je lui offrais ce voyage comme une petite promenade de rien du tout ; ce sera un événement !

HENRI

Ce sera le plus beau voyage de ma vie.

M. VERNET

Ce n'était de ma part qu'une gentillesse, c'est une bonne action. Quand je pense que vous auriez pu mourir sans voir la mer !...

Mme VERNET

Il l'aurait vue en imagination, c'est bien plus beau.

M. VERNET

Oui, on dit ça quand on ne peut pas se payer le voyage. Plus tard, devenu célèbre, vous direz : « C'est le vieux papa Vernet qui m'a fait voir le premier la Grande Bleue. » Pourvu qu'elle soit pleine quand nous arriverons !

(Il cherche son horaire des marées.)

Mme VERNET

Ce n'est pas pour vanter Fleuriport, mais c'est très bien, réellement. La *Juliette* se trouve ici. En face, le petit port, avec ses petits bateaux de pêche qui entrent et sortent ; à droite, le village et son calvaire avec une tête de Christ très expressive ; à gauche, notre butte, une tente, des bancs, et, au pied de cette butte, à perte de vue, avec ses magnifiques couchers de soleil, la mer !

M. VERNET

Elle sera pleine !

HENRI

Je l'aurais prise telle quelle.

M. VERNET

Je tiens à ce qu'elle nous fasse honneur.

HENRI

Pourvu qu'elle soit exacte !

M. VERNET

Il blague. Nous verrons sa figure, nous l'écouterons exprimer son enthousiasme.

Mme VERNET

La mer ne lui fera peut-être aucune impression.

M. VERNET

Nous serions alors plus poètes que lui ?

HENRI

Je commence à le croire.

M. VERNET

Ah ! si nous avions la chance de voir une belle tempête là-bas pendant votre séjour !

Mme VERNET

Pourquoi pas un beau naufrage ? *(A Henri.)* Toutes mes robes étaient emballées. Vous m'excuserez d'avoir reparu dans ce déshabillé.

HENRI

Il est délicieux, madame, et vous le portez délicieusement.

M. VERNET

Ça vaut mieux que des coups de bâton. *(A M*me *Vernet.)* A tout à l'heure, ma fille !

(Il la baise au front.)

Mme VERNET

Ma fille !

(Elle regarde Henri et sort.)

11

M. VERNET, HENRI.

M. VERNET

Allez, dites-lui des fadeurs, je ne suis pas jaloux.

HENRI

Non ?

M. VERNET

C'est peut-être le seul sentiment que je n'éprouve pas. Vous partez ?

HENRI

Il est tard.

M. VERNET

Vous avez bien le temps... Pourquoi serais-je jaloux ? Elle m'aime comme je l'aime, j'en suis sûr, et c'est une honnête femme, de ça je suis plus sûr encore.

HENRI

C'est plaisir de vous entendre parler de Mme Vernet.

M. VERNET

On n'en fait plus comme elle ni comme moi.

HENRI

Plus guère.

M. VERNET

Oh ! je ne veux pas dire qu'elle soit une honnête femme à cause de moi, parce qu'elle m'aime. Ce serait de la suffisance. Je dis qu'elle l'aurait été avec tout le monde, avec n'importe qui. Elle l'est parce qu'elle l'est et qu'elle ne peut pas ne pas l'être. Vous verrez.

HENRI

Je m'en rapporte...

M. VERNET

Elle est venue au monde avec son honnêteté comme avec son

219

nez, son joli nez un peu retroussé au milieu du visage. Elle est pure comme le jour est clair.

HENRI

Comme le diamant brille !

M. VERNET

Voilà.

HENRI

C'est évident !

M. VERNET

Évidemment.

HENRI

Mais je suppose...

M. VERNET

Quoi ?

HENRI

Rien ; bonsoir, monsieur Vernet.

M. VERNET

Qu'est-ce que vous supposez ?

HENRI

Je suppose... que vous ayez des motifs d'être jaloux.

M. VERNET

Quels motifs ! Où voulez-vous que j'en prenne puisque Julie...

HENRI

C'est entendu. Aussi je suppose, partant de plus loin, que vous n'ayez pas épousé Mme Vernet, mais sa sœur, par exemple.

M. VERNET

Pauline ? Je vous remercie du cadeau.

HENRI

Ou une autre femme, n'importe laquelle.

M. VERNET

Mettons; après ?

HENRI

Et que...

M. VERNET

Ah ! oui... Eh bien ?

HENRI

Que feriez-vous ?

M. VERNET

Je tire dessus.

HENRI

Sur la femme ?

220

M. VERNET

Sur elle, et sur lui avec l'autre cartouche.

HENRI

Ah ! ah !

M. VERNET

Je dis l'autre cartouche, car je ne me sers pas d'un joujou de revolver, mais d'un bon fusil pratique, à deux coups.

HENRI

Vous tirez bien ?

M. VERNET

J'ai tué des populations d'œufs dans les foires.

HENRI

Entre un œuf vide et un homme !...

M. VERNET

Je ne fais pas de différence. Feu des deux coups, d'abord dans votre dos...

HENRI

Mais, monsieur Vernet, il ne s'agit pas de moi.

M. VERNET

Il s'agit de vous comme des autres. Pan ! pan ! dans le dos du monsieur et de la dame.

HENRI

Diable !

M. VERNET

C'est ma méthode.

HENRI

Vous ne badinez pas avec l'amour, monsieur Vernet.

M. VERNET, *bon enfant.*

Dites donc, vous, hein ? Vous n'avez pas bientôt fini ? Si nous parlions d'autre chose ? Si nous laissions ces propos-là aux imbéciles ?

HENRI

C'était pour rire.

M. VERNET

Alors, riez tout seul, c'est un sujet qui ne me fait pas rire.

HENRI

Il termine agréablement une soirée.

M. VERNET

Il est indigne de vous et de moi.

HENRI

Pardon, monsieur Vernet. Excusez une habitude, un tour d'esprit, c'est le métier qui veut ça.

M. VERNET

C'est un sot métier. Je vous pardonne pour cette fois.

HENRI

Je n'y reviendrai plus.

M. VERNET

Ah ! quelle tête ! Que de choses doivent se passer là dans ce crâne de poète !

HENRI

Vous exagérez.

M. VERNET

Tout à l'heure c'étaient des scrupules, maintenant ce sont des inquiétudes, des imaginations biscornues. Sommes-nous libres d'agir comme il nous plaît !

HENRI

Qui pourrait nous empêcher ?

M. VERNET

Liberté, *Libertas* ?

HENRI

Oh ! parfaitement.

M. VERNET

Je voudrais bien savoir ce que ça peut me faire, les autres ?

HENRI

Et à moi.

M. VERNET

Notre amitié ne regarde que nous. Je vous tends ma main, vous y mettez la vôtre. Je vous ouvre ma porte et vous dis : « Entrez ! » Je vous présente à ce que j'ai de plus cher au monde, ma femme. Elle et moi, nous vous accueillons comme un jeune frère. Ce frère est-il un faux frère, un vilain monsieur ? Êtes-vous un misérable ?

HENRI

Moi ?

M. VERNET

Vous... pas moi, moi je me connais.

HENRI

Moi aussi...

M. VERNET

Répondez.

HENRI

Monsieur Vernet, vous me demandez ça d'un air...

M. VERNET

Henri, êtes-vous **un misérable** ?

222

HENRI

Je ne sais pas, je ne crois pas.

M. VERNET

Oui ou non ?

HENRI, *noblement*.

Non.

M. VERNET

Non !... Vous avez bien dit ça... très bien.

(Il rit, la main offerte.)

A demain !

RIDEAU

ACTE DEUXIÈME

1

_____

CRUZ, Mme CRUZ.

Mme CRUZ

Tu vas pêcher cette nuit, Valentin ?

CRUZ

Oui, et M. Henri veut venir avec nous.

Mme CRUZ

Et ce n'est pas toi, gros goulu, qui ne voudras pas ?

CRUZ, *riant toujours.*

Non, M. Henri mettra, comme ils font tous, des tas de provisions dans le bateau, il aura le mal de mer, il ne leur fera pas grand tort, et mes matelots et moi nous serons obligés de nous dévouer et de vider les paniers.

Mme CRUZ

Tu n'as pas honte ?

CRUZ

Faudrait-il jeter ces bonnes choses-là aux poissons ? Ils s'en feraient éclater la vessie.

Mme CRUZ

Je dirai à M. Henri de ne pas emporter de bouteilles, vous ne reviendriez plus.

225

8

CRUZ

Je suis raisonnable sur la mer.

Mme CRUZ

Parce que tu la crains ; mais, une fois débarqué, tu dis plus de bêtises qu'un mousse, et, hier soir, tu parlais à M. Henri comme si c'était ton camarade.

CRUZ

Il n'est pas fier avec moi, je ne suis pas fier avec lui.

Mme CRUZ

Tu n'es qu'un pauvre pêcheur de congres, M. Henri est un monsieur.

CRUZ

C'est un gentil garçon : il me plaît !

Mme CRUZ

Voyez-vous ça !

CRUZ

Surtout quand il chante ses poésies... Et il plaît à tout le monde, à M. Vernet, à Mlle Marguerite, à...

Mme CRUZ

Et à moi aussi... Finaud, va !

CRUZ

Il y a un mois qu'il est à Fleuriport et ils sont tous pincés.

Mme CRUZ

Veux-tu te taire, Cruz !

CRUZ

Il les a...

Mme CRUZ

Veux-tu te mêler de ce qui te regarde !

CRUZ

Est-ce que je dis du mal ?

Mme CRUZ

Tu finiras par en dire, et, si on s'aperçoit que tu as la langue trop longue, nous perdrons la garde de cette maison. Ne t'occupe que de compter l'argent que ça nous rapporte.

CRUZ

C'est toi qui le touches !

Mme CRUZ

C'est moi qui l'économise. Si je ne te surveillais pas, nous ne mangerions que des arêtes de poisson.

CRUZ

Tu me fais déjà boire de l'eau.

Mme CRUZ

Parce que je ne veux pas qu'un soir tu t'embarques ivre mort, comme Raymond qui n'est jamais revenu.

CRUZ

Tu tiens tant à moi ?

Mme CRUZ

Je tiens à ta pêche quand elle est bonne.

CRUZ

Tu m'aimes ?

Mme CRUZ

Oui, roule tes yeux blancs.

CRUZ

Ma Marie !

Mme CRUZ

Ma Marie ! Donne-moi vingt sous pour aller à l'auberge.

CRUZ

Non. Je veux que tu m'embrasses, que tu frottes ton nez contre ma figure ; ça porte bonheur, ça fait venir le poisson.

Mme CRUZ

Valentin, si tu approches, je te flanque une calotte.

(Cruz veut l'embrasser. Mme Cruz le repousse mollement. M. Vernet surgit en haut de l'escalier.)

2

LES MÊMES, M. VERNET, puis Mme VERNET, HENRI, PAULINE et MARGUERITE.

M. VERNET

Oh ! les hommes seuls, les dames n'entrent pas. Déjà fini !

Mme CRUZ, *à Cruz.*

Grand serin !... *(A M. Vernet.)* Nous faisions, pendant votre promenade, un bout de toilette à la terrasse.

M. VERNET

C'est ce que je viens de voir, madame Cruz.

Mme CRUZ

J'arrosais et Cruz taillait.

M. VERNET

Et il vous prenait la taille.

Mme VERNET

Tu fais rougir Mme Cruz.

M. VERNET

Pour cacher votre honte, madame Cruz, allez nous chercher une carafe de votre nouveau cidre. Est-il bon ?

CRUZ

Il n'y a pas meilleur.

Mme CRUZ

Une lettre, monsieur Vernet, qu'on m'a remise pour vous.

(Elle sort.)

M. VERNET

C'est M. le maire de Fleuriport, conseiller d'arrondissement, délégué cantonal et chevalier du mérite agricole, qui nous remercie de notre générosité. Il prie M. et Mme Vernet et sa famille, et surtout M. le poète Henri Gérard...

HENRI

Comment, surtout ?

M. VERNET

Il y a « surtout » entre les lignes.

(Il passe la lettre à Henri.)

HENRI

... de bien vouloir venir passer la soirée chez lui le dimanche des régates...

M. VERNET

Nous acceptons.

HENRI

Oh ! non !

M. VERNET

Si.

HENRI

Vous avez déjà promis une soirée au curé.

M. VERNET

Nous irons. Et nous irons ensuite chez le notaire, puis chez Mme la directrice des postes et télégraphes. Nous ferons la tournée complète ; ce ne serait pas la peine d'avoir un poète ! C'est vrai, ces gars-là ne nous regardaient même pas l'an dernier. Ils nous saluent jusqu'à terre parce que nous avons avec nous un poète de Paris.

HENRI

Je suis votre curiosité !

Mme VERNET

Notre gloire ! Résignez-vous.

M. VERNET

Nous allons les éblouir : nous leur réciterons des vers de ce poète dont vous avez toujours un exemplaire dans votre poche.

HENRI

Verlaine ?

M. VERNET

Non, dans l'autre poche.

HENRI

Baudelaire ?

M. VERNET

Oui, ça les ébahira.

PAULINE

Vous voyez que ça peut servir, un poète !

HENRI

A Fleuriport.

(Il veut la débarrasser.)

PAULINE

Ne faites pas de frais pour moi.

HENRI

Ça ne me coûtait rien.

MARGUERITE, *à Henri.*

Tenez !

(Elle lui donne sa pêchette.)

HENRI

Merci. Vous êtes gentille, vous, avec cette cerise que vous gardez toujours aux lèvres.
Votre bouche.

MARGUERITE

Quel type !... Vous ne pouvez pas parler comme tout le monde !

HENRI

C'est plus fort que moi.

Mme VERNET

Marguerite ! C'était un compliment.

PAULINE, *assise et faisant du crochet.*

Une perle de plus, mais Marguerite ne sait pas apprécier comme toi, ma sœur, les jolies choses.

MARGUERITE

Ah ! ma tante, il me tire les cheveux.

HENRI

Pour voir si votre natte tient.

MARGUERITE

C'est solide ?

HENRI

Comme une amarre !... Celui que vous attacherez avec cette chevelure !...

MARGUERITE

J'ai de quoi le faire valser.

M. VERNET, *regarde Henri et Marguerite.*

Ça va ! Ça va !... *(A Henri.)* Et ce coup de bouton de ce matin ?

HENRI

Je ne sens rien.

M. VERNET

Vous n'êtes plus de force.

HENRI

Ah ! si vous me cassez vos fleurets sur la gorge !

M. VERNET

Il y a une marque.

MARGUERITE

Où ça ?

Mme VERNET

Une marque bleue.

PAULINE

Bleue ou verte ?

M. VERNET, *offre une longue-vue à Pauline.*

Avec ça vous distinguerez peut-être. Vous riez, Cruz ?

CRUZ

Toujours, monsieur Vernet ; il n'y a pas plus gai que moi quand je suis à terre.

M. VERNET, *à Henri.*

Et c'est à ce grand gosse que vous confierez votre vie ce soir ?

HENRI

J'y suis résolu. Je veux le voir pêcher sur place.

M. VERNET

J'ai vu ça l'année dernière. On ne m'y rattrapera plus. Imaginez leur bateau à l'ancre, démâté, plat comme la main et seul dans la nuit sur la mer déserte : c'est sinistre.

HENRI

Ce doit être beau.

Mme VERNET

Très beau, paraît-il ?

HENRI

Venez avec nous, madame.

Mme VERNET

Je voudrais bien ; il ne veut pas.

MARGUERITE

Et moi, mon oncle, moi !

M. VERNET

Pauvres petites ! Elles prennent un bateau de pêcheurs de congres pour un hôtel suisse. Emmenez Pauline.

PAULINE

Pour me noyer !

M. VERNET

Et ramenez-la si vous voulez... ça m'est égal. Je suis un homme, et j'ai été malade comme une pompe.

PAULINE

Bien fait.

M. VERNET

J'ai restitué en une fois tout ce que j'avais pris depuis ma naissance.

HENRI

Je restituerai.

M. VERNET

Cruz se tord !

HENRI

Vous pensez à mon costume, Cruz ?

CRUZ

Ne vous inquiétez pas, monsieur Henri, mon numéro 1 vous ira comme une peau d'anguille.

M. VERNET

Et dès que le mal de mer vous lâche, la frousse vous prend. Cette solitude noire !

CRUZ

On ne risque pas plus que dans son lit.

M. VERNET

Et les grands vapeurs, Cruz ?

CRUZ

Ah ! par les temps de brume, ça ne connaît rien, une vapeur.

M. VERNET, *à Henri.*

Une vapeur !

CRUZ

Si on lui barre la route, elle vous coupe en deux, net.

M. VERNET

Il y tient ! *(A Henri.)* Ne le ratez pas non plus dans vos études de mœurs, celui-là !

CRUZ

Et elle ne se retourne même pas.

M. VERNET, *à Henri.*

Il vous encourage !

MARGUERITE, *bondissant.*

Oh ! combien de marins, combien de capitaines
Qui sont partis joyeux pour des courses...

(Elle s'arrête, effrayée.)

Mme VERNET

Eh bien !

(Mme Cruz, qui apporte le cidre, attend sur l'escalier.)

HENRI

Continuez, mademoiselle.

M. VERNET

Vas-y... Elle a peur.

MARGUERITE

J'ai toujours peur, quand ça rime.

HENRI

Je vous aiderai, mademoiselle.

MARGUERITE

... pour des courses lointaines.

HENRI

Reprenez.

MARGUERITE

Depuis le commencement ?

HENRI

C'est là, tout près.

MARGUERITE

Ah ! combien...

HENRI

Oh !... Oh ! combien...

MARGUERITE

Oui. Oh ! combien... Ah ! c'est plus difficile que de prendre un bain. *(Soutenue par Henri, qui bat la mesure, elle se jette dans la strophe et finit par en sortir.)*
Oh ! combien de marins, combien de capitaines,
Qui sont partis joyeux pour des courses lointaines,
Dans ce morne horizon...

HENRI

Montrez-le.

MARGUERITE

Voilà !
... se sont évanouis !
Combien ont disparu, dure et triste fortune !...

HENRI

Doucement !

MARGUERITE

Dans une mer sans fond, par une nuit sans lune...

HENRI

Largement.

MARGUERITE

Sous l'aveugle océan...

PAULINE

Inutile de fermer les yeux, à cause d'aveugle !

MARGUERITE, *démontée.*

... A jamais enfouis !

Mme VERNET

Après ?

MARGUERITE, *boudeuse.*

Je ne sais que ça.

M. VERNET

Sa tante lui a coupé le sifflet. Bravo ! Marguerite ! tu diras le reste une autre fois. *(A Henri.)* C'est de vous ?

HENRI

Non.

M. VERNET

Il ne veut jamais que ce soit de lui.

HENRI

Ah ! non, pas ça ; c'est de Victor Hugo.

M. VERNET

Je me rappelle.

HENRI

N'est-ce pas qu'elle fait des progrès ?

M. VERNET

Énormes. Elle avance comme une vapeur, grâce à vous. *(A Mme Vernet.)* Ça marche, ça marche.

Mme VERNET

Tu te trompes peut-être.

CRUZ

Le plus drôle, c'est que j'en ai ramené un, au bout de ma ligne.

M. VERNET

Un quoi ?

PAULINE

Un capitaine ?

CRUZ

Non, mademoiselle, un mort ; mon hameçon l'avait accroché là, derrière l'oreille.

PAULINE

Belle pêche !

Mme VERNET

Une autre histoire, Cruz !

CRUZ

Oui, madame Vernet. Moi, je mourrai à quarante ans.

M. VERNET

C'est une tireuse de cartes qui vous l'a prédit ?

CRUZ

Non, c'est moi.

Mme VERNET

Et vous en êtes sûr ?

CRUZ

Aussi sûr que de revenir sain et sauf demain matin. M. Henri n'a rien à craindre pour cette nuit. Oh ! cette nuit, n'importe quelle tempête ne m'aurait pas, mais à quarante ans sonnés, j'y resterai, là, dans le raz, comme les autres.

HENRI

Quel âge avez-vous ?

CRUZ

Trente-huit.

M. VERNET

Ainsi, dans deux ans...

CRUZ

Oh ! jour pour jour !...

M. VERNET. *Il lui offre un verre de cidre.*

A votre santé, Cruz... pour deux ans !

CRUZ, *impressionné.*

A la vôtre, messieurs dames !

(Il trinque avec tous.)

M. VERNET

Je lui ai fait froid dans le dos.

HENRI

Mais puisque vous êtes fixé, Cruz, vous n'aurez, l'heure approchant, qu'à ne plus aller à la mer.

CRUZ

J'irai tout de même. On a beau le savoir, on croit que ce n'est pas vrai.

Mme VERNET

Pauvres gens !

M. VERNET

Braves gens !

HENRI

C'est admirable !

Mme VERNET

Sublime !

234

M. VERNET

Oui, Cruz, vous êtes sublime !

CRUZ

Oui, monsieur Vernet.

Mme VERNET

Quel contraste entre le marin et le paysan !

HENRI

Le paysan ne voit pas plus loin que les cornes des bœufs de sa charrue. Ce que voit le marin, c'est l'infini.

CRUZ

Oué, oué.

Mme VERNET

D'un côté les odeurs de la ferme, de l'autre l'air salubre de la mer.

CRUZ

Oué, oué. *(A Mme Cruz qui le tire par son tricot.)* Laisse-moi, Marie, on me parle !

Mme VERNET

Le paysan fait sans risque sa besogne vulgaire.

HENRI

Le marin est un héros de chaque jour.

Mme VERNET

Croyez-vous qu'il le comprenne ?

PAULINE

Pardi !

HENRI

Ce n'est pas douteux. Dites, Cruz ?

CRUZ

Oué, oué.

HENRI

N'est-ce pas que vous sentez toute la noblesse de votre vie ?

CRUZ

Oué, oué. Mais, des fois, dans le bateau, ça ne sent pas la rose.

HENRI

Il confond.

PAULINE

Encore un qui n'apprécie pas.

(Mme Vernet et Henri tournent le dos à Cruz et regardent la mer.)

Mme VERNET

Qu'elle est belle !

HENRI

Et lumineuse, sous ce soleil répandu à profusion.

M. VERNET

Et calme, à croire qu'on marcherait dessus en vernis. Il ne faudrait pas s'y fier.

Mme VERNET

Je la préfère pourtant à marée haute. Elle est trop loin.

M. VERNET

Elle va revenir.

PAULINE

Comme c'est son devoir, là, à nos pieds.

M. VERNET

Ça, ce n'est pas du Victor Hugo, c'est du Pauline.

HENRI

Vous ne la regardez même pas, mademoiselle ; vous ne lui dites rien.

PAULINE

Une banalité de plus ou de moins !

M. VERNET

Mais vous en plus, ma belle-sœur, ça fait une bien insupportable différence avec vous en moins.

PAULINE

Ça, c'est du Vernet.

Mme VERNET

Oh ! Pauline, Victor ! devant cette pacifique nature !

M. VERNET

Je ne fais pas d'excuses. Elle me met hors de moi quand elle dénigre la mer.

HENRI, *murmure.*

« Homme libre, toujours tu chériras la mer... »

Mme VERNET

C'est ça, monsieur Henri, dites-nous des vers.

M. VERNET

Oui, changez la conversation. *(A Pauline.)* Silence, là-bas !

HENRI

« La mer est ton miroir... »

M. VERNET, *à Honorine qui interrompt.*

Quoi encore ? Il n'y a pas moyen d'écouter quatre vers en paix. Arrêtez, poète !... Qu'est-ce qu'il y a ?

HONORINE

Rien, monsieur, une mendiante.

Mme VERNET, *à M. Vernet.*

Donne-lui !

M. VERNET

Où diable ai-je mis mon porte-monnaie ?

HENRI

Oh ! j'ai oublié de vous le rendre, après avoir réglé le goûter chez la fermière.

M. VERNET

Il était aussi bien dans votre poche que dans la mienne. *(A Honorine.)* Jetez-lui ça.

Mme VERNET, *à M. Vernet.*

Donne un peu plus.

HONORINE

Elle est déjà venue hier.

M. VERNET

Hier ! Est-ce que vous ne mangez qu'un jour sur deux, vous, Honorine ? Jetez tout de suite. Nous ne sommes pas à Paris, ma vieille. Elle appelle ça rien, un pauvre !

HENRI

C'est la meilleure raison qu'ait le riche de se croire heureux.

M. VERNET

Comment ?

Mme VERNET

M. Henri veut dire...

M. VERNET

Oui, oui... à Paris, on ne sait jamais ; ici, quand on donne un sou, on peut être certain que ce n'est pas à Rothschild... Hep, hep ! la mendiante, une minute !... *(M. Vernet met cent sous dans son chapeau et fait la quête. A Mme Vernet très généreuse.)* Oh ! toi, tu mourras sur la paille.

CRUZ

Mâtin.

> *(Il disparaît, par peur de la quête, avec Mme Cruz.)*

M. VERNET

Ne plaisante pas, Marguerite. Ce que tu voudras, je te le rendrai. C'est pour l'honneur. *(A Pauline.)* S'il vous plaît ?

PAULINE

Je n'ai pas de monnaie.

M. VERNET

Je mets un franc pour vous.

PAULINE

Quelle confiance !

M. VERNET

Je n'en ai que pour vingt sous. *(Il tend le chapeau à Henri et le retire.)* Oh ! non, vous avez payé votre écot en déclamant.

HENRI. *Il donne.*

J'y tiens.

M. VERNET

Cœur d'or ! *(A Honorine.)* Portez-lui ça, à cette malheureuse, et ne rapportez que mon chapeau, et si c'était un homme, je lui dirais de garder le chapeau avec.

HENRI

Bien, monsieur Vernet !

M. VERNET

Ça ne nous arrive pas si souvent.

HENRI

Ne vous calomniez pas.

M. VERNET

Vrai, je ne me suis jamais senti comme ça.

Mme VERNET

C'est la poésie qui adoucit les mœurs, comme la musique.

HENRI

C'est la musique de la poésie.

PAULINE

C'est le cidre !

M. VERNET

Non, c'est le vinaigre !... Mais je vous laisse le dernier mot, ma belle-sœur, je suis tout à la concorde... Oui, mon cher Henri, impressionnables, généreux, compatissants et poétiques... poétiques... voilà ce que vous avez fait de nous. *(M. Vernet, ému, serre la main d'Henri. Silence. A Pauline.)* Qu'est-ce que vous avez à hausser les épaules ?

PAULINE

J'ai un moustique dans le cou.

M. VERNET

Je le plains.

VOIX DE CRUZ

Monsieur Vernet ! Monsieur Vernet ! un transatlantique.

M. VERNET

Où ça ?

VOIX DE CRUZ

Venez sur la jetée.

M. VERNET, *toujours affolé par le passage des transatlantiques.*

Vite, Marguerite, va me chercher ma casquette d'amiral.

(Marguerite court.)

PAULINE

Sa casquette d'amiral !

M. VERNET, *à Henri.*

Ce qui me navre, c'est que vous nous lâcherez plus tard, quand vous serez un grand homme, un ministre.

HENRI

Ministre, moi, un poète, quel rapport ?

Mme VERNET

Ministre des Beaux-Arts.

HENRI

Oh ! alors, madame, j'accepte.

M. VERNET

Vous voyez bien. Mais j'ai une idée pour vous retenir. N'est-ce pas, Julie, que nous avons une idée ?

Mme VERNET

Si vague !

(Marguerite revient avec la casquette d'amiral.)

M. VERNET

A tout à l'heure !

(Il descend vers la jetée.)

Mme VERNET, *à Marguerite.*

Comme tu as chaud ! ma fille, il faudrait te changer.

MARGUERITE

Oui, ma tante : après que j'aurai vu le transatlantique, j'irai me débarbouiller la figure.

Mme VERNET

Le soleil te crible de taches rousses. *(A Henri.)* Elle a la peau si fine !

HENRI

Et si blanche !

MARGUERITE

Mais c'est bien salissant !

(Elle se sauve.)

PAULINE

Tu ne trouves pas, Julie, que j'ai trop chaud, comme Marguerite?

Mme VERNET

Non.

PAULINE

Si, je suis en nage, mal à l'aise. Je monte dans ma chambre.

Mme VERNET

Monte.

PAULINE, *bas à Henri.*

Dites encore que je ne suis pas gentille !

Mme VERNET, HENRI.

HENRI

> On dirait, madame Vernet, que vous avez choisi vous-même mademoiselle votre sœur, pour vous faire valoir.

Mme VERNET, *qui regardait la mer, se retourne.*

> Ne devenez pas méchant, vous dont la présence ici nous a métamorphosés. Mon mari n'exagère pas, je ne l'ai jamais vu comme ça.

HENRI

> M. Vernet avait, hier, l'amabilité de me dire que vous-même...

Mme VERNET

> Je suis enchantée.

HENRI

> Ça me fait plaisir.

Mme VERNET

> Et Marguerite ! est-elle gaie, depuis que vous êtes son professeur?

HENRI

> Son camarade.

Mme VERNET

> Et Pauline ?... Elle devient expansive.

HENRI

> Elle ne dit plus de choses désagréables.

Mme VERNET

> Honorine, qui se défiait de vous comme d'une personne étrangère, vous laisserait seul dans sa cuisine.

HENRI

> Comme un soldat : je n'ai plus rien à désirer.

Mme VERNET

> Nous vous devons tous de la reconnaissance.

HENRI

> Et je vous en dois à tous, car je change aussi, à mon avantage... La cordialité de M. Vernet, les jeunes éclats de Mlle Marguerite, l'honneur que me fait Mlle Pauline de me réserver ses pointes les plus piquantes, la considération d'Honorine me renouvellent, me...

Mme VERNET

> Vous m'oubliez.

HENRI

> Sans vous, les autres ne compteraient guère.

Mme VERNET

Je méritais quelque chose, pas tant.

HENRI

C'est donné, je ne reprends plus : n'êtes-vous pas la seule qui soit indispensable à tous ? d'un dévouement aux vôtres...

Mme VERNET

Je fais ce que je dois.

HENRI

Et d'une prévenance pour moi à qui vous ne devez rien...

Mme VERNET

Je fais ce que je peux... Puisque ce village de marins vous a séduit...

HENRI

Les amis que j'ai dans ce village.

Mme VERNET

Vous y reviendrez...

HENRI

J'en doute.

Mme VERNET

Pourquoi ?

HENRI

Parce que ces bonnes journées-là ne se recommencent pas.

Mme VERNET

Quoi de plus facile que de revenir ensemble l'année prochaine... surtout grâce à l'idée de mon mari, si elle ne vous effraie pas ?... *(A M. Vernet.)* Tu reviens déjà ?

4

M. VERNET, Mme VERNET, HENRI.

M. VERNET

Oui. Il est à l'horizon, au diable, son transatlantique ! J'ai donné l'ordre à Cruz de me prévenir dès que nous pourrions l'approcher dans sa barque. Dites-moi, mes amis, puisque nous sommes là, tous trois, hein, Julie ! si nous lui en faisions part, de notre idée ?

Mme VERNET

C'est un peu tôt.

M. VERNET

Nous serons fixés plus vite.

HENRI

Vous m'intriguez.

M. VERNET

Je ne veux pas vous faire languir.

Mᵐᵉ VERNET

Pourvu qu'il ne rie pas !

M. VERNET

C'est un homme du monde ; s'il a envie de rire, il se retiendra.

HENRI

J'ai surtout envie de savoir. Dites, monsieur Vernet ?

Mᵐᵉ VERNET

J'ai peur d'être de trop ; si j'allais faire un tour ?

M. VERNET

Ton devoir, Julie, quand il se passe quelque chose de grave, c'est d'être à mes côtés. Henri, que pensez-vous de notre nièce ?

(Tous trois se sont assis.)

HENRI

De Mˡˡᵉ Marguerite ?

Mᵐᵉ VERNET

Il a souri.

M. VERNET

Il n'a pas souri.

HENRI

Non, madame.

M. VERNET

Je répète ma question : Henri, que pensez-vous de Marguerite ?

HENRI

Monsieur Vernet, je n'ai aucune peine à répondre que je trouve Mˡˡᵉ Marguerite charmante.

Mᵐᵉ VERNET

Comme petite fille.

HENRI

Comme jeune fille.

Mᵐᵉ VERNET

Pour faire une femme ?

HENRI

Et même, au besoin, une femme mariée.

M. VERNET, *à Mᵐᵉ Vernet.*

Ah !

HENRI

Elle va se marier ?

Mᵐᵉ VERNET, *à M. Vernet.*

Ah ! tu vois.

M. VERNET

Qu'est-ce que je vois ?

HENRI

Avec qui ?

M. VERNET

Avec...

Mᵐᵉ VERNET

Non, non...

M. VERNET

Avec vous, si vous voulez.

Mᵐᵉ VERNET

Oh !

M. VERNET

Il ne tombe pas à la renverse.

Mᵐᵉ VERNET

Je reconnais qu'il ne rit pas.

M. VERNET

Il ne manquerait plus que ça.

Mᵐᵉ VERNET

Oui, monsieur Henri, imaginez que Victor croit que vous feriez avec Marguerite un couple des mieux assortis. Quand il m'a communiqué son idée, j'ai dit tout de suite : Hélas ! Marguerite n'est pas la femme qu'il lui faut.

M. VERNET

Mais lui ne le dit pas. Il ne dit rien.

HENRI

C'est que je ne suis pas sûr d'avoir bien entendu.

Mᵐᵉ VERNET

Jamais M. Henri n'a songé à Marguerite.

M. VERNET

J'ai pourtant remarqué des choses !

Mᵐᵉ VERNET

M. Henri jouait avec Marguerite, il n'y faisait pas attention ; elle est si jeune !

M. VERNET

Je ne dis pas qu'il faille les marier ce soir.

Mᵐᵉ VERNET

Ce mariage, qui serait sans doute notre rêve, ne peut pas être son idéal.

M. VERNET

Idéal ! Idéal !... Je ne prétends pas qu'Henri soit déjà fou de Marguerite ; ça viendra. Pour le moment, il suffit qu'elle ne lui déplaise pas.

Mme VERNET

Les qualités d'une femme comme Marguerite — et certes, elle en aura de sérieuses plus tard, quand elle sera femme — conviennent-elles à un homme comme M. Henri ? réfléchis donc : M. Henri est un poète.

M. VERNET

Je le sais aussi bien que toi.

Mme VERNET

Et à un poète il faut une femme d'élite, qui le comprenne, qui partage ses goûts, ses aspirations, qui l'aide au besoin dans ses travaux...

M. VERNET

Tu permets ?

Mme VERNET

Et notre pauvre chère Marguerite...

M. VERNET

Attends...

HENRI

Madame ?

M. VERNET

C'est ça, dirigez-nous.

Mme VERNET, *riant.*

Oui, présidez.

HENRI

Parlez donc, monsieur Vernet.

M. VERNET

Mon amie, je pense juste le contraire. Ce qu'il faut à Henri...

HENRI

Je ne céderais ma place à personne.

Mme VERNET

A votre tour, n'interrompez pas.

M. VERNET

Ce qu'il faut à ce poète, c'est une bonne petite femme d'intérieur, qui s'occupe sur la terre, tandis qu'il sera dans les nuages, et qui lui fiche la paix jusqu'à ce qu'il redescende. Voilà mon avis.

Mme VERNET

Ce n'est pas le sien.

HENRI

Vous croyez, madame ?

Mme VERNET

Il me semble.

M. VERNET, *à Henri.*

Vous êtes juge, jugez.

HENRI

Madame, vous m'autorisez à répondre ?

Mme VERNET

Je vous en prie.

HENRI

A la vérité, il faudrait avoir deux femmes. L'une soignerait le poète en bas, l'autre l'accompagnerait sur les hauteurs. Il vivrait avec l'une, il rêverait avec l'autre.

Mme VERNET

Vous ne répondez pas.

M. VERNET

Deux femmes à la fois, ce n'est pas pratique.

HENRI

Je le déplore...

M. VERNET

Il vous faut en sacrifier une et je sais laquelle, moi, par expérience.

Mme VERNET

Qu'est-ce que tu dis ? Quelle expérience ?

M. VERNET

Celle que j'ai faite.

HENRI

Lui ?... Vous, monsieur Vernet ?

M. VERNET

Moi-même, et avec toi, ma Julie, car, sans être un artiste comme Henri, tu es, par tes manières, ton langage, tout ce que tu as dans ta cervelle, bien au-dessus d'un monsieur Vernet.

Mme VERNET

Oh ! mon ami !...

HENRI

Silence, madame ! Il ne vous insulte pas.

M. VERNET

Et c'est précisément à cause de cette supériorité que je t'aime.

Mme VERNET

Victor, tu me gênes !

M. VERNET

Tu ne me gênes pas. Plus elle éclate, plus je me redresse, et, comme tu ne me fais point trop sentir ce qui nous sépare, nous sommes l'un par l'autre, moi par orgueil de propriétaire, toi par modestie, aussi heureux l'un que l'autre.

HENRI

Bravo ! monsieur Vernet.

M. VERNET

Si je barbote un peu, vous me comprenez, c'est l'essentiel.

Mme VERNET

Tu es le meilleur des hommes. *(A Henri.)* Est-il bon ?

HENRI

Extraordinaire !

Mme VERNET

Et tu t'exprimes à ravir, mais il ne s'agit pas de nous, il s'agit...

M. VERNET

Oui, c'est le contraire, mais c'est la même chose. Ce n'est toujours qu'une question d'équilibre. Qu'il épouse, lui, l'homme supérieur, Marguerite, la femme inférieure, il fonde un ménage sur le modèle du nôtre, les rôles étant intervertis d'ailleurs, puisque, chez nous, c'est toi qui es supérieure...

Mme VERNET

Passe !

M. VERNET

Et que chez eux, ce serait lui...

HENRI

Passez, monsieur Vernet !

M. VERNET

Et voici, grâce à mon initiative, un paradis de plus sur la terre.

Mme VERNET

Quel homme ! Tu arranges ça.

M. VERNET

Comme un mariage. J'ai réussi tout seul le nôtre, ça me donne le droit de m'occuper du leur. *(Il se lève.)* Un dernier mot, mon cher Henri, Julie et moi nous n'avons, vous le savez, pas d'autre héritière que Marguerite.

Mme VERNET

Tu fais à M. Henri l'injure de croire que des gros sous...

M. VERNET

Je connais sa délicatesse. Je sais, d'après lui, que pour les vrais poètes l'argent n'est qu'un détail, et je suis capable, comme lui, quand il le faut, de mépriser l'argent et peut-être avec plus de mérite, parce que j'en ai, moi, de l'argent. Mais poète sous les toits, Henri le sera tout autant, je suppose, à un étage plus confortable, et ça ne l'humiliera pas d'avoir quelques marches de moins à monter.

Mme VERNET, *à Henri.*

Il a beau faire, vous restez froid.

M. VERNET

Il a du tact ; il s'échauffera.

Mᵐᵉ VERNET

Mais tu lui jettes notre fille à la tête !

M. VERNET

D'abord, ce n'est pas notre fille, ce n'est que notre nièce. *(A Henri.)* Pourquoi riez-vous ? Je ne peux pourtant pas vous offrir Pauline. Et Marguerite serait notre fille, je vous l'offrirais d'aussi bon cœur, elle et les quelques mille francs de rentes que je lui servirai.

Mᵐᵉ VERNET

Tu le désobliges.

M. VERNET

C'est vrai ?... Je n'ai pas dit le chiffre exact, j'ai dit quelques mille francs.

HENRI

Je trouve ça très joli.

M. VERNET, *à Henri.*

Tu es choqué, toi ?

Mᵐᵉ VERNET

Tu es... !

HENRI

Je suis confus.

Mᵐᵉ VERNET

Moi aussi.

M. VERNET

Ma chère femme, tu m'étonnes ! mon idée était la tienne. Ça ne te va plus. Pourquoi ? *(Mᵐᵉ Vernet s'éloigne.)* Oh ! Julie, tu es fâchée ?

Mᵐᵉ VERNET

Non, mais regarde M. Henri.

M. VERNET

Tu ne le connais donc pas encore ? Si on ne lui offre jamais Marguerite, il ne la demandera jamais.

HENRI

Mes amis, mes chers amis, je ne me pardonnerais pas votre première querelle. Je ne sais si je me marierai un jour, et j'ignore s'il me faut une femme supérieure, inférieure ou égale, riche ou pauvre, blonde ou brune. Mais j'affirme que, quelle qu'elle soit, je n'en veux pas, je déclare que je la répudie d'avance, si mon mariage avec elle doit être la cause de votre divorce.

M. VERNET, *à Mᵐᵉ Vernet.*

Il ne t'attendrit pas ? C'est mon homme, à moi.

(Bruit de sirène.)

5

LES MÊMES, MARGUERITE.

MARGUERITE

Mon oncle, voilà le transatlantique.

M. VERNET

Oui, ma chérie.

MARGUERITE

Il y a un torpilleur derrière qui lui donne la chasse. C'est une manœuvre.

M. VERNET

Je ne veux pas la manquer.

MARGUERITE, *à Henri.*

Ça ne vous dit rien, monsieur Henri ?

Mme VERNET

Non, ma chérie.

M. VERNET

Je conclus. Entre la dame chimérique, introuvable, que tu lui proposes et notre Marguerite bien réelle, bien dotée et bien femme que je lui recommande, qu'il choisisse !

6

Mme VERNET, HENRI.

Mme VERNET

Et il vous tutoie ! Vous lui avez tourné la tête.

HENRI

Mais non, c'est le bon sens même. Avec lui, la vie va toute seule. Il traite les affaires de cœur comme les autres ; on ne perd pas son temps à des hypocrisies ; me voilà, si vous le permettez, de votre famille.

Mme VERNET

Faites-nous l'honneur d'y entrer.

HENRI

C'est pour moi que seraient l'honneur et le profit. Mais, sans reproche, votre attitude...

Mme VERNET

Et la vôtre ?

HENRI

C'était la surprise.

Mme VERNET

C'était la réserve. Mon mari allait d'un train ! Je le retenais pour la forme, et si Marguerite vous plaît ?

HENRI

Oh ! moi, vous savez, les petites filles !

Mme VERNET

Qu'est-ce que vous avez contre les petites filles ?

HENRI

Je parle en général.

Mme VERNET

Vous trouvez Marguerite ordinaire, vos visées sont plus hautes ? Ça ne me regarde pas ?

HENRI

Hélas !

Mme VERNET

Quoi ? Hélas ! Toujours ce front qui travaille.

HENRI

Oui... Il s'est empli de petites questions... que je voudrais vous poser.

Mme VERNET

Je tâcherai de répondre.

HENRI

Oh ! par oui ou par non, sans fatigue.

Mme VERNET

Je m'assieds.

HENRI

Dites-moi, madame Vernet ?

Mme VERNET

Monsieur Henri ?

HENRI

Vous êtes heureuse ?

Mme VERNET

Oui.

HENRI

Avec M. Vernet ?

Mme VERNET

Avec mon mari.

HENRI

Et ne le seriez-vous pas, que ce serait la même chose, parce que vous n'admettez le bonheur que dans le mariage seulement.

Mme VERNET

Je suis mariée.

HENRI

Vous croyez à la morale.

Mme VERNET

J'ai été assez bien élevée.

HENRI

Vous êtes une femme vertueuse.

Mme VERNET

Je n'en rougis pas.

HENRI

De sorte que vous ne seriez point de celles qui, sous le simple prétexte qu'elles ne sont plus heureuses avec un homme, essaient tout de suite de l'être avec un autre ?

Mme VERNET

Décidément, vous me comblez.

HENRI

Je précise : êtes-vous une femme fidèle à son devoir... ou à son mari ?

Mme VERNET

Aux deux.

HENRI

Je le savais.

Mme VERNET

Pourquoi donc faire cette enquête ?

HENRI

Pour m'assurer une dernière fois qu'il serait bien inutile de vous dire que ce n'est pas impunément que tout ce qui se passe, depuis un mois, se passe, de vous dire que ce qui devait arriver arrive, de vous dire que...

Mme VERNET

Pourquoi le dire, puisque c'est inutile ?

HENRI

Ça ne servirait à rien ?

Mme VERNET

A rien.

HENRI

Du tout ?

Mme VERNET

Du tout.

HENRI

Écoutez.

Mme VERNET

Chut !

HENRI

Non. Je m'explique mal. Je fais des façons, je m'embrouille, je ne suis pas clair et je veux l'être. Écoutez, madame Vernet, il y a un mot si souvent dit, si souvent écrit et lu, si fané sous son tas de feuilles mortes, que je m'étais promis de ne jamais m'en servir pour mon usage personnel...

Mme VERNET

Étrange garçon !

HENRI

S'il faut un jour, pensais-je, que je le dise, ce mot, à une femme, je jure que je ne le dirai pas. Je chercherai autre chose, je trouverai ; je ne suis pas un sot... Quel orgueil ! L'instant est venu et je suis bien obligé de parler comme les autres et de vous dire, comme le dirait tout le monde à ma place...

Mme VERNET. *Elle se lève.*

Ce n'est pas la peine, j'ai bien compris.

HENRI

Le mot vous déplaît, à vous aussi ?

Mme VERNET

Le sens.

HENRI

Il n'a rien d'injurieux ; si je vous aime...

Mme VERNET

Ah ! vous le dites !

HENRI

Oui, il m'échappe, mais, si je vous aime, je ne vous demande pas de m'aimer... Qui vous le demande ?

Mme VERNET

Personne.

HENRI

Pas moi ; non, je ne vous le demande pas, mais vous voyez que j'avais raison et que mon retour ici, l'année prochaine, est impossible. Vous ne pouvez déjà plus me regarder en face.

Mme VERNET

Je regardais un bateau qui passe. Oh ! cette bonne brise ! vous respirez ?

HENRI

Je respire.

Mme VERNET

L'année prochaine, vous ne penserez plus à ce que vous venez de dire.

HENRI

Je le souhaite. Un an de perdu, ce serait long.

Mme VERNET

Et ce que vous venez de dire n'est pas vrai... Non, vous vous trompez sur la nature de vos sentiments.

HENRI

J'ai le tort de les avouer, mais je les connais mieux que vous peut-être.

Mme VERNET

Vous avez de la sympathie pour moi.

HENRI

De la sympathie ! Vous ne vous êtes donc jamais regardée ?

Mme VERNET

De la sympathie seulement, mais vous l'exagérez parce que nous sommes au bord de la mer.

HENRI

Je ne sais pas bien.

Mme VERNET

Vous payez votre tribut à la mer par un peu de fièvre. Elle vous énerve et vous grise. Vous avez le cœur phosphorescent !

HENRI

C'est joli.

Mme VERNET

C'est de vous. Je vous l'ai entendu dire un soir sur le rocher de Fontenaille. Vous parliez alors à la mer, votre grande amie !

HENRI

Eh bien ! c'est à vous que je parle ce soir. Oui, j'ai dit à la mer qu'elle était belle, éternellement jeune, inspiratrice, et je ne m'en dédis pas, mais vous, madame, vous êtes laide ?

Mme VERNET

Moi !

HENRI

Vieille ?

Mme VERNET

Oh ! vieille !

HENRI

Sans esprit, sans charme, sans grâce...

Mme VERNET

Oui, oui, oui.

HENRI

Et moi, je n'ai pas d'yeux ?

Mme VERNET

Si, des yeux perçants.

HENRI

Pas de goût ?

Mme VERNET

Oh ! le goût, c'est votre partie.

HENRI

Alors, laissez la mer tranquille ; ne me traitez pas comme un petit garçon malade et répondez-moi. M'aimez-vous ?

Mme VERNET

Vous aviez tout à l'heure la délicatesse de me dire : je ne vous demande pas de m'aimer.

HENRI

Vous ne m'aimerez pas, jamais ?

Mme VERNET

Non.

HENRI

Et ça vous est égal que j'en souffre !

Mme VERNET

Oh !

HENRI

Pourquoi pas ?

Mme VERNET

Si l'un de vous deux doit souffrir, je préfère que ce ne soit pas mon mari.

HENRI

Ce serait injuste, cet excellent homme...

Mme VERNET

Cet homme !

HENRI

A droit à toute votre estime.

Mme VERNET

D'abord.

HENRI

Et à toute votre sympathie.

Mme VERNET

Vous ne l'avez donc pas regardé, quand il vous offrait Marguerite, au cœur ? Il a droit à mon amour.

HENRI

Et ce mot — encore un mot ! toujours ces mots ! — ne vous gêne pas un peu ?

Mme VERNET

Non, quand c'est pour le bon motif.

HENRI

Bah ! il y a tant d'espèces d'amour !

Mme VERNET

Je parle de celui qui peut vous être le plus désagréable.

HENRI

Votre dureté vous va bien.

Mme VERNET

Cette attitude envers mon mari vous va si mal ! Vous qui cherchez des mots neufs, ne vous servez donc pas de ces vieux
moyens.

HENRI

Oui, je continue à ne pas savoir m'y prendre. Il faudrait tout
recommencer ; recommençons !

Mme VERNET

Non, non, une fois suffit.

HENRI

Mais tant de maladresse, c'est la preuve au moins que je suis
sincère.

Mme VERNET

Comme j'ai de l'affection pour vous — je suis sincère, moi aussi
— je vous plains.

HENRI

Vous ne pouvez pas faire plus ?

Mme VERNET

Je ne peux pas.

HENRI

Vous êtes décourageante.

Mme VERNET

Je veux l'être de toutes mes forces.

*(Mme Vernet, au bord de la terrasse, fait de la main des signes à
M. Vernet.)*

HENRI

Vous appelez au secours !

Mme VERNET

Victor me fait des signes du bateau de Cruz et je réponds... Ah !
il croit en effet que j'appelle au secours et il vient.

HENRI, *s'approchant.*

Il se dépêche... vous êtes sauvée !

Mme VERNET

Ne soyez plus amer et faites-lui bon visage ! Ce n'est pas sa
faute... c'est la mienne.

M. VERNET. *Il apparaît un peu essoufflé.*

>Tu m'appelais ?

Mme VERNET

>Non, et toi ?

M. VERNET

>Non, je te faisais des signes pour te faire des signes.

Mme VERNET

>Et moi, je répondais à tes signes.

HENRI

>C'est de la télégraphie conjugale.

M. VERNET

>Voilà comment nous sommes depuis notre mariage.

HENRI

>Et ce n'est pas près de finir.

M. VERNET

>Ça durera toute la vie. Quel géant ! ce transatlantique ! et ce torpilleur, quel monstre !

Mme VERNET, *maternelle.*

>Comme tu es fagoté !

>>*(Elle lui refait son nœud de cravate, l'époussette.)*

HENRI

>Voulez-vous que j'aille chercher une glace, une brosse ?

M. VERNET

>Merci.

>>*(Il embrasse Mme Vernet.)*

HENRI

>Monsieur Vernet, vous embrassez souvent Mme Vernet.

M. VERNET

>Fermez les yeux.

HENRI

>Ça ne suffirait pas, vous faites un bruit ! Et vous devez sentir le poisson.

M. VERNET, *à Mme Vernet.*

>Tu trouves ?

Mme VERNET

>Pas trop.

HENRI

L'amour n'a pas de nez.

M. VERNET

C'est vrai que le bateau de Cruz empeste. Ayez de l'eau de Cologne sur vous, cette nuit. Je n'y tenais plus. Tes signes m'ont délivré. Et puis j'ai cru que tu avais une bonne nouvelle à m'apprendre, que tu venais de le décider. Non ? Il refuse. Ah ! Il est libre.

Mme VERNET

Il n'est pas libre.

M. VERNET

Il a une maîtresse... sérieuse ? Je le saurais.

HENRI

Je vous l'aurais dit.

M. VERNET

Alors, il préfère, à notre petite Marguerite, ton espèce d'idéal.

Mme VERNET

Il préfère l'impossible.

M. VERNET

Qui ?

Mme VERNET

Mon bon Victor !

M. VERNET

Il faut encore que je prenne garde...

Mme VERNET

Non, ne te donne pas ce souci ; moi, je prends garde.

(Mme Vernet s'éloigne.)

M. VERNET, *très étonné.*

Ah ! Bien... Bien. *(A Henri.)* Je croyais avoir trouvé un moyen sûr pour que vous ne sortiez plus de ma famille ; j'ai fait fausse route, excusez-moi.

HENRI

Monsieur Vernet !

M. VERNET

Oh ! je ne suis pas froissé !... *(Pauline passe.)* Et puis, ne faites pas cette figure, nous parlerons d'autre chose. Ce qui m'ennuie, c'est que ce mariage me paraissait si naturel que tout à l'heure, en bas, je l'ai presque annoncé à celle-là. Un autre genre ! Elle ! Ça l'a fait rire. N'est-ce pas ?

PAULINE

Dans un projet de mariage, il n'y a pas de quoi pleurer.

M. VERNET

Il y a de quoi ricaner !

PAULINE

Non, et vous êtes trop aimable de me consulter.

M. VERNET

Je ne vous consultais pas, je vous prévenais.

PAULINE

Ah ! c'est une prévenance ! La première alors.

M. VERNET

Et la dernière, et je la regrette.

> *(M. Vernet sort du même côté que Mme Vernet.)*

PAULINE

Pauvre M. Vernet ! Il ne lui reste plus rien à vous offrir. C'est vrai que j'ai failli vous perdre, je n'ai pas pu m'empêcher de rire à la nouvelle de ce mariage.

HENRI

Parce que ?

PAULINE

Ne faites pas l'innocent ! Vous voilà entre deux feux. Vous êtes pris, qu'allez-vous faire ?

HENRI

Ça vous intéresse ?

PAULINE

Beaucoup.

HENRI

Je vous remercie.

PAULINE

En tout bien, tout honneur... Oh ! n'insistez pas.

HENRI

Je n'insiste pas.

PAULINE

Je ne suis pas sur les rangs, moi ; mais ça m'amuse, je n'ai que cette joie, de regarder les autres.

HENRI

Et de les écouter.

PAULINE

Vous parlez si fort sur cette terrasse ! J'écoute ce qu'on dit trop haut, je regarde ce qu'on ne se donne pas la peine de cacher et j'attends... Laquelle choisissez-vous ?

HENRI

J'hésite.

PAULINE

C'est délicat...

HENRI

Donnez-moi un conseil.

PAULINE

Ah ! non, tirez-vous de là tout seul. Moi, je vous dis, je m'amuse.

HENRI

Tant que ça ?

PAULINE

Suffisamment.

HENRI

Et vous ne voulez pas m'aider ?

PAULINE

Je donne mon consentement à votre mariage avec Marguerite. Vous me le demandez ?

HENRI

Pas ce soir, mais si j'en ai besoin.

PAULINE

Du côté de ma sœur, dame ! je ne peux rien.

HENRI

Ce ne serait pas convenable, entre sœurs.

PAULINE

Et puis c'est une femme unique.

HENRI

Sa vertu vous désole.

PAULINE

Non, je ne cache pas que j'aurais quelque plaisir, si M. Vernet obtenait enfin ce qu'il mérite ; mais je suis fière de Julie, et, malgré ce pauvre homme, il n'y a encore rien à reprocher à ma sœur. J'en mettrais ma main au feu.

HENRI

Pour l'activer.

PAULINE

Je vous jure. Elle a fait ses preuves. Le peintre, il y a deux ans...

HENRI

Le peintre ?

PAULINE

Le peintre Morneau, le portraitiste de Mme Vernet... lui aussi...

HENRI

Ah ! tiens.

PAULINE

Oui, mais sottement, brutalement. Il a voulu aller trop vite, et on l'a flanqué à la porte, trop tôt... Après la peinture, la poésie ! Mais vous, vous êtes bien plus fort que le peintre.

HENRI

C'est le talent.

PAULINE

Vous avez un doigté, une prudence !... Sans flatterie. A tout autre je dirais : non. Je le découragerais, mais avec un artiste comme vous...

HENRI

Il y a de l'espoir.

PAULINE

Oh ! vous avez fait du chemin depuis quatre semaines.

HENRI

Et j'ai de l'avenir devant moi.

PAULINE

Alors vous êtes décidé : ce n'est pas Marguerite, c'est Mme Vernet.

HENRI

Non, non, non ; je ne choisis pas ; je laisserai faire le hasard.

PAULINE

Vous accepterez celle qu'il vous présentera la première.

HENRI

Et s'il m'offre les deux...

PAULINE

Toutes les deux !

HENRI

Pourquoi pas ? Je ne refuse personne. Pensez-vous que je n'aie pas une idée nette de mes droits d'ami de la maison, que je ne connaisse pas mes obligations d'artiste reçu à bras ouverts dans une famille bourgeoise ? Si je reculais, quelle triste opinion vous auriez de moi qui tiens tant à votre estime !

PAULINE

Vous vous énervez.

HENRI

Du tout : je me mets à la hauteur. Comptez sur moi, mademoiselle, je ferai mon devoir, tout mon devoir. Je prendrai l'une et
l'autre, ensemble, ou l'une après l'autre, comme ça se trouvera.

PAULINE

Vous ne manquez pas d'allure.

HENRI

Et après, qui ?

PAULINE

Vous ne craignez pas que cette plaisanterie ne vous coûte
cher ?

HENRI

Vous me trahiriez !

PAULINE

Pas maintenant.

HENRI

Oui, plus tard. Ce soir, vous vous amusez trop.

PAULINE

Et avouez qu'il y a de quoi. *(M. Vernet reparaît.)* Vous me
tiendrez au courant, hein, vous me direz...

HENRI

Tout, comme à ma meilleure amie.

(Pauline rentre dans la maison.)

10

M. VERNET, HENRI.

M. VERNET

Henri !

HENRI. *Il s'éloignait.*

Monsieur Vernet.

M. VERNET

Qu'est-ce qu'elle vous a encore dit, celle-là ?

HENRI

Des douceurs !

M. VERNET

Oui, elle travaille avec ses dents... Je viens de causer avec Julie pour savoir les raisons, les vraies raisons, de votre refus... Oh ! je n'y ai pas mis de malice. Je lui ai dit : « Julie, est-ce que la poésie ne nous réussirait pas mieux que la peinture ? » Vous ne comprenez pas, vous ?

HENRI, *sur ses gardes.*

Non.

M. VERNET

Vous ne connaissez pas cette histoire-là. Mais Julie m'a compris. Elle m'a rassuré.

HENRI

Ah !

M. VERNET

D'un mot elle me rassure. Et elle parle de vous dans des termes si affectueux...

HENRI

De moi ! Adorable femme !

M. VERNET

N'est-ce pas ! *(En détresse.)* Si je la perdais, je ne mourrais pas, non, parce que je suis solide, mais je ferais le mort. Je n'aurais plus de goût à rien, je lâcherais tout et j'irais me cacher dans un coin.

HENRI

Qu'est-ce que vous avez, monsieur Vernet ?

M. VERNET

Ça passera.

HENRI

Je vous laisse.

M. VERNET

Non, tenez-moi plutôt compagnie. Ce n'est rien... une petite boule à la gorge.

(Il jette des cailloux dans la mer. Henri l'observe.)

HENRI

Décidément, ça ne va pas, monsieur Vernet.

M. VERNET

Si, ça va mieux, restez.

HENRI

Je reste.

(M. Vernet fait quelques pas, agité, puis soudain, sans dureté, avec des regrets et de la tendresse.)

M. VERNET

Allez-vous-en... mon cher Henri, il faut vous en aller, tout à fait, loin de nous, loin d'elle, de Julie, parce que... j'ai peur...

Votre refus inexplicable, les ricanements de cette vieille fille...
vos façons de parler à Julie qui me reviennent... oui, malgré sa
finesse d'honnête femme qui ne veut même pas avoir l'air de
se douter de quelque chose, je devine, moi, je sens qu'elle vous
a troublé. Oh ! je ne dis pas que vous l'aimiez beaucoup, mais
vous l'aimez déjà un peu, un petit peu, pour commencer. Et
si vous ne l'aimez pas aujourd'hui, vous l'aimerez demain, c'est
inévitable ; et tandis que je vous poussais du côté de Marguerite,
vous regardiez du côté de Julie... Oh ! je ne vous en veux pas,
et je l'aime trop pour m'étonner qu'on l'aime. Tout le monde
l'aimerait ! mais il ne faut pas, non, pas vous, ce serait particulièrement pénible.

HENRI, *encore inquiet.*

Que voulez-vous que je réponde, monsieur Vernet ?

M. VERNET

Ne cherchez rien.

HENRI

Je pourrais dire que vous vous trompez.

M. VERNET

Vous ne le dites pas.

HENRI

Parce que vous ne me croiriez pas.

M. VERNET

Parce que vous êtes incapable de mentir.

HENRI

Votre état d'esprit, monsieur Vernet, m'oblige au silence.

M. VERNET

Oui, ne protestez pas, ne niez pas. A quoi bon ? Tout est de
ma faute. J'aurais dû me défier, non de Julie, la chère femme,
ce serait abominable, mais de vous. J'aurais dû prévoir que
vous l'aimeriez, malgré vous, et malgré elle; oui, d'accord,
j'ai été trop loin. Je vous attire à la maison, je vous traîne
au bord de la mer, je fais de vous l'ami inséparable. J'avoue
qu'on n'est pas plus naïf, que je suis impardonnable et que je
mérite, n'est-ce pas, d'être malheureux.

HENRI, *touché.*

Vous ne serez pas malheureux, monsieur Vernet. Vous me dites,
sans colère, de partir, je partirai sans révolte.

M. VERNET

Faites ça, monsieur Henri Gérard, faites-le gentiment, comme
vous savez faire les choses.

HENRI

Comme je suis venu.

M. VERNET

Ne m'accablez pas.

HENRI

Oh ! cher monsieur Vernet ! je m'en irai comme il faudra. Quand désirez-vous que je parte ? Soyez franc, puisque nous en sommes là.

M. VERNET

Il est vrai qu'après nos aveux nous allons nous faire de drôles de têtes...

HENRI

Justement. Dites... le plus tôt possible.

M. VERNET

Dans quelques jours.

HENRI

Demain.

M. VERNET

Je ne vous demande pas ça. Plus tard, quand nous voudrons.

HENRI

Quand vous voudrez, au moindre prétexte.

M. VERNET

Nous le chercherons tous deux, à tête reposée... Nous dirons que votre père, de passage à Paris, vous y attend. C'est simple.

HENRI

Comme bonsoir.

M. VERNET

Ça, c'est déjà moins gentil.

HENRI

Pardon, monsieur Vernet... Mais j'y pense, j'ai un moyen encore plus simple. Je dois passer la nuit en mer avec Cruz. Demain matin, je ne reviendrai pas.

M. VERNET

Vous me faites peur.

HENRI, *gaiement.*

Vous croyez que je vais me jeter à l'eau. Ah ! non, tout de même.

M. VERNET, *comme Henri.*

Ou simuler un naufrage !

HENRI

A votre tour, monsieur Vernet, ne m'accablez pas.

M. VERNET

Pardon, Henri !

HENRI

Demain matin, au réveil, sur la mer, je dirai à Cruz : je ne connais pas Cherbourg, si nous allions vendre votre pêche à Cherbourg ? Je suis sûr qu'il se fera un plaisir de m'y mener. Et une fois à Cherbourg... les rapides ne sont pas faits pour laisser les voyageurs en plan.

263

M. VERNET

C'est une folie !

HENRI

D'aller à Cherbourg ?

M. VERNET

Non. Les marins de Fleuriport y vont toutes les semaines et, quelquefois, malgré eux, par mauvais vent. Mais ce départ, c'est fou, si brusquement.

HENRI

Ne vous ai-je pas suivi de même ? Vous m'aviez enlevé, vous me rendez ma liberté, je m'enlève. Moi, monsieur Vernet, je suis toujours prêt à partir.

M. VERNET

Et qu'est-ce que je dirai, à Julie, qui ne sera pas dans notre secret !

HENRI

Ne lui dites rien.

M. VERNET

Avant votre départ, mais demain, quand Cruz reviendra seul.

HENRI

Vous direz qu'après une scène violente vous m'avez mis...

M. VERNET

Oh ! ça, jamais.

HENRI

Vous direz qu'après une explication loyale je suis parti.

M. VERNET

Ce sera une surprise.

HENRI

Oh ! avec des ménagements. Je fais le plus difficile, faites le reste.

M. VERNET

Non, votre idée me donne chaud ; non, non, je ne veux pas.

HENRI

Mais moi je veux... L'important c'est que je disparaisse, que ce soit par terre ou par mer, ou même en ballon !

M. VERNET

Vous riez, vous !

HENRI

Oui, de nous deux, c'est moi qui ris.

M. VERNET

Ça vous va, au fond, ce départ original !

HENRI

Romanesque ! il a surtout quelque chose de précipité qui me séduit. *(Avec effort.)* J'avoue que j'ai hâte d'en finir, je me sens mal à l'aise ici. Ça devient excédant, douloureux. Je voudrais être loin.

M. VERNET. *Il tire sa montre.*

Quand je pense que le bateau de Cruz s'apprête.

HENRI

Pensez à autre chose.

M. VERNET

Vous savez que c'est une promenade de gagner ce beau port militaire.

HENRI

J'aurai peut-être le temps de visiter l'arsenal.

M. VERNET

C'est drôle.

HENRI

Encore une chose fine, monsieur Vernet ! *(Léger et sans rancune.)* Alors, vous n'insistez plus pour que j'épouse ?

M. VERNET

Marguerite ? vous n'y teniez pas beaucoup.

HENRI

Il y avait la dot.

M. VERNET

Ne faites pas l'homme d'argent.

HENRI

Vous avez réponse à tout.

M. VERNET

Et puis vous en trouverez d'autres, des jeunes filles.

HENRI

Oh ! je ne suis pas embarrassé de ma personne.

M. VERNET

Tandis que moi, si j'essayais de lutter avec un jeune homme comme vous, je serais...

HENRI

... battu d'avance. Mais c'est de la jalousie, ça, monsieur Vernet ; vous qui ne connaissiez pas ce sentiment !

M. VERNET

Je le connais.

HENRI

Pas pour longtemps.

M. VERNET

Brave Henri !

HENRI

Brave monsieur Vernet ! Vous n'avez plus besoin de rien ?

M. VERNET

Vous me trouvez dur ?

HENRI

Je vous trouve très bien.

M. VERNET

Égoïste, hein ?

HENRI

Non, je vous le dis, très bien, et pas si bête !

M. VERNET

En pareil cas, il faut avoir de la présence d'esprit. Est-ce que ça ne vaut pas mieux que la brutalité !

HENRI

Ah ! votre fameuse méthode. Pan ! Pan ! Reconnaissez qu'il n'y a pas de quoi me décharger votre fusil dans le dos.

M. VERNET

. Et quand même ? Vous massacrer, mon pauvre ami ! Je m'en voudrais, de votre mort, toute ma vie.

HENRI

C'est comme moi, monsieur Vernet, si, aimant votre femme, je vous logeais, pour me débarrasser de vous, cinq ou six balles de revolver en pleine poitrine.

M. VERNET

Ce ne sont pas là des mœurs d'hommes civilisés.

(Ils rient.)

11

LES MÊMES, Mme VERNET.

Mme VERNET. *Elle passe à droite, devant la « Juliette ».*

Vous causez bien longtemps ?

HENRI

Il fait si doux sur cette terrasse !

Mme VERNET

De quoi parlez-vous ?

M. VERNET

Nous disons des bêtises ; il me fait rire.

Mme VERNET

C'est vrai ?

HENRI

Oui, madame.

Mme VERNET

La mer monte, monsieur Henri, l'heure approche.

HENRI

Je me prépare.

12

M. VERNET

Est-elle délicieuse !

HENRI

Délicieuse ! Seulement, monsieur Vernet, vous me l'avez trop
dit.

M. VERNET

J'ai eu tort.

HENRI

Ne vous excusez plus.

M. VERNET

En somme, je vous évite autant de chagrins qu'à moi, car vous
souffririez de l'aimer pour rien.

HENRI

Je ne dis pas le contraire ; merci.

M. VERNET

Merci ! Qu'est-ce que je dirais, moi ?

HENRI

Laissons cela.

M. VERNET

Croyez-vous qu'il y ait beaucoup de jeunes gens capables d'agir
comme vous ?

HENRI

Mais oui, monsieur Vernet, il suffit de n'avoir pas peur d'être
ridicule.

M. VERNET

Oh ! c'est très juste, ce que vous dites là, juste et beau.

HENRI

Et puis... je ne peux pas faire autrement.

M. VERNET

Moi non plus ? Que feriez-vous à ma place ?

HENRI

La même chose.

M. VERNET

Alors ?

HENRI

Alors, je vous dis : c'est parfait... Je viens de passer quelques semaines chez de vrais amis et j'emporte de mon séjour une image inaltérable qui brillera dans mes souvenirs, comme le clair ruisseau entre ses bords.

M. VERNET

Toujours poète !

HENRI

Je tâche.

M. VERNET

Qu'est-ce que nous allons devenir, sans notre poète ?

HENRI

Vous redeviendrez... tranquilles.

M. VERNET

Nous redeviendrons des bourgeois.

HENRI

Ça se retrouve, des artistes !

M. VERNET

Ah ! non, je vous jure que, l'année prochaine, je ne ramènerai pas un musicien !

13

LES MÊMES, CRUZ, MARGUERITE.
Cruz apporte une blouse de toile jaune, goudronnée, Marguerite un lourd panier.

CRUZ

Voilà votre uniforme, monsieur Henri.

M. VERNET

Déjà ! *(A Henri.)* Mon pauvre vieux !

CRUZ

La mer va être pleine. Mes matelots amorcent les lignes.

M. VERNET

Qu'est-ce qu'il y a dans le panier ?

MARGUERITE

Du jambon, du poulet, du veau froid, des œufs durs, des petits-beurre...

HENRI, *qui essaie la blouse, avec l'aide de M. Vernet.*

Assez, assez, mademoiselle...

CRUZ

L'air de la mer creuse, monsieur Henri. Vous dévorerez.

M. VERNET

Il ne vous en laissera point. Pas trop de bouteilles, hein, Cruz?

CRUZ

De quoi ne pas manger sans boire, monsieur Vernet, de quoi faire couler.

M. VERNET, *levant la serviette du panier.*

De quoi faire couler le bateau. Henri, ayez l'œil sur votre équipage.

HENRI

Oh ! il peut me faire chavirer dans ce costume ; c'est de la planche.

CRUZ

Avec ça, rien à craindre des paquets d'eau de mer.

M. VERNET

Et ça vous habille !

HENRI

Comme une caisse ; j'ai l'air d'être emballé. Pour qu'un requin m'avale tout cru, il faudra qu'il ait plus faim que moi.

M. VERNET, *bas à Henri.*

Irrévocable?

HENRI

Ne craignez rien.

14

LES MÊMES, PAULINE, puis Mme VERNET.

PAULINE

Quel accoutrement ! Ces dames vont raffoler de vous... Rien de compromis dans vos petites affaires ?

M. VERNET

Elles sont en pleine prospérité, bonne belle-sœur ! Ah ! vous ! Je vous promets une fin de saison savoureuse !

PAULINE

Qu'est-ce qu'il a encore fait ?

Mme VERNET

Vous aurez beau temps, Cruz ?

CRUZ

Un temps de demoiselle.

Mme VERNET

Oh ! nous n'avons pas d'inquiétude... Cruz et ses hommes sont de vieux loups de mer. La *Jeannette* est solide et il fera clair de lune cette nuit. Prenez seulement garde au froid.

M. VERNET, *donne le panier à Pauline.*

Vous, portez ça. Marguerite, va chercher ma belle couverture de voyage. Nous lui installerons une niche dans un coin du bateau.

(M. Vernet et Marguerite sortent.)

15

Mme VERNET, HENRI.

Mme VERNET

Cette nuit à la belle étoile rafraîchira votre front. Demain matin, en revenant, vous n'aurez qu'une chose à faire : vous coucher, après avoir pris une bonne tasse de chocolat.

HENRI

Et tout ira bien.

Mme VERNET

Très bien, et les dernières semaines de notre séjour ici peuvent être, avec quelques précautions, agréables à tout le monde.

HENRI

Même à moi, sans amour ? Oh! ne vous récriez pas, c'est la dernière fois. Sans le moindre mariage !

Mme VERNET .

Il était possible, ce mariage, si vous ne m'aviez pas dit tout à coup des choses folles. Vous auriez pu être, Marguerite étant presque ma fille, presque mon gendre.

HENRI

Heureux au moins de votre voisinage !

16

MARGUERITE. *Elle traverse la scène avec la couverture de voyage.*
>Vous serez comme dans votre lit.

HENRI
>Oh ! mademoiselle !

MARGUERITE
>Non, non, laissez, je veux vous préparer ça ; je vous borderai moi-même.

Mme VERNET
>Pourvu qu'elle ne vous aime pas !

HENRI
>Oui, au fait, si par malheur...

Mme VERNET
>Marguerite ?

MARGUERITE, *qui descendait l'escalier, remonte.*
>Ma tante ?

Mme VERNET
>Tu sais que M. Henri doit nous quitter prochainement.

MARGUERITE, *contrariée.*
>Ah !

Mme VERNET
>Ses affaires le rappellent à Paris.

MARGUERITE
>Des affaires, lui !

HENRI
>Pourquoi pas, mademoiselle ?

Mme VERNET
>Des affaires de cœur.

MARGUERITE
>Un mariage ?

Mme VERNET
>Je crois.

MARGUERITE
>Vrai ?

HENRI
>Il paraît.

MARGUERITE, *joyeusement.*
>Nous serons de la noce ?

HENRI

Je vous invite.

MARGUERITE

Veine !... Quand rentrez-vous à Paris ?

HENRI, à Mme Vernet.

Madame ?

Mme VERNET

Dimanche peut-être.

MARGUERITE

Si tôt que ça !... Nous n'avons plus guère de temps à rester camarades... Et notre excursion au bois de la Reine ?

HENRI, à Mme Vernet.

Madame ?...

Mme VERNET

C'est aujourd'hui lundi, on peut l'avancer, la faire samedi.

MARGUERITE

Samedi... Entendu ?

HENRI

Entendu.

MARGUERITE

Je porte votre matelas au bateau ? Je vais faire votre petit ménage, votre chambre à coucher sur la mer.

HENRI

Je vous suis, mademoiselle.

17

Mme VERNET, HENRI.

Mme VERNET

Il n'y a pas de mal. Tant mieux pour elle !

HENRI

Et tant pis pour moi.

Mme VERNET

Une piqûre d'amour-propre.

HENRI

Oui, mais c'est ma journée. J'en reçois.

Mme VERNET

Vous savez, quand on a un endroit sensible, c'est toujours là qu'on s'attrape.

HENRI

Je n'ai pas plus troublé ce cœur d'enfant que votre cœur...

Mme VERNET

... d'amie... Vous n'avez aucune coquetterie à me reprocher ?

HENRI

Je ne vous la reprocherais pas.

Mme VERNET. *Elle lui prend la main.*

Vous êtes vraiment un homme rare que je suis heureuse de connaître. Je vous jure que je ne ferai jamais allusion... je ne dis pas que j'ai déjà oublié ! une femme ne se remet pas si vite d'une déclaration, si bien tournée, mais demain il n'y paraîtra plus. Dès demain, je veux être avec vous, comme j'étais avant. Je resterai pour vous...

HENRI

Ne me dites plus rien, ou ce serait de la barbarie inutile, ou vous me feriez croire qu'il y a au fond de votre sécurité apparente quelque chose que vous n'avouez pas ; je vous en supplie : par pitié, ne me dites plus rien.

Mme VERNET

Je ne vous dis plus rien.

18

LES MÊMES, M. VERNET.

M. VERNET

Tout est prêt.

Mme VERNET

Tu as une figure, comme si M. Henri allait faire le tour du monde.

HENRI

Bonsoir, madame.

Mme VERNET

Bonsoir ! Bonne nuit sur la mer ! A demain matin !

M. VERNET

Moi, je l'embrasse.

Mme VERNET

Pourquoi ?

M. VERNET

Parce que je l'aime.

Mme VERNET

C'est déchirant !

M. VERNET

Descends, Julie, moi je ne descends pas. D'ici, je le verrai plus loin sur la mer.

HENRI

Non, non, ne descendez pas, madame, restez près de lui, pour le consoler.

19

Mme VERNET, M. VERNET.

Mme VERNET

Tu as les larmes aux yeux. Ne dirait-on pas que c'est ton fils et que tu ne le reverras plus ?

M. VERNET

Nous ne le reverrons plus.

Mme VERNET

Nous ne le reverrons plus !

M. VERNET

Demain matin, il se fera débarquer par Cruz à Cherbourg et il sera demain soir à Paris.

Mme VERNET

Demain soir à Paris !

M. VERNET

Je t'expliquerai, c'est un homme exquis. Il ne pouvait plus rester. Après un entretien fraternel, nous avons décidé ce départ tous deux. Il n'y avait pas autre chose à faire ; je t'expliquerai.

Mme VERNET

Oh ! je sais... Pauvre garçon !

M. VERNET

Regarde. Cruz met la voile. Henri embrasse Marguerite... pas Pauline... Il agite la main vers nous. Disons-lui adieu. Adieu ! adieu ! Dis-lui adieu, Julie... Mais qu'est-ce que tu as, toi aussi ?

Mme VERNET

Ça me fait de la peine.

M. VERNET

Beaucoup de peine ?

Mme VERNET

Beaucoup de peine.

M. VERNET

Mais quelle peine ?

Mme VERNET

De la vraie peine.

M. VERNET

Ah !

Mme VERNET

De la peine.

M. VERNET

Ma pauvre amie ! Il était temps.

RIDEAU

HUIT JOURS A LA CAMPAGNE

OU

L'INVITÉ

Sans une lettre de Jules Renard à André Picard du 25 mai 1906,
nous serions incapables de nous faire une idée de ce que cette pièce repré-
sentait pour son auteur. Eh bien! L'Invité (puisque la pièce s'appelait
ainsi en 1906) n'a été considérée par Renard que comme une entreprise
alimentaire, qui, d'ailleurs, ne l'a pas alimenté du tout. C'est du moins
ce qu'il prétendait, car il faut faire la part, peut-être, de la déception d'un
auteur tout de même connu, bientôt académicien Goncourt, et dont le
petit acte est passé tout à fait inaperçu. Certes, il avait utilisé le pseu-
donyme de Paul Page, mais nul doute que dans les milieux du théâtre
on savait parfaitement à quoi s'en tenir sur le véritable nom de l'auteur de
L'Invité. Ce fut, à proprement parler, une conspiration du silence, et
Renard n'a rien fait pour le troubler (ce silence, bien sûr), car à l'époque
de L'Invité Renard avait toutes sortes de préoccupations, en particulier
des préoccupations d'argent; La Petite Gironde avait mis fin à sa
collaboration (200 francs par mois qui comptaient dans son budget) sous
prétexte qu'il n'écrivait que « pour la postérité ». On ne peut en dire
autant à propos de L'Invité, et Renard traitait l'aventure par l'ironie.
La pièce fut représentée pour la première fois au Théâtre de la Renais-
sance le 6 février 1906, et les Annales du Théâtre et de la Musique
nous assurent qu'elle y fut jouée soixante-trois fois. Elle fut représentée à

279

Paris soixante-dix-huit fois en tout durant cette année 1906 si l'on compte aussi quelques représentations privées (comme dans ce collège de jeunes filles dont la directrice lui avait écrit pour le remercier d'avoir autorisé ses élèves à jouer la pièce « de l'aimable auteur »). Huit représentations encore en 1907, puis le silence complet. Pour Maurice Mignon, l'attentif historien du théâtre, L'Invité :

« C'est une sorte de croquis de Mme Lepic que nous offre la « maman Perrier » de Huit jours à la Campagne, avec cette circonstance aggravante qu'il s'agit d'une grand-mère. Petite, droite, maigre, soupçonneuse, « maman Perrier » est un type remarquable de paysanne maussade, nous dirions « châgnarde », qui joint à un sentiment très âpre de la propriété une nature brutale et autoritaire, et qui, toujours juchée sur son escalier, semble défendre le seuil de sa maison comme un véritable cerbère.

« Georges Rigal arrive à la campagne, animé des meilleures intentions : il est tout heureux de voir des arbres et des champs, mais... maman Perrier, incorrigible, ne se lasse pas de démolir un à un tous les beaux projets de Georges... qui a tenu bon contre tous ces assauts. Mais sous cette courtoisie apparente se cache une profonde amertume, l'amertume de l'idéaliste déçu dans ses aspirations. Il y a toujours eu chez Jules Renard, depuis Poil de Carotte, ce heurt entre le rêve et la réalité... Tel mot de cette pièce, pour être dit sur un ton d'humour, n'est guère moins cruel que certains mots de Poil de Carotte. »

Précisons enfin qu'en 1913 Comœdia a publié le texte de la pièce sous son autre titre : Huit jours à la Campagne.

PERSONNAGES

MAMAN PERRIER, soixante-sept ans

Mme PERRIER, sa bru, quarante ans

MARIE PERRIER, sa petite-fille, seize ans

GEORGES RIGAL, vingt-sept ans

LA SCÈNE SE PASSE DANS UN VILLAGE DE L'YONNE. UNE PETITE COUR SÈCHE, UN BANC, UNE CHAISE EN FER. AU FOND, SUR LA RUE, UNE GRILLE A BARREAUX VERTS, SANS ORNEMENT. A DROITE, LA FAÇADE D'UNE MAISON DE VILLAGE BOURGEOISE, BLANCHE ET PRESQUE NEUVE. IL FAUT MONTER TROIS MARCHES. A GAUCHE, UNE BORDURE DE BUIS SÉPARE LA COUR DU JARDIN.

1

GEORGES, MAMAN PERRIER.

Georges Rigal paraît à la grille. Complet de voyageur; une petite valise; l'air heureux et parisien. Il cherche vainement une sonnette. Il ouvre la grille et entre.

GEORGES

Pas de sonnette ! C'est bien campagne ! On entre comme chez soi... Personne !... charmant... Quelqu'un, s'il vous plaît ?

(Maman Perrier arrive lentement du jardin; elle est vieille, petite, droite, maigre, soupçonneuse.)

GEORGES

Bonjour, madame. *(Maman Perrier ne répond pas.)* C'est bien ici la maison de M. Maurice Perrier ?

MAMAN PERRIER

Non, monsieur.

GEORGES

Pardon, madame. Je croyais...

MAMAN PERRIER

C'est la mienne.

GEORGES

On m'avait dit, dans le village, que c'était la maison de M. Maurice Perrier.

(Il va s'éloigner.)

MAMAN PERRIER

Elle sera peut-être à Maurice, quand je serai morte, mais, pour le moment, elle est à moi.

GEORGES

Ah ! elle est à vous... Bien, madame.

MAMAN PERRIER

Et moi, je suis la grand-mère de Maurice.

GEORGES

Oh ! Madame !... Je voulais dire : c'est bien ici, chez sa grand-mère, que demeure M. Maurice Perrier ?

MAMAN PERRIER

Oui, monsieur, il y demeure pendant ses vacances. Et il n'est pas près d'avoir un domicile à lui.

GEORGES

Moi, je suis Georges Rigal.

MAMAN PERRIER

Plaît-il ?

GEORGES

L'ami de Maurice.

MAMAN PERRIER

Quel ami ?

GEORGES

Celui que vous attendez.

MAMAN PERRIER

Nous n'attendons personne.

GEORGES

N'auriez-vous point reçu ma lettre ?

MAMAN PERRIER

Votre lettre ?

GEORGES

Celle que je vous ai écrite hier, de Paris.

MAMAN PERRIER

Vous m'avez écrit une lettre à moi ?

GEORGES

Non, madame, à Maurice.

MAMAN PERRIER

Je ne m'occupe pas des lettres de Maurice ; c'est possible qu'il ait reçu quelque chose ; je vais demander.

(Elle entre à la maison.)

284

GEORGES, *seul.*

Quel type remarquable de vieille paysanne ! Naturelle, point gâtée par les usages du monde. Je croyais qu'on était prévenu, mais tant mieux ! J'arrive à l'improviste. Je ne dérange personne, c'est plus drôle. *(Il renifle.)* Ça sent l'herbe à plein nez ! Oh ! la coquette maison ! Il ne lui manque qu'un peu de mousse, de lierre. Mon rêve pour mes vieux jours !

MAMAN PERRIER, Mme PERRIER, GEORGES.

MAMAN PERRIER. *Elle amène Mme Perrier.*

Voilà ma bru.

GEORGES

Madame, je suis enchanté de faire votre connaissance. C'est bien à la mère de Maurice Perrier que j'ai l'honneur... ?

Mme PERRIER

Oui, monsieur.

MAMAN PERRIER

Je vous le dis.

Mme PERRIER, *aussi étonnée que Maman Perrier, mais polie.*

Nous avons reçu, en effet, monsieur, cette lettre pour Maurice.

GEORGES

C'est la mienne, madame ; je reconnais mon écriture, l'enveloppe, et le timbre... j'annonçais dans cette lettre mon arrivée.

Mme PERRIER

Maurice est sorti ce matin, avant le passage du facteur. Il n'a donc point lu votre lettre, et je ne l'ai pas décachetée ; je l'avais mise dans ma poche. Tenez, monsieur.

GEORGES

Vous pouvez la lire, madame.

Mme PERRIER

C'est inutile, monsieur, puisque vous voilà.

GEORGES, *prenant la lettre.*

Elle ne renferme aucun secret, madame ; j'écrivais à Maurice.

(Il pose sa valise sur le banc, ouvre la lettre et lit.) « Cher ami, mon congé m'est accordé. Il y a si longtemps que tu me retiens et que je te promets ces huit jours... »

MAMAN PERRIER

Huit jours !

Mme PERRIER, *d'un ton insignifiant, pour réparer.*

Huit jours.

GEORGES

J'ai mis huit jours, pour mettre un chiffre, mais je resterai autant que je voudrai, autant que Maurice voudra, autant que vous voudrez, mesdames... *(Il continue de lire la lettre.)* « J'arriverai demain matin jeudi (c'est aujourd'hui, vous voyez si je suis exact !) par le premier train ; je me fais une joie de bavarder avec toi et de connaître enfin madame ta mère et mademoiselle ta sœur... »

MAMAN PERRIER

Et la grand-mère, on n'en parle pas ?

GEORGES

Oh ! madame...

MAMAN PERRIER

Elle ne compte plus !

GEORGES

Pouvez-vous dire, madame ?

MAMAN PERRIER

Maurice, je parie, m'a déjà donnée à tuer.

GEORGES

Non, madame.

MAMAN PERRIER

Ça ne m'étonnerait pas de lui. Vous ne saviez peut-être pas seulement que j'existe ?

GEORGES

Oh ! madame, je sais... je sais de quelle affection Maurice vous aime. Je vous ai oubliée par étourderie. Excusez-moi.

Mme PERRIER, *arrangeante.*

D'ailleurs, à quoi ça sert d'écrire des longues lettres qui n'en finissent plus, quand on va se voir ?

GEORGES

N'est-ce pas, madame ? Vous avez bien raison. *(Silence.)* Je reprends donc ma lettre.

(Il met la lettre dans son portefeuille et laisse tomber une dépêche.)

Mme PERRIER

Vous laissez tomber quelque chose.

GEORGES. *Il ramasse la dépêche.*

Merci, madame, ce n'est qu'une vieille dépêche bonne à déchirer.

(Il la met dans son indicateur.)

Mme PERRIER

Comme je suis ennuyée que Maurice soit sorti ! mais cela ne fait rien, monsieur, donnez-vous la peine...

(Elle désigne la porte de la maison.)

GEORGES

Rentrera-t-il bientôt, madame ?

Mme PERRIER

Ah oui ! sans doute.

MAMAN PERRIER

Est-ce qu'on sait avec lui ?

Mme PERRIER

J'espère qu'il ne tardera pas. C'est un fait exprès. Maurice ne sort jamais le matin. Et, pour une fois que vous venez, il s'en va. Il doit courir les champs. Voulez-vous qu'on le cherche ?

GEORGES

J'attendrai un peu en votre compagnie, mesdames; et, s'il tarde trop, j'irai au-devant de lui ; cela me promènera, je verrai votre pays, qui m'a paru très joli, mesdames, sans flatterie.

MAMAN PERRIER

Il est joli comme tous les pays.

GEORGES

Madame, j'ai beaucoup voyagé et j'en ai rarement vu de plus plaisant.

Mme PERRIER

Il faudrait le juger par un beau soleil. Ce temps gris le désavantage ; il a même plu cette nuit, dites, maman.

MAMAN PERRIER

Il n'a pas plu assez.

Mme PERRIER

Qu'est-ce qu'il vous faut ?

MAMAN PERRIER

Il me faut de la pluie... Je n'appelle pas ça pleuvoir. Le jardin meurt de soif. Après une sécheresse de trois mois, cette petite ondée lui mouille à peine la peau.

GEORGES

C'est étonnant, madame, car il a plu très fort, jusqu'à notre arrivée en gare. Je craignais même de recevoir l'averse sur le dos.

MAMAN PERRIER

Les pays d'où vous venez ont de la chance. Tout pour les autres, rien pour nous.

GEORGES

Votre tour viendra, madame ; après le beau temps, la pluie.

Mme PERRIER

Mais, j'y songe, personne ne vous attendait à la gare.

GEORGES

Il y avait le chef de gare, et puis c'est si proche. D'ailleurs, quoi de plus agréable que ce voyage ? On s'endort à Paris, on se réveille dans un pays inconnu, à une heure matinale. On est seul, libre. On a laissé là-bas les soucis quotidiens. On se croit une vie nouvelle et l'on se sent fier de se lever avec le soleil.

MAMAN PERRIER

Il est frais, le soleil, aujourd'hui.

GEORGES

Oh ! madame, qu'importe un nuage de plus ou de moins à la campagne ?

Mme PERRIER

Je ne vous ai même pas entendu ouvrir la grille.

GEORGES

En effet, comme c'est naturel ! Il n'y a pas de sonnette à votre grille.

MAMAN PERRIER

Si fait, il y en a une, elle est chez le serrurier.

Mme PERRIER

Il ne finit plus de la réparer.

MAMAN PERRIER

Sans moi, le monsieur prenait racine dehors ; j'étais dans le jardin ; je désherbais les carottes ; j'entends appeler ; je lève la tête et qu'est-ce que je vois ? Je vois le monsieur planté là, avec son colis.

GEORGES

Ah ! j'ai dû vous surprendre.

MAMAN PERRIER

Oui.

GEORGES

C'est bien plus drôle.

(Il rit tout seul.)

Mme PERRIER

Et ce Maurice qui ne revient pas ! Entrez donc vous reposer, monsieur, vous asseoir.

GEORGES, *qui commence à être gêné.*

Oh ! merci, madame, je ne suis pas fatigué.

MAMAN PERRIER

Monsieur s'est assis tout son content dans le train.

Mme PERRIER

Mais il a peut-être besoin de se passer de l'eau sur la figure ?

GEORGES

Volontiers, madame, quoique à la campagne...

(Fausse entrée.)

MAMAN PERRIER

Alors, monsieur déjeune ?

Mme PERRIER

Naturellement. Croyez-vous qu'il aura fait cinquante lieues pour nous dire bonjour et repartir sans prendre quelque chose ?

GEORGES

Madame, vous êtes mille fois trop obligeante. Surtout, que je ne vous dérange pas !

Mme PERRIER

Et quand vous nous gêneriez !

MAMAN PERRIER

Sommes-nous des sauvages ?

Mme PERRIER

Mais, vous savez, il y aura ce qu'il y aura.

GEORGES

Et que faut-il de plus, madame ? Je me régalerai d'œufs à la coque et de fromage à la crème.

MAMAN PERRIER

Si vous comptez là-dessus, mon pauvre monsieur, vous vous brosserez le ventre ; il ne suffit pas de dire : Amen ! pour qu'une poule ponde et que le lait se mette à cailler.

GEORGES

J'ai bon appétit, je mangerai de la viande ; elle doit être de première qualité dans cette contrée; j'ai vu, par vos prairies, des troupeaux de bœufs magnifiques.

MAMAN PERRIER

Oui, mais on ne les tient pas, et d'ailleurs les bœufs magnifiques, comme vous dites, on les envoie à Paris. Notre boucher ne garde que les vieilles vaches, et encore il ne tue que le samedi ; nous aurons de la veine s'il lui reste un morceau présentable.

GEORGES

Ne vous tourmentez pas, je vous prie. A la fortune du pot ! Maurice m'a tant parlé de vous que je m'imagine déjà être de la famille.

MAMAN PERRIER

C'est curieux, il ne nous parle jamais de vous.

Mme PERRIER

Oh ! si, maman.

MAMAN PERRIER

Non, non.

Mme PERRIER

Si, quelquefois. Monsieur étudie sa médecine, comme Maurice.

GEORGES

C'est-à-dire, madame, que je suis plutôt clerc de notaire ! Oh !
cela se vaut, nous avons fait les mêmes classes. J'ai connu Maurice au lycée Charlemagne ; je l'ai perdu de vue, puis je l'ai
retrouvé, un soir d'automne, à la musique du Luxembourg. Nous
nous voyons fréquemment et nous nous aimons beaucoup.

Mme PERRIER

Oui, oui, je me souviens.

MAMAN PERRIER

Moi, je ne me souviens pas.

Mme PERRIER

Vous vous rappelez, maman, que Maurice nous disait...

MAMAN PERRIER

Je ne me rappelle rien du tout. D'ailleurs, Maurice ne nous parle
ni de ce monsieur, ni d'un autre ; il ne desserre pas les dents.

Mme PERRIER

Il est de sa nature peu bavard et il n'a guère de distractions dans
ce pays. Mais ses études nous coûtent si cher qu'il nous est
impossible de le faire voyager pendant ses vacances.

GEORGES

Madame, je vous assure que Maurice ne s'ennuie pas auprès de
vous.

MAMAN PERRIER

Il ne manquerait plus que ça.

GEORGES

Il me disait en m'invitant : « Tu verras comme on s'amuse chez
moi. » *(A maman Perrier.)* Chez vous, madame. « D'abord, nous
parcourons nos propriétés... »

MAMAN PERRIER

Ses propriétés !

GEORGES

Les vôtres, bien entendu, madame.

MAMAN PERRIER

Quelles propriétés ? Cette bicoque et deux ou trois mouchoirs de
terre autour ? J'ai soixante-sept ans, monsieur !...

GEORGES

Vous ne les paraissez pas, madame.

MAMAN PERRIER

Oh ! mon âge ne me fait pas honte ; ne devient pas vieille qui
veut ! J'ai soixante-sept ans sonnés, monsieur, j'ai toujours vécu
de mon travail et je travaille encore pour n'être à la charge de
personne et pour reculer le plus possible l'époque où ces gaspil-
lages de Maurice me mettront sur la paille. Si monsieur se croit
chez des gens riches, il s'abuse.

GEORGES

Madame, je me crois chez de braves gens, et ça me suffit.

MAMAN PERRIER

Maurice est un vantard et un orgueilleux. La mort de son père a été un grand malheur. *(Georges s'incline.)* Ses propriétés ! il en a, de l'aplomb !

GEORGES

Il n'a fait qu'exagérer un peu, et c'est bien naturel. Nous sommes tous fiers de notre village et moi-même, qui suis né à Paris, je m'en vante ; mais calmez-vous, madame, il ne me faut pas tant de terrain à parcourir; au contraire, je déteste la marche, j'ai horreur de la chasse.

MAMAN PERRIER

Ça se trouve bien, toutes les chasses du pays sont gardées.

GEORGES

Je me contenterai d'aller m'asseoir avec une ligne au bord de la rivière.

Mme PERRIER

C'est une belle promenade.

MAMAN PERRIER

Oui, il y a une trotte.

GEORGES

Elle est loin, la rivière ?

Mme PERRIER

Oh ! tout près.

MAMAN PERRIER

Tout près, à neuf kilomètres.

GEORGES

Je n'en aurai, madame, que plus de plaisir à m'asseoir.
(*Marie Perrier entre par la grille.*)

4

LES MÊMES, MARIE.

Mme PERRIER

Voici ma fille, monsieur, qui revient de chez l'institutrice

GEORGES

Mademoiselle, mademoiselle... Marie, n'est-ce pas ?

MAMAN PERRIER

Qu'est-ce que tu attends ? Monsieur t'interroge, réponds, au lieu de te cacher derrière mes jupes.

MARIE

Oui, grand'mère ; oui, monsieur.

MAMAN PERRIER

Oui, quoi ? Monsieur te demande si tu t'appelles Marie. T'appelles-tu Marie ou Jacquotte ?

MARIE

Marie.

GEORGES

Je le savais, mademoiselle, je vous connaissais par votre petit nom. Mon ami Maurice ne fait que me parler de vous.

Mme PERRIER

Tu ne l'as pas aperçu, ton frère ?

MARIE

Non, maman.

Mme PERRIER

Où diable peut-il être ?

MARIE

Je n'en sais rien, je rentre tout droit de l'école.

GEORGES

Vous terminerez prochainement vos études, mademoiselle ; ça manque de charme, hein ?

MARIE

J'aime mieux aller chez Mlle Moreau...

Mme PERRIER

C'est son institutrice.

MARIE

... Que de rester à la maison du matin au soir.

GEORGES

Je vous comprends, mademoiselle.

Mme PERRIER

Elle dit ça, parce qu'à la maison elle aide au ménage.

MAMAN PERRIER

Et mademoiselle trouve que c'est dur.

MARIE

Dame ! on me fait laver les assiettes.

MAMAN PERRIER

Et ça gâte tes mains fines. Ne faut-il pas que tu travailles comme tout le monde ? Te figures-tu, toi aussi, comme le monsieur, que nous sommes riches et qu'on te donnera une dot ?

MARIE

Je n'en ai pas besoin.

MAMAN PERRIER

Oui-dà ! On t'épousera pour tes beaux yeux ?

MARIE

D'abord, moi, je ne me marierai jamais.

GEORGES

Oh ! Mademoiselle, ce serait un crime.

MAMAN PERRIER

Tu feras comme les autres, petite prétentieuse ! Tu te marieras si tu peux, si on te demande.

GEORGES

Oh ! madame ! il ne tiendra qu'à elle.

MAMAN PERRIER

Je te conseille de te fourrer en tête des idées saugrenues ; fais-moi plutôt le plaisir d'aller dans ta chambre et de commencer tes devoirs.

GEORGES

Madame, je réclame pour elle un jour de congé, en mon honneur.

MAMAN PERRIER

Ça n'en vaut pas la peine, allez ! Si je vous prenais au mot, vous seriez vite embarrassé d'elle.

(Elle rentre à la maison et s'arrête sur la troisième marche de l'escalier, d'où elle domine.)

GEORGES

Je proteste, madame, je proteste ; n'en croyez rien, mademoiselle.

Mme PERRIER

Écoute, petite, va faire tes devoirs, et, si tu es sage, je te donnerai la permission de l'après-midi ; allons, va, moi je m'occuperai du déjeuner. Entrez-vous, monsieur ?

GEORGES, *fixé*.

Oh ! merci, madame ; réflexion faite, je préfère attendre Maurice dehors, respirer l'air pur.

MAMAN PERRIER, *du haut de l'escalier*.

Monsieur n'est pas venu pour étouffer dans les maisons.

GEORGES

Je ferai le tour du jardin.

MAMAN PERRIER

Ce ne sera pas long.

GEORGES

Ensuite, j'irai, en me promenant, à la recherche de Maurice.

Mme PERRIER

Vous le rencontrerez sans doute par là.

GEORGES

Par là ?

Mme PERRIER

Oui, à droite, du côté du château.

MAMAN PERRIER

Ou par là.

GEORGES

Par là ?

MAMAN PERRIER

Oui, à gauche, du côté du moulin.

GEORGES

Bien ; merci, madame.

MAMAN PERRIER

Oh ! vous le trouverez ; il n'est pas perdu.

Mme PERRIER

A tout à l'heure, monsieur ; vous permettez ?

GEORGES

Faites, mesdames.

(Les trois dames rentrent.)

5

GEORGES, *seul.*

GEORGES

Faites donc, mesdames, vous êtes chez vous, et je ne peux pas en dire autant. *(Il pousse un fort soupir et s'assied sur la chaise de fer.)* Quelle cordialité ! On dirait presque que je les gêne ! *(Il regarde la maison.)* Ah ! mesdames, je n'ai pas la prétention d'avoir le flair d'un chien, mais, à la manière dont vous m'avez reçu, je devine que vous êtes de première force au jeu de quilles. Ce sera folâtre, huit jours dans votre société. Heureusement, j'ai eu la précaution d'apporter l'indicateur, le plus récréatif de tous les livres, et le plus nécessaire quand on ne se propose pas de moisir dans une villégiature. *(Il tire son indicateur de sa poche et, le dos tourné à la maison, il le feuillette.)* Huit jours ici ! La vénérable grand-mère a raison; c'est un farceur, mon ami Maurice. Depuis quatre ou cinq ans, il me tanne pour que j'aille le voir à sa campagne : « Viens, viens donc, me dit-il, c'est à deux pas (des pas de cent kilomètres chacun) ; je te présenterai à ma chère famille qui te recevra comme mon frère, à ma bonne vieille grand-mère, à ma mère qui est la meilleure des femmes et à ma gentille petite sœur. » Cinq années de suite, je refuse énergique- ment. J'invente des prétextes stupides qui, d'ailleurs (j'aurais dû le remarquer), prennent tous; à la fin, brusquement, par caprice, comme personne n'y pense plus, je me décide, je m'annonce, je passe en wagon une mauvaise nuit, coûteuse, car j'ai pris une

294

première pour avoir l'air chic en tombant du train dans les bras de mes futurs amis, et j'arrive. Il n'y a pas un chat à la gare, et Maurice n'est même pas chez lui. Il n'y est pas, mais la bonne vieille grand-mère y est ; elle y est, la meilleure des mères ; elle y est, la gentille sœur. Pauvre petite ! au fond, elle l'est peut-être, gentille, mais il faudrait du temps pour le savoir, et je crois que je n'aurai pas le temps.

6

GEORGES, MARIE.

GEORGES. *Marie sort de la cuisine et vient à lui ; il se lève.*
Mademoiselle...

MARIE

Monsieur, c'est ma grand-mère qui m'envoie vous demander lequel vous aimez le mieux, le pain rassis ou le pain frais ?

GEORGES

Votre grand-mère, mademoiselle ? Elle est d'une prévenance... Je n'ai pas peur du pain frais.

MARIE

Il n'y a que du pain rassis à la maison.

GEORGES

Justement, je le préfère.

MARIE

Mais le boulanger est au bout de la rue.

GEORGES

Voulez-vous que j'y aille, mademoiselle ?

MARIE

Oh ! monsieur !

GEORGES

Je plaisante, mademoiselle ; à la campagne, j'aime tous les pains ; je mangerais du pain de chènevis ; je suis si heureux de voir des arbres et des champs, de voir Maurice et de vous voir, mademoiselle. *(Silence de Marie.)* Maurice a une sœur charmante, mademoiselle. Je me permets de dire que j'ai pour elle, depuis longtemps, une vive sympathie. *(Silence de Marie.)* C'est singulier, mademoiselle, je trouve que vous avez quelque chose de votre grand-mère.

MARIE

Moi ?

GEORGES

Oui, là, au bas du visage.

MARIE

Je ne suis pas aussi vieille.

GEORGES

Je m'en doutais, mademoiselle ; vous avez même une dizaine d'années de moins que Maurice. Vous avez seize ou dix-sept ans, plutôt seize.

MARIE

Je les aurai à la Saint-Martin.

GEORGES

A la Saint-Martin, c'est parfait. Vous voyez que Maurice me tient au courant ; je sais aussi que vous vous entendez fort bien avec lui.

MARIE

Des fois il me taquine.

GEORGES

Oh ! le vilain ! mais vous avez bon caractère ?

MARIE

Je ne sais pas.

GEORGES

Moi, je le sais, Maurice me l'a dit.

MARIE

Il n'en sait rien ; il ne me voit presque jamais.

GEORGES

Sans doute, mademoiselle. Cependant, il ne connaît pas sa sœur que de réputation. Il passe ses congés avec vous. Il fait de vous sa camarade. Quand il s'occupe de photographie, par exemple, vous l'aidez.

MARIE

Il n'y a pas de danger qu'il me laisse toucher à ses affaires. Il est bien trop regardant.

GEORGES

Vous vous promenez ensemble, vous faites de la bicyclette ?

MARIE

Oh ! non, monsieur !

GEORGES

Je vous assure, mademoiselle, qu'aujourd'hui les jeunes filles les mieux élevées, les jeunes filles du meilleur monde, roulent sur tous les chemins à bicyclette.

MARIE

Il faut d'abord en avoir une.

GEORGES

C'est juste, mademoiselle. Demandez-en une à votre grand-mère.

MARIE

Elle me recevrait bien.

GEORGES

Et Maurice ? Il a peut-être des économies ; voulez-vous que j'en parle à Maurice ?

MARIE

Oh ! monsieur !

GEORGES

Oui ou non ?

MARIE

Monsieur !

GEORGES

Je lui en parlerai. Qu'est-ce que je risque ? Je vous répète qu'il a une vraie tendresse pour sa sœur. D'ailleurs, ne vous comble-t-il pas de cadeaux à votre fête, à votre anniversaire ? Tenez, voulez-vous que je vous dise ce qu'il vous a envoyé la dernière fois ?

MARIE

Le Beau Danube bleu.

GEORGES

Je le savais. Il me dit tout. Vous êtes une musicienne très distinguée au piano.

MARIE

Oh ! guère, monsieur.

GEORGES

Vous devez jouer *Le Beau Danube bleu* à ravir.

MARIE

Je ne l'ai pas encore déchiffré.

GEORGES

Je ne vous le reproche pas, mademoiselle ; je dis cela pour montrer que Maurice ne me cache rien de ce qui vous concerne. Il m'intéresse à votre vie et même... vous savez que Maurice est un faiseur de projets ; il me les communique tous ; c'est si doux de s'épancher. Il en caresse un, entre autres, qui vous étonnerait peut-être. Oh ! un projet vague, mais réalisable, et, pour ma part, à première vue, je souhaite qu'il se réalise ; mais je n'ai pas encore le droit de vous le confier, vous êtes trop jeune, nous sommes trop jeunes... Plus tard, plus tard... c'est un secret entre Maurice et moi ; ne cherchez pas, mademoiselle, vous ne devineriez pas.

MARIE

Ça m'est égal.

GEORGES

Et à moi donc !... C'est effrayant, mademoiselle, plus on vous regarde, plus vous ressemblez à votre grand-mère.

MARIE

Alors je peux lui dire que vous aimez le pain rassis.

GEORGES

Mademoiselle, je vous en serai très obligé.

7

GEORGES, puis Mᵐᵉ PERRIER et MARIE, puis MAMAN PERRIER.

GEORGES, *seul.*

Décidément, ça ne finira pas par un mariage ; je n'ai plus rien à faire ici. Allons ! il faut être philosophe, quand on ne peut pas faire autrement. *(Il reprend l'indicateur, y trouve la dépêche et, après une courte hésitation, il va vers la grille.)* Qui demandez-vous ?... Georges Rigal !... C'est moi, mon brave homme... Une dépêche !... Oui, oui, Georges Rigal, chez Maurice Perrier... C'est bien ça... Donnez vite, merci, merci... *(A Mᵐᵉ Perrier, attirée par le bruit.)* C'est une dépêche qu'on apporte à l'instant.

Mᵐᵉ PERRIER

Pour nous ?... Ah ! mon Dieu !

GEORGES

Pour moi, madame. « Georges Rigal, chez Maurice Perrier. »

Mᵐᵉ PERRIER

Oh ! que j'ai eu peur.

GEORGES, *lisant la dépêche.*

Oh ! mâtin de mâtin ! Quel ennui. Croyez-vous que j'ai de la déveine ? On me rappelle à Paris. « Revenez tout de suite, sans faute. Signé : Tabuteau. » C'est le patron de mon étude.

Mᵐᵉ PERRIER

Que dites-vous là ?

GEORGES

Lisez, madame. *(Mᵐᵉ Perrier tend la main, Georges ne donne pas la dépêche et il lit.)* « Revenez tout de suite, sans faute, affaire urgente. »

Mᵐᵉ PERRIER

Eh bien ?

GEORGES

Eh bien ! Je n'ai qu'à filer.

Mᵐᵉ PERRIER

Quoi ! Vous allez partir ?

GEORGES

Il le faut, madame.

Mme PERRIER

Mais demain.

GEORGES

Aujourd'hui, madame ; l'ordre est formel et Me Tabuteau ne badine pas.

Mme PERRIER

Aujourd'hui ?... Ce soir.

GEORGES

Tout de suite, madame. Hélas ! tout de suite, s'il y a un train.

Mme PERRIER

Il n'y en a qu'un, celui de onze heures.

GEORGES

Je le prends.

Mme PERRIER

Quoi ? Vous partiriez dans une demi-heure ? C'est fou.

GEORGES

Oh ! madame ! vous ne connaissez pas Me Tabuteau. Il est terrible.

Mme PERRIER

Par exemple ! Voilà un tour ! Maman ! Hep ! Hep ! maman ! *(Maman Perrier paraît sur l'escalier.)* C'est monsieur qui veut partir à présent.

MAMAN PERRIER

Vrai ?

Mme PERRIER

Il vient de recevoir une dépêche.

GEORGES

Lisez, madame.

MAMAN PERRIER

Oh ! je m'en rapporte.

GEORGES

On me rappelle à l'étude immédiatement.

Mme PERRIER

Pour une affaire urgente, dit-il. Hein ! croyez-vous, maman ? comme c'est fâcheux !

MAMAN PERRIER, *revirement.*

Que voulez-vous, ma fille, les affaires sont les affaires. Je suppose que ce monsieur connaît les siennes mieux que vous.

Mme PERRIER

Sans doute et je serais désolée s'il se gênait à cause de nous.

Mais partir si vite ! Voyons, réfléchissez encore, monsieur ;
télégraphiez à votre patron.

GEORGES

Impossible, madame, je me fourrerais dans de beaux draps.

MAMAN PERRIER

Nous n'insistons plus. A la bonne heure ! Voilà un garçon sérieux.
Ah ! si Maurice était comme lui !

GEORGES

Je n'ai aucun mérite, madame, mettez-vous à ma place.

MAMAN PERRIER

J'approuve votre conduite et votre modestie, monsieur, et je
souhaite que Maurice vous ressemble.

GEORGES

Madame, vous me faites rougir.

Mme PERRIER

Moi, je n'en reviens pas.

GEORGES

Je n'en revenais pas non plus quand l'homme m'a remis la
dépêche.

Mme PERRIER

L'homme ? Quel homme ? D'habitude, c'est une femme qui les
porte, la vieille Honorine.

MAMAN PERRIER, *toujours sur son escalier.*

La vieille Honorine est malade.

Mme PERRIER

Ah ! au moins, prenez un autre train que celui d'onze heures.

MAMAN PERRIER

C'est le plus rapide.

Mme PERRIER

Mais il passe dans trois quarts d'heure. Où déjeunez-vous ?
Je n'ai plus le temps de préparer à déjeuner.

GEORGES

Je déjeunerai en route, à quelque buffet.

MAMAN PERRIER

A Laroche.

Mme PERRIER

Il n'y est pas, à Laroche.

MAMAN PERRIER

Qu'il emporte de quoi manger ! Un morceau de pain avec
quelque chose. Il y a toujours dans le placard de la cuisine des
œufs, du fromage.

Mme PERRIER

Va voir, Marie ; tu feras un petit paquet.

(Elle pousse Marie dans la maison.)

GEORGES, *à part.*

Elles m'attendrissent. Il suffit de savoir les prendre.

MAMAN PERRIER

De mon côté, je me sens assez de force dans mes vieilles jambes pour grimper à l'échelle et vous attraper deux ou trois cerises.

GEORGES

Des cerises ? Ne faites pas cela, madame.

MAMAN PERRIER

C'est pour la soif. Elles vous ôteront le goût de la poussière et vous feront bonne bouche.

GEORGES

Madame, je vous en prie, ne montez pas sur une échelle à votre âge ; je ne souffrirai point que vous vous exposiez. Je me reprocherais toute ma vie un accident.

MAMAN PERRIER

N'ayez pas peur, mon cher petit monsieur, l'échelle est solide.

(Elle va au jardin.)

Mme PERRIER

Et l'arbre n'est pas bien haut. Nous sommes navrées, monsieur, et que diront vos parents ?

GEORGES

Rien du tout, madame.

Mme PERRIER

Vous leur donnerez une mauvaise opinion de nous ; ils croiront que vous aviez hâte de nous quitter.

GEORGES

Soyez tranquille, madame, je réponds d'eux.

Mme PERRIER

Vous êtes indulgent.

GEORGES

Je suis orphelin.

Mme PERRIER

Oh !... monsieur ! moi qui espérais vous garder longtemps, j'arrangeais votre chambre. J'avais cueilli des fleurs. Marie ! Marie !

MARIE, *à une fenêtre.*

Quoi, maman ?

Mme PERRIER

Tu sais, les fleurs qui trempent dans un pot sur la cheminée ?

MARIE

Sur la cheminée de ta chambre ? Oui, maman.

Mᵐᵉ PERRIER

Je les destinais à M. Georges. Ficelle-les donc et descends-les.

GEORGES

Oh ! madame, quelle attention délicate ! Mais je déteste me charger...

Mᵐᵉ PERRIER

Ce n'est pas lourd. Les Parisiens aiment tant revenir de la campagne avec des bouquets.

GEORGES

Je suis confus, madame ; je mets toute votre maison sens dessus dessous.

MAMAN PERRIER, *revient.*

Tenez, monsieur, voilà une poignée de belles cerises.

GEORGES

Au moins, je ne serai pas venu pour des prunes.

MAMAN PERRIER

Elles sont mûres et juteuses, quoiqu'on les appelle des cerises aigres.

GEORGES

Merci, madame ; en les suçant, je penserai à vous, mais l'heure approche, mesdames, souffrez que je me retire.

Mᵐᵉ PERRIER

Oh ! déjà ? Mon Dieu ! Seigneur !

MAMAN PERRIER

Ne vous pressez pas, vous avez votre temps. L'heure du départ une fois fixée, nous ne plaisantons plus avec nos invités et nous n'avons jamais fait manquer le train à personne.

GEORGES

D'ailleurs, j'ai mon billet ; j'avais pris un aller et retour.

MAMAN PERRIER

C'est commode pour s'en retourner.

GEORGES

Il est valable huit jours, mais qui vaut le plus, vaut le moins.

MARIE, *revenant.*

Voici, monsieur, le petit paquet de fleurs.

GEORGES

Merci, mademoiselle. C'est bien tout, mesdames.

MAMAN PERRIER

Et votre valise, sur le banc.

GEORGES

Merci, madame. *(Il tient les cerises d'une main, les fleurs de l'autre,*

et, pour prendre la valise, il veut mettre le petit paquet à sa bouche.)
Oh ! le petit paquet sent bon comme les fleurs.

MARIE

C'est peut-être le fromage, monsieur.

GEORGES

Vous me diriez que c'est autre chose que je refuserais de vous croire, mais c'est très agréable après un bon repas... Voulez-vous me permettre, mademoiselle, au nom de ma vieille amitié pour votre frère, de vous embrasser ?

MAMAN PERRIER

Pardi, si elle permet !

MARIE

Comme vous voudrez, monsieur.

GEORGES

J'y tiens énormément, mademoiselle. *(Il ne l'embrasse pas.)* Et maintenant, mesdames, après cette bonne causerie, il ne me reste plus qu'à vous exprimer ma vive gratitude, à vous remercier chaleureusement de votre inoubliable accueil.

Mme PERRIER

De rien, de rien.

GEORGES

Si, si, au contraire, de beaucoup.

MAMAN PERRIER

On fait ce qu'on peut.

GEORGES

Je suis profondément touché. Transmettez, je vous prie, mes amitiés et mes félicitations à Maurice ; dites-lui de ma part qu'il possède une famille modèle.

MAMAN PERRIER

Nous n'y manquerons pas.

GEORGES

Qu'elle m'a tout à fait conquis.

Mme PERRIER

Que va-t-il dire ? Il sera furieux.

MAMAN PERRIER

Il n'avait qu'à être là.

GEORGES

Ça lui apprendra et à moi aussi.

MAMAN PERRIER

Vous êtes capable de le rencontrer d'ici la gare.

GEORGES

Je n'ai plus d'espoir.

Mᵐᵉ PERRIER

Vous savez le chemin ?

GEORGES

Je n'ai pas encore le temps de l'oublier. Adieu, mesdames.

MAMAN PERRIER

Vous n'avez qu'à suivre tout droit l'allée des acacias.

GEORGES

Je sais, madame ; il y a un fil télégraphique pour se guider.

Mᵐᵉ PERRIER

Au revoir ; vous nous reviendrez, j'espère.

GEORGES

Plus tôt peut-être que vous ne pensez.

Mᵐᵉ PERRIER

Mais que, cette fois, ça vaille la peine.

GEORGES

Oh ! pas seulement pour huit jours. Je m'installerai jusqu'à ce que vous me flanquiez à la porte.

MAMAN PERRIER, *agitant son vieux mouchoir de grand-mère.*

C'est ça !

TOUS ENSEMBLE

C'est ça, c'est ça !

RIDEAU

LE COUSIN DE ROSE

Selon son habitude de donner à des journaux ses pièces de théâtre,
Renard avait proposé (fin 1908 ou tout début 1909) à L'Illustration
Le Cousin de Rose ; mais, s'avisant de ce que la pièce n'allait pas être
jouée, il avait retiré son texte et proposé à la place La Bigote, qui le préoc-
cupait autrement. De fait, Le Cousin de Rose ne fut jamais jouée et ne fut
publiée qu'après la mort de Jules Renard, dans Comœdia du 19 mai 1913,
en même temps que Huit jours à la Campagne, parent pauvre, comme
cette Cousine, du théâtre de Jules Renard. Personne n'en a parlé, ni
même Jules Renard. La seule appréciation, c'est un commentaire de la
pièce par Maurice Mignon que nous livrons, à défaut d'autre chose, à
l'attention du lecteur :

« Morale facile et de cœurs frustes, qui n'est pas dans le goût de
Jules Renard : l'adultère ne l'intéresse pas, parce que l'amant est un
fléau pour la famille : il la ronge, possède la mère, conseille le père, dirige
l'éducation des enfants, préside à table et organise la dépense. »

Léon Guichard, de son côté, estime que cette « pochade » fait exception
dans le théâtre de Renard. Il semble que Renard destinait ce petit lever de
rideau, prêt à la fin du printemps de 1908, au théâtre du Peuple de

Maurice Pottecher qui était alors sur le point de monter L'Écrivain au Champ, *tiré des* Bucoliques *de Renard par Jules Princet dans le cours de l'été. À Antoine, quelque temps après, Jules Renard confiait : « J'étais à Bussang dernièrement (c'est là que Pottecher avait installé son théâtre du Peuple). Le décor (le paysage) est toujours admirable, mais je n'ai rien compris aux Bucoliques (déjà il avait écrit à Pottecher : « Jules Princet est un aimable homme, mais je vois mal ce qu'il veut faire »). Quoi qu'il en soit, il semble que Pottecher n'a pas voulu du* Cousin de Rose *et que Renard n'a pas fait de grands efforts pour « placer » sa pièce.*

PERSONNAGES

JACQUES, trente ans.
POLYTE, cinquante ans.
MORIN, quarante-cinq ans.
BARGETTE, trente-huit ans.
ROSE, trente-sept ans.

AU VILLAGE. UNIQUE PIÈCE DE LA MAISON. TABLE AU MILIEU. CHAISES DE PAILLE. PORTE A GAUCHE SUR LA RUE. BASSINE, CUIVRES ET SEAUX, HORLOGE A GAUCHE. UN ESCALIER A GAUCHE, AU FOND, MONTE AU GRENIER. FENÊTRE, ARCHE A PAIN ET VASTE CHEMINÉE A DROITE. GRANDS LITS AU FOND, AVEC RIDEAUX DE POULANGIS. PORTE VITRÉE ENTRE DEUX LITS, POUR ALLER AU JARDIN. SEPT HEURES DU SOIR. BEAU TEMPS.

1

ROSE, BARGETTE.

Rose, à la cheminée, met de l'eau sur le feu. Bargette paraît à la porte de la rue; d'abord elle ne dit rien, narquoise, puis.

BARGETTE, *de la porte.*

Bonjour !

ROSE, *penchée sur sa marmite, sans se redresser.*

Tiens ! Bargette !

BARGETTE

Qu'est-ce que tu fais ?

ROSE

Ma soupe.

BARGETTE

Déjà !

ROSE, *coup d'œil à l'horloge.*

Je commence. Je mets à l'eau sur le feu. Entre donc !

BARGETTE

Je passais. Je n'ai guère le temps.

ROSE

Tu courais ?

311

BARGETTE

Pour souffler !

ROSE

Une minute ?

BARGETTE

Oh ! courir ! Je n'ai plus de jambes ; mais il fait une chaleur !

ROSE

On va avoir de l'orage.

BARGETTE

Elle menace.

ROSE

Je n'aime pas ça.

BARGETTE

Je le sais bien.

ROSE

Toi non.plus.

BARGETTE

Personne n'aime l'orage. Surtout depuis que le feu du ciel a brûlé la maison de Barnave.

> *(Elle va boire un coup dans la tasse pendue à gauche.)*

ROSE

Veux-tu que j'aille tirer un seau d'eau fraîche ?

BARGETTE

Oh ! c'est bien assez frais. Il ne faut pas boire trop frais, ça fait mal. *(Après avoir bu.)* Ah !... Il n'y a rien de meilleur.

ROSE

Assieds-toi, Bargette ! Quoi de neuf ?

BARGETTE

Pas grand-chose !

ROSE

Quelque chose... Tu as un air !

BARGETTE

C'est pour de bon que tu me demandes quoi de neuf ?

ROSE

Oui. Il y a du neuf ?

BARGETTE

Tu ne le sais pas ?

ROSE

Non.

BARGETTE

Tu ne le sais pas ?

ROSE

Non.

BARGETTE

C'est vrai qu'elle a l'air de ne pas savoir.

ROSE

Quoi donc ?

BARGETTE

Qu'est-ce que tu as fait aujourd'hui ?

ROSE

Ce que je fais tous les jours.

BARGETTE

Tu n'es pas descendue aux nouvelles, ce matin ?

ROSE

Je ne suis pas sortie.

BARGETTE

Ah !... Et, hier soir, tu n'as rien entendu de ta porte ?

ROSE

Non.

BARGETTE

On criait pourtant fort.

ROSE

Où ça ?... Tu as perdu ta langue ?... Parles-tu ?... Parle donc !
Oh ! ne parle pas !

BARGETTE

Alors, vrai, tu ne sais pas ce qui est arrivé à Jacques ?

ROSE, *mouvement de curiosité.*

Jacques ?

BARGETTE

Oui.

ROSE

Ne reste pas debout. J'entendrais mal. Installe-toi à l'aise, et
raconte bien tout.

BARGETTE, *pas pressée.*

Ça t'intéresse ! Écoute !... Je n'en reviens pas que tu ne saches
rien !

ROSE

Oh ! ma pauvre Bargette ! Que tu es taquine, avec tes petits
yeux malins ! Tu as envie de parler, ça te gratte.

BARGETTE, *posée.*

Oui, oui, ça me démange.

ROSE

Ça te brûle au bout de la langue, et tu te retiens ! Tu parleras
quand tu voudras. J'attendrai !

BARGETTE

Oui, attends, ça vaut mieux. Je ne dis que ce que je veux dire, quand je veux le dire.

ROSE

Oh ! je te connais.

BARGETTE

Moi aussi, je te connais.

ROSE

On se connaît toutes deux.

BARGETTE

Tu as tes défauts, j'ai mes qualités.

ROSE

Naturellement ! Oh ! que tu es maligne ! Je t'aime bien tout de même.

BARGETTE

Je ne te déteste pas non plus, quand nous sommes d'accord.

ROSE

On ne se fâche pas souvent, mais c'est toujours par ta faute.

BARGETTE

Toi, tu n'as point d'amour-propre.

ROSE

Je suis la meilleure, je reviens tout de suite, en premier.

BARGETTE

Il faut ça. Tu es l'aînée, une personne raisonnable.

ROSE

Mais non, je suis la plus jeune.

BARGETTE

Nous avons fait notre première communion ensemble.

ROSE

Je la faisais d'avance ! J'avais un an de moins que toi.

BARGETTE

Alors tu me dois le respect.

ROSE, *riant.*

Je veux bien. Allons, parles-tu ?

BARGETTE

Ton homme n'est pas là ?

ROSE

Non. Polyte arrache des pommes de terre aux champs des Brosses. Il ne rentrera que pour la soupe.

BARGETTE

Quelle soupe fais-tu ?

314

ROSE

De la soupe à l'oseille.

BARGETTE

Une bonne soupe ! Avec de la crème ?

ROSE

Oui, une cuillerée. Il faut même que j'aille au jardin cueillir quelques feuilles d'oseille.

BARGETTE

Va !

ROSE

J'irai après.

BARGETTE

Jacques l'aimait-il, la soupe à la crème et à l'oseille, quand il prenait pension chez toi ?

ROSE

Oui, cette soupe-là comme les autres ; il mangeait toutes mes soupes ! Il en avalait plutôt deux assiettées qu'une.

BARGETTE

Tu le nourrissais bien ?

ROSE

De mon mieux. Je n'épargnais ni le beurre, ni la viande. J'allais à la boucherie toutes les semaines.

BARGETTE

Pourquoi n'est-il pas resté ?

ROSE

Je te l'ai déjà dit, Bargette : je n'en sais rien.

BARGETTE

Tu lui prenais peut-être trop cher ?

ROSE

Quarante francs par mois ! Je n'avais aucun bénéfice. Après la mort de sa mère, il ne savait où aller. Il fallait bien l'héberger, un garçon, un cousin ! J'ai mis son assiette une fois, deux fois. Ça l'arrangeait. Il a offert ses quarante francs. Je les ai pris, sans même calculer. Je ne suis pas une aubergiste. J'étais une cousine, une sœur.

BARGETTE

Une mère.

ROSE

Une sœur aînée. Un soir, au bout de six mois, il n'est pas revenu.

BARGETTE

Sans donner d'explication ?

ROSE

Sans dire merci.

BARGETTE

C'est mal élevé et ingrat.

ROSE

C'est jeune.

BARGETTE

C'est une planche pourrie ; il n'y a aucune confiance possible en ce garçon-là !... Et depuis, vous êtes brouillés.

ROSE

Oh ! ma pauvre Bargette, si je le rencontre, il ne touche pas à sa casquette.

BARGETTE

Il était libre. Tout de même, il a dû te mortifier !

ROSE

Sur le moment ; mais veux-tu savoir la vérité ? Quand tu m'as dit que Jacques prenait pension chez les Morin, car c'est toi...

BARGETTE

Oui. Et je t'apprendrai encore autre chose !... tout à l'heure !... Marche ! Marche !

ROSE

J'ai été plutôt contente pour lui et pour nous. Tous deux Polyte, nous en avions assez. M. Jacques venait en retard, M. Jacques ne venait pas, M. Jacques oubliait d'avertir. Je me faisais un mauvais sang ! J'aurais fini par lui dire d'aller ailleurs. Il nous a délivrés. Il est mieux chez les Morin. Pour une repasseuse, Mme Morin fait bien la cuisine.

BARGETTE

Oh ! elle le soignait.

ROSE

Elle le soigne, qu'il y reste ! Je vais au jardin chercher ma poignée d'oseille.

BARGETTE, *se lève pour se mettre à la hauteur de Rose.*

Jacques n'est plus chez les Morin !

ROSE, *s'assied de surprise et force Bargette à se rasseoir.*

Ah ! Pourquoi ? Depuis quand ? Ce n'est pas possible !

BARGETTE, *grave.*

Tu es seule à l'ignorer ou à faire semblant. Jacques et Mme Morin s'amusaient dans l'atelier.

ROSE

A quoi ?

BARGETTE

Ah ! si tu fais la bête !

ROSE

Non, mais...

BARGETTE, *moqueuse.*

Tu ne sais pas comment une femme s'amuse avec Jacques ?

ROSE

Si... non. Continue.

BARGETTE, *exaspérante.*

Elle lui mettait un fer chaud sur la langue !

ROSE

Dis, Bargette ? Elle le caressait, hein ?

BARGETTE

Probable !

ROSE

Elle l'embrassait ?

BARGETTE

Plus que probable.

ROSE

Et Jacques ?

BARGETTE

Il riait, et quand il rit, Jacques, ça s'entend de loin ! Morin l'a entendu. Il y avait longtemps qu'il les guettait.

ROSE

Oh ! ! !

BARGETTE

Il se précipite à l'atelier. Il attrape mon Jacques, le jette par terre et lui administre une de ces volées ! Jacques criait : « Lâchez-moi! » L'autre ne lâchait rien. Il est fort, ce Morin ! Et je te tape ! Et je te tape !

ROSE

Oh ! oh !

BARGETTE

Heureusement, Jacques passe sous la table, la renverse entre Morin et la porte et il se sauve. Sans ça, il était mort !

ROSE

Oh ! oh !

BARGETTE

Attends ! Ensuite Morin prend les outils de Jacques, sa carnassière de maçon, ses marteaux, ses truelles et les flanque à la rue.

ROSE

Oh ! Messieurs de ciel !...

BARGETTE

Attends ! Attends donc ! Et puis... et puis, il calotte la femme d'importance.

ROSE

Oh ! oh ! oh !

BARGETTE

Voilà !

ROSE

Qu'est-ce que tu me racontes ?

BARGETTE

Ce que tout le monde sait depuis hier soir.

ROSE

Hier soir !

BARGETTE

Vers six heures.

ROSE

Tu l'as vu ?

BARGETTE

Je n'étais pas au trou de la serrure ! Mais je l'ai entendu. Ils faisaient assez de bruit. Et quand je suis arrivée, une des dernières, à la porte de Morin, c'était encore chaud. Morin criait tout seul de la cuisine à la rue, et sa femme ne se montrait pas, va !

ROSE

Et Jacques ?

BARGETTE

On l'a ramassé. Il ne pouvait plus se tenir debout. Il est allé se mettre au lit. Il n'a pas reparu.

ROSE

Il est peut-être très mal.

BARGETTE

Ça le tient sûrement dans le dos et les reins, mais ça se guérit.

ROSE

Le malheureux !

BARGETTE

Tu fais une drôle de figure ! Vas-tu rire ou pleurer ?

ROSE

Je suis remuée ! Nous sommes cousins.

BARGETTE

Tu n'es pas responsable de sa conduite ! Jacques a l'âge d'attaquer et de se défendre.

ROSE

Morin se trompait peut-être.

BARGETTE

Il paraît que non.

ROSE

Ça m'étonne ! Ça m'étonne ! Elle le mène par le bout du nez.

BARGETTE

Oui, mais à la fin !... Sans le faire exprès, elle lui a mis le nez dedans !

ROSE

Est-il sûr ?

BARGETTE

Puisque je te le dis ! Tu m'agaces ! Demande aux autres, au père Castel.

ROSE

Il était donc là ?

BARGETTE

Il faut croire. Il passait. Il est partout comme les vieux qui n'ont plus rien à faire.

ROSE

Oh ! je te crois. Pauvre Jacques.

BARGETTE

Il a ce qu'il mérite.

ROSE, *ferme.*

C'est bien fait pour lui.

BARGETTE

Je n'ai pas les mêmes raisons que toi de lui en vouloir, mais je ne le plains pas. Et cette Morin avec son air !

ROSE

Oh ! elle ! ça ne m'étonne pas. Tout le monde ! Tu m'entends, Bargette : tout le monde.

BARGETTE, *calme.*

N'importe qui.

ROSE

Je suis contente ! Je suis contente ! On a dû rire.

BARGETTE

Une fois sûr que Jacques n'avait pas les reins cassés, on s'en est payé ; on rira longtemps.

ROSE

Et s'il était mort !

BARGETTE

Mort de honte ?

ROSE

Oh ! je ne m'inquiète pas de lui.

BARGETTE

Tu serais vraiment trop bonne.

ROSE

Où va-t-il aller maintenant ?

BARGETTE

Oui, à propos ?

ROSE

Où il voudra ! Je m'en moque.

BARGETTE

Il reviendra peut-être ici.

ROSE

Chez moi ! Par exemple !

BARGETTE

Dame ! il n'a guère le choix.

ROSE

Ici, chez nous ! Chez Polyte !

BARGETTE, *méprisante.*

Oh ! Polyte !

ROSE

Chez moi, chez moi !

BARGETTE

Tu es la seule parente.

ROSE, *digne.*

Écoute, Bargette, écoute-moi bien, je ne suis pas méchante,
mais je te garantis que, s'il osait se présenter devant moi, je
te jure que je le recevrais mal, oui, s'il osait, je te le jure...

BARGETTE

Ne te fâche pas.

ROSE

Sur la tête...

2

_____

BARGETTE, ROSE, puis JACQUES.

VOIX DE JACQUES, *dehors.*

Bonsoir, cousine !

BARGETTE

C'est lui !

ROSE

Oh ! non.

BARGETTE

Si, si, c'est sa voix.

ROSE

Ne bouge pas.

BARGETTE

Il est là, à la porte. Je vois son ombre. C'est lui ! C'est lui !

VOIX DE JACQUES

Bonsoir, cousine !

BARGETTE

Ne réponds pas.

ROSE

Ferme la porte.

BARGETTE

On n'entendrait plus ce qu'il va dire. Oh ! il montre le bout de son nez.

ROSE

Cache-toi, il va te voir aussi, il m'a vue par la fenêtre, il me croit seule.

(Silence. On n'entend plus que le balancier de l'horloge et le ronron de la marmite.)

VOIX DE JACQUES

Vous ne voulez pas me dire bonsoir, ma cousine ? Vous êtes bien fière !

BARGETTE

Toi, tu ne l'es guère !

ROSE

Chut !

VOIX DE JACQUES

Allez-vous au moins me donner une assiette de soupe ?

BARGETTE

On y pensait ; elle bout exprès pour lui.

ROSE

Tais-toi.

VOIX DE JACQUES

Je n'ai pas mangé depuis hier. J'ai faim, cousine Rose.

BARGETTE, *voix câline et traînarde.*

Cousine Rose ! Ah ! l'hypocrite ! J'ai faim ! Ah ! le mendiant ! *(A Rose.)* Tiens bon !

ROSE

N'aie pas peur !

VOIX DE JACQUES

Polyte n'est donc pas là ? Il ne me refuserait pas une assiettée de soupe, lui !

BARGETTE, *même ton.*

Il te recevrait à coups de pied quelque part.

VOIX DE JACQUES

Il m'aime, lui. Vous ne m'aimez plus, alors, cousine ?

321

BARGETTE, *remuant comme si elle avait une grosse envie de pisser.*

Ça, c'est de l'aplomb ! ça, c'est de l'aplomb !

VOIX DE JACQUES

Vous avez donc perdu la mémoire ? Faut-il vous la rafraîchir ?

ROSE, *inquiète et brusque.*

Entre, si tu veux !

JACQUES, *entre.*

Vous pourriez bien me le dire plus vite ! Bonjour, cousine !
(Il entre, les mains dans les poches, la casquette en arrière. Il porte ses effets du dimanche. Il sourit, rasé de frais, débarbouillé, les moustaches pointues. Il s'assied sur l'arche à pain, les jambes pendantes, et aperçoit Bargette au coin de l'horloge.)

JACQUES

Tiens, vous êtes là ?

BARGETTE

Ça te gêne ?

JACQUES

Non !

BARGETTE

C'est aussi bien ma place que la tienne.

JACQUES

Ne vous dérangez pas !

BARGETTE

Tu es beau comme un astre. Tu as donc fait la noce hier ? As-tu dansé tout ton saoul ?

JACQUES

Je vous comprends bien.

BARGETTE

Tu t'es reposé ce matin ! Tu as bonne mine.

JACQUES

Vous ne m'avez pas encore acheté une paire de béquilles ?

BARGETTE

C'est un miracle que tu te relèves si vite !

JACQUES

Je suis un dru, moi.

BARGETTE

On l'a vu hier !

JACQUES

Vous étiez au premier rang des curieux, naturellement ?

BARGETTE

J'étais où j'avais le droit d'être ! Il t'a repassé les côtes, hein ?
Sans la table... !

322

JACQUES

Oui, mais il y avait la table ; je connais le coup de la table renversée.

BARGETTE

Tu as l'habitude ! Tu es un malin, mon garçon.

JACQUES

Je ne suis pas plus bête que vous.

BARGETTE

Je ne te parle pas de moi.

JACQUES

Moi, je vous en parle. Nous avons des comptes à régler, Bargette.

BARGETTE, *dédaigneuse.*

Des comptes !

JACQUES

Oui, mais pas ici.

ROSE, *pâle.*

Qu'est-ce que tu veux ?

JACQUES

Je vous l'ai dit, ma cousine, je crève de faim.

BARGETTE

C'est la faim qui l'a fait sortir du lit. Sans quoi, il n'aurait pas osé.

JACQUES

Nous réglerons tout ça... Donnez-moi une assiettée de soupe. Rien qu'une, je m'en irai après.

ROSE

Tu le dis ?

JACQUES

Ma soupe avalée, je file et vous ne me reverrez plus.

ROSE, *à Bargette.*

Faut-il ?... pour qu'il s'en aille !

BARGETTE

Oh ! ça ne me regarde pas. Si c'était moi, je sais ce que je ferais.

JACQUES

Ce n'est pas à vous que je la demande. *(Rose le regarde et hausse les épaules.)* Vous vous en allez, cousine ?

ROSE

Je vais au jardin chercher une poignée d'oseille. Il faut bien que ma soupe se fasse.

(Elle sort.)

BARGETTE, JACQUES.

JACQUES

Je crois que j'en aurai ; vous bisquez ! C'est bien fait ! C'est bien fait !

BARGETTE

Personne ne te refuserait ça.

JACQUES

Excepté vous.

BARGETTE

Tu te trompes.

JACQUES

Vous partageriez votre soupe avec moi ?

BARGETTE

Elle est sur le feu, et si le cœur t'en dit.

JACQUES

Vrai ?

BARGETTE

Tu n'as qu'à me suivre.

JACQUES, *faussement.*

Merci, Bargette !... *(Durement.)* Je n'en veux point. Elle sent le brûlé. Vous bavardez trop chez les voisins. C'est vous qui m'avez dénoncé à Morin par jalousie ? J'en suis sûr.

BARGETTE

Menteur !

JACQUES

Je vous ai vue causer avec lui !

BARGETTE

Mouchard !

JACQUES

Cafarde !... Mais vous perdez votre temps. Vous aurez beau me dénoncer encore ! Ça ne vous rapportera rien, jamais rien, jamais ! Vous êtes trop laide.

BARGETTE

Tu me le paieras !

JACQUES

C'est possible, mais pas en nature, ma belle ! Pas en nature ! Regardez-vous donc une fois dans votre seau !

BARGETTE

Vaurien !

JACQUES, *riant toujours.*

Courez ! Courez ! Votre soupe se sauve ! Elle est furieuse ! Je crois que je ne l'ai pas manquée ! *(Il la regarde fuir et buter.)* Holà ! Holà ! Je l'ai bien crue par terre. Jamais je n'ai tant ri !

4

ROSE

Qu'est-ce qu'elle a ?

JACQUES

Elle s'ennuyait avec moi. Elle est partie.

ROSE

Vous vous êtes disputés.

JACQUES

On n'a pas eu le temps.

ROSE, *jette son oseille dans un seau d'eau, regarde Jacques et hoche la tête, les yeux pleins de larmes.*

Tu n'as pas de cœur !

JACQUES

Moi ! J'en ai trop. C'est le cœur qui me perdra.

ROSE

Tu ricanes toujours.

JACQUES

Je ne peux pas pleurer, c'est plus fort que moi.

ROSE, *se penchant sur sa marmite.*

Tu as de la chance !

JACQUES

Ah ! Si vous pleurez, vous, au revoir !

ROSE

Non, non, c'est la fumée. Tu n'étais donc pas bien chez nous ?

JACQUES

Oh ! si.

ROSE

Manquais-tu de quelque chose ?

JACQUES

Oh ! non.

ROSE

Je ne te les prenais pas tout entiers, tes quarante francs.

JACQUES, *digne.*

Il ne faut pas parler de ça !

ROSE

Oh ! je le faisais de mon gré. Je ne réclame rien. Mais pourquoi m'as-tu quittée ?

JACQUES

Je ne me rappelle plus.

ROSE

Sans une parole ?

JACQUES

A quoi bon se dire des sottises, quand on se quitte ?

ROSE

Tu la trouves donc bien, ta Morin ?

JACQUES, *toujours digne.*

Il ne faut plus parler de ça non plus.

ROSE

Mieux que moi ?

JACQUES

Vous êtes aussi belles l'une que l'autre.

ROSE

Tu n'es pas dégoûté ! Une blanchisseuse qui lave le linge de tout le monde.

JACQUES

Ne parlons pas de ça, je vous dis !

ROSE

Et qui boit !

JACQUES

Il fait chaud dans son métier.

ROSE

De l'eau-de-vie comme un homme ! D'ailleurs ce n'est pas une femme !

JACQUES

Ce n'est pas un homme non plus.

ROSE

Ce n'est rien, voilà ce que c'est !

JACQUES

C'est une honnête femme comme vous.

ROSE

Comme moi ! Je te conseille... Elle se laissait faire tout de même.

JACQUES

C'était pour rire. Ça n'allait pas plus loin.

ROSE

Vous n'avez peut-être pas eu le temps, à cause de Morin. Il t'a corrigé, hein ?

JACQUES

Ça ne compte pas, et si j'avais voulu rendre.

ROSE

Tais-toi. Il t'aurait tué. Maladroit !

JACQUES

Parce que j'ai voulu défendre sa femme contre lui.

ROSE

Voyez-vous ça ? Monsieur le protecteur !

JACQUES

Il voulait la battre. Demandez au père Castel ! Qu'est-ce qu'on pouvait faire de mal devant le père Castel, assis là, sur une chaise ? Il venait chercher son linge. Il causait avec Mᵐᵉ Morin et moi. Demandez-lui.

ROSE

Bargette ne m'a pas dit ça.

JACQUES

Naturellement. Elle rapporte à sa façon.

ROSE

Oh ! je sais bien que c'est une vieille jalouse. Mais quand je te croirais, tôt ou tard Morin vous aurait surpris.

JACQUES

Oh ! si vous raisonnez comme ça !

ROSE

Tandis qu'ici, tu n'avais rien à craindre.

JACQUES

Ah ! non, Polyte n'est pas dangereux.

ROSE

Moi je te pardonne, mais, lui, je suis curieuse de savoir ce qu'il dira, en te revoyant.

JACQUES

Rien.

ROSE

Voudra-t-il seulement qu'on te reçoive ?

JACQUES

Vous ne lui demanderez pas la permission.

ROSE

On va voir ! C'est délicat !

JACQUES

Oh ! je suis tranquille, vous allez bien vous en tirer ! Alors, vous me l'offrez tout de suite, ma soupe ?

ROSE

On ne peut pas te laisser mourir de faim dehors. Mais rien que la soupe ; fini le reste.

JACQUES

La soupe seulement. C'est ce qui presse le plus ce soir. Fini le reste ! Je le jure.

ROSE

Oui ! tu le jures ! Embrasse-moi d'abord.

5

LES MÊMES, POLYTE.
Il entre par la porte du jardin.

ROSE, *surprise, à Polyte.*

C'est le cousin Jacques !

POLYTE

Je vois.

ROSE

Il nous revient ; il embrassait poliment sa cousine.

POLYTE

Je vois bien. C'est toi, Jacques ?

JACQUES. *Il a peur, déjà prêt à se sauver.*

Oui, Polyte, bonjour !

POLYTE

Ça va ?

JACQUES

Pas mal et vous ?

POLYTE

Comme un vieux.

JACQUES

Vous dites toujours ça.

POLYTE

A force de le dire... *(Gêné.)* Belle journée ! La soupe est prête ?

ROSE

Nous t'attendions.

POLYTE

Oui, oui. Alors à table. *(A Jacques qui hésite.)* Tu n'as pas faim ?

JACQUES

Oh ! si !

POLYTE

Assieds-toi.

JACQUES

Je ne demande pas mieux ! Je croyais que...

POLYTE

Que ?...

JACQUES

Que vous m'en vouliez.

POLYTE

De quoi ?

JACQUES

De mon absence.

POLYTE

Tu es parti ! tu es parti ! Tu reviens, tu reviens ! Reviens-tu ?

JACQUES

Oui.

POLYTE

Assieds-toi et mange ! Est-ce que ta conduite me regarde ?

JACQUES

Ma conduite ne regarde personne.

POLYTE

Que toi.

JACQUES

D'ailleurs, sur ma conduite, il n'y a rien à dire.

POLYTE

Oh ! on peut toujours dire ! Mais je ne m'occupe pas des affaires des autres.

JACQUES

Vous avez joliment raison.

POLYTE

Je reste dans mon coin. Passé ma porte, je ne sais ni qui vit ni qui meurt.

JACQUES

Pourvu que vous viviez cent ans !

POLYTE

Oh ! cent ans !

JACQUES

Mettons quatre-vingt-dix.

POLYTE

Ah ! Quatre-vingt-dix ! Je veux bien.

JACQUES

Vous prenez toujours votre petite goutte le matin ?

POLYTE

Toujours. Sans elle, je me porterais mal.

JACQUES

Tant mieux ! Et vous fumez vos trois pipes ?

POLYTE

Trois, pas quatre, ni deux. Une le matin, une à midi, une le soir ; ça fait bien trois.

JACQUES

Tant mieux ! Tant mieux ! Vous avez une bonne mine.

POLYTE

Toujours la même.

JACQUES

Vous ne vous faites pas de bile !

POLYTE

Je ne m'en fais pas, et personne ne peut m'en faire faire. Personne ! Jacques.

JACQUES

Ah ! si tout le monde avait votre caractère !

POLYTE

Moi, je l'ai, ça me suffit.

ROSE

Alors, on le garde ?

POLYTE

Naturellement.

ROSE

Mais il paiera quarante-cinq francs au lieu de quarante.

POLYTE

Pourquoi ?

ROSE

Pour le punir ! Parce qu'il nous a quittés.

POLYTE

Tu veux profiter de son embarras ?

ROSE

Trente-cinq alors.

POLYTE

Pourquoi trente-cinq ? Il n'y a pas plus de raison de le diminuer que de l'augmenter. Ni trente-cinq, ni quarante-cinq ; quarante comme avant. Qu'est-ce que tu vois de changé ? Quarante francs, ce n'est pas trop et c'est assez. Quand il faut qu'un ouvrier prélève déjà sur son gain quarante francs pour sa nourriture...

JACQUES

Merci, Polyte !

POLYTE

C'est naturel ! Je suis content de te revoir. On mange bien quand tu es là.

ROSE

On soigne toujours mieux les étrangers.

POLYTE

Et puis Rose est plus gaie, toi présent. Je le dis !

ROSE

Ça fait une société.

POLYTE

Oui, agréable.

JACQUES

Vrai ?

ROSE

Il le dit, il le pense.

POLYTE

Je n'en pense pas plus long !

ROSE

Tu es un bon homme.

JACQUES

Oui, un rare.

ROSE

Je vous aime bien tous deux.

POLYTE

Nous ne sommes pas des enfants ! Comme je le disais tout à l'heure à Morin que j'ai rencontré. *(A Jacques.)* Je ne sais pas ce que tu lui as fait.

JACQUES

Rien.

POLYTE

Pourtant, il est furieux. Ah ! je ne te conseille pas de retourner chez lui.

JACQUES

Ce n'est pas mon idée.

POLYTE

Et même si tu l'aperçois sur un côté de la rue, passe de l'autre côté.

JACQUES

Si je veux.

POLYTE

Ce sera prudent. Il est doux, au fond, Morin, plus doux que moi, avec son air terrible. Mais s'il te tenait...

JACQUES

Nous serions deux.

POLYTE

Pas longtemps. Le plus fort est le plus fort, vois-tu, Jacques.

JACQUES

Pas toujours.

POLYTE

Toujours. J'ai essayé de le raisonner, de lui parler en homme d'expérience. Il ne comprenait pas. Ah ! il t'en veut.

JACQUES

Pas moi.

POLYTE

Tu es meilleur. Je crois que je l'ai calmé un peu ; tout de même, je te conseille de l'éviter.

JACQUES

Je n'irai pas à soumission, mais s'il me tend la main.

POLYTE

Il ne te la tendra pas.

JACQUES

Bon ! Qu'il la garde ! D'ailleurs, il m'ennuie. Nous nous sommes expliqués. C'est fini. S'il me cherche encore, il me trouvera.

POLYTE

Il ne viendra pas te chercher ici ; il n'oserait pas. Non, non, nous sommes chez nous ; n'aie pas peur !... *(Béant parce qu'il aperçoit Morin qui accourt.)* N'aie pas...

6

LES MÊMES, MORIN.
Morin entre ; il a chaud ; effroi de tous.

MORIN

Ah ! le voilà ! Écoute ! Jacques ! je te cherche depuis une heure.

(Jacques se jette sous la table.)

POLYTE, *s'interpose.*

Voyons, Morin ! Chez moi ! Attends-le au moins dans la rue.

MORIN, *riant.*

Il se trompe. Vous vous trompez ! Je ne viens pas pour lui faire du mal ! Au contraire ! J'ai tort, Jacques ! Tout le monde me le dit, ma femme, M. le maire, l'adjoint, le père Castel, les amis,

vous, Polyte, je les crois ; je vous crois. Relève-toi, poltron ! C'est
Bargette qui m'avait monté le coup.

JACQUES, *encore sous la table, menaçant.*

Oh ! celle-là !

MORIN

Je te l'abandonne ! Assomme-la, si tu veux ! Ma femme, vexée
sous le rapport des gifles, voulait me lâcher et se sauver dans sa
famille. Je ne veux pas ! J'y tiens, à ma femme. Je n'ai que
celle-là ! Puisque je reconnais que j'avais tort, elle m'a dit :
« Va d'abord faire tes excuses à Jacques. » Je viens. Me voici. Je
m'emballe, mais je ne suis pas têtu. Sors donc de ta niche, grand
lâche ! Une poignée de main, Jacques.

JACQUES

Sérieusement ?

MORIN

Je te jure.

POLYTE

Allons ! Jacques ! Pas de rancune.

JACQUES, *se redressant.*

C'est que...

(Il se frotte.)

MORIN

Je t'ai donné des coups, tu m'en as rendu. Nous sommes quittes.
Tapant, tapant.

JACQUES

Vous tapez trop dur.

MORIN

Oh ! ça ne compte pas. Si c'était sérieux ! Si je te pinçais pour de
vrai, je ne dis pas non. Oh ! je te surveillerai ; prends garde !
Mais, hier soir, je faisais fausse route. La main, Jacques.

JACQUES

Voilà.

MORIN, *le redresse tout à fait.*

Et rentrons !

JACQUES

Comment ?

MORIN

Oui, chez nous, chez moi.

JACQUES

Ah ! non.

MORIN

Ah ! si. Je viens te chercher et je t'emmène. Ma femme nous
attend. Puisque c'est passé et que nous n'en reparlerons plus !

Si je rentrais seul, elle me fermerait la porte au nez. Arrive !
Arrive !

(Il entraîne Jacques par le bras.)

POLYTE

Toi qui voulais le tuer !

MORIN

On change d'idée ! Hep ! Jacques.

ROSE

Rien ne vous presse ; demain, s'il veut...

MORIN

Son assiette est mise, la soupe refroidit sur la table.

ROSE

Il l'a déjà mangée avec nous.

MORIN

Il la remangera. Dépêche-toi, Jacques.

JACQUES

Dépêche ! Dépêche ! Je suis bien libre !

ROSE

C'est à lui de décider.

POLYTE

Oui, décide toi-même.

JACQUES

Ça vaut bien que je réfléchisse.

ROSE

J'espère, Jacques !... Ça serait un affront.

MORIN

C'est tout réfléchi ou je me fâche. Faut-il que je te ramène par
l'oreille, que je cogne ? *(Il lui flatte la joue.)* Sois raisonnable et
file devant, mon camarade !

(Il le pousse dehors.)

ROSE

Ce n'est pas gentil du tout !

MORIN

Excusez-moi, Rose. Excuse-moi, Polyte. Ma femme ficherait le
camp, dans son pays, à quarante kilomètres ! Et il faudrait courir
après !

POLYTE

Ça n'en finirait plus !

RIDEAU

LA BIGOTE

Aux artistes de l'Odéon :

MM. Bernard, Desfontaines, Bacqué, Denis d'Inès, Stephen, Mmes Kerwich, Mellot, Barbieri, Marley, Du Eyner, Barsange,

qui, dirigés par Antoine, ont aimé et bien joué

LA BIGOTE

sans avoir le temps de se fatiguer, souvenir de gratitude amicale.

J. R.

La Bigote, *la plus discutée des pièces de Jules Renard, représentée pour la première fois à l'Odéon le 21 octobre 1909 (et jouée une trentaine de fois), a eu aussi quelques représentations en province et en Belgique l'année suivante, mais, à l'encontre des autres grandes pièces, celle-ci ne fut pas reprise. Les grands mouvements qui accompagnaient les premières représentations s'expliquent tout à la fois par le sujet de la pièce, coup de poing au conformisme, et aussi par la personnalité de l'auteur, parvenu à une « situation » littéraire presque de premier plan. Décoré, recherché (ne serait-ce que comme membre de l'Académie Goncourt), Jules Renard, aimé par les uns, détesté par les autres dans la dernière année de sa vie, déjà miné par la maladie, a retrouvé avec La Bigote quelque chose de l'âpreté de Poil de Carotte. C'est d'ailleurs une sorte de suite à son chef-d'œuvre, mettant en scène le couple Lepic. Lui-même, proposant la pièce à Antoine, précise que « c'est M. Lepic sous un de ses aspects. C'est le développement de sa phrase dans Poil de Carotte : « Je déteste, moi, le bavardage, le désordre, le mensonge et les curés. » Dans une interview donnée la veille de la première représentation de La Bigote, il a d'ailleurs confié aux lecteurs de Comœdia que ce sont les applaudissements qui saluaient cette phrase de M. Lepic qui lui ont donné l'idée de traiter ce sujet de l'intrusion du curé dans la famille. Mais, au départ, il pensait appeler cette fois M. Lepic, M. Chêne. Cependant, « réflexion faite, ces gens-là sont des Lepic. Je leur rends leur nom. A quoi bon tricher ? » A quoi bon, en effet. La critique, ni le public ne s'y seraient trompés et, pour le critique de la* Revue de Paris, La Bigote *est « un deuxième départ de Mme Lepic, qui n'est plus Mme Lepic de* Poil de Carotte *où elle était odieuse; mais M. Lepic, qui y était sympathique, je le trouve, dans* La Bigote, *autrement, mais aussi déplaisant qu'elle, en somme... » Et le critique Léopold Lacour précise: « La Bigote nous déçoit, m'a déçu, en nous montrant de nouveau le père et la mère de* Poil de Carotte, *sans nous le « remontrer », lui — du moins à mon avis, car le public, j'ai le devoir de le constater, accepta la chose, ou parut l'accepter, fort bien. »*

Point satisfait d'une nouvelle version de Poil de Carotte *sans* Poil de Carotte, *le critique souligne l'adhésion du public: « La répétition générale de* La Bigote *fut un triomphe, qui se renouvela le lendemain; et dans la presse plus d'un de ses juges traita la pièce de chef-d'œuvre. »*

Plus d'un, en effet; ou tout au moins plus d'un applaudissait sincèrement: Marcel Balbot, dans Le Monde Illustré, *dit que c'était « un très grand succès » et, d'une manière assez surprenante, qualifie la pièce de « délicieuse petite comédie ». Plus avisé, le critique de* L'Illustration *note qu'on « a beaucoup applaudi la finesse et la causticité du dialogue ». On constate ainsi une certaine gêne de la part des critiques les mieux disposés qui, volontiers, se couvrent de l'approbation du public. A l'exception de Léon Blum qui, lui, a donné son adhésion sans réserves, analysant en profondeur cette pièce qui était bien autre chose qu'une « délicieuse petite comédie ».*

« Il y a tout de même des soirs où l'on est content d'être critique dramatique, écrit Blum, il est satisfaisant de pouvoir écrire, dans la force entière de sa conviction et en laissant aux mots le plein de leur sens, que la pièce de M. Jules Renard est une œuvre d'une valeur et d'une beauté toutes particulières, une œuvre que l'on sent certaine de durer... Aucune autre œuvre de ce poète n'avait encore pris avec une vigueur si nette et si décisive la valeur d'un acte. Le sujet de La Bigote, *en effet, c'est en somme celui de* Tartuffe. *L'objet de l'écrivain est de rechercher si l'habitude religieuse ne provoque pas, ne favorise pas de façon presque nécessaire certaines perversions mentales, puis de montrer quels ravages peut causer dans la maison, dans la famille, le développement de ces formes perverties de la piété. »*

Et, pour le futur leader du parti socialiste, l'originalité de La Bigote *par rapport au* Tartuffe, *c'est que: « L'ennemi n'est pas un étranger, un intrus. C'est un membre de la famille, c'est Mme Lepic elle-même. » Léon Blum a fait de Mme Lepic un portrait qui éclaire certainement les intentions profondes de l'auteur: « Sa vie (à Mme Lepic) n'est pas donnée à Dieu; elle est vouée au curé... Le curé est dans sa vie ce qu'est l'amant dans la vie de tant d'autres femmes, mais un amant anonyme et impersonnel. »*

Cette analyse permet sans doute de mieux comprendre les explications de Jules Renard au sujet de La Bigote. *Dans l'interview déjà citée, il précise au sujet de sa pièce qu'il n'y a là aucune thèse:*

« Remarquez bien que je ne prends parti ni pour ni contre — je montre le fait... oui, je vous le répète, je ne crois pas qu'elle soulève la moindre protestation, car je ne prends parti ni dans un sens ni dans l'autre. »

Et pourtant, malgré le succès assez vif de la première, le sujet de la pièce a fait que beaucoup de critiques la jugeaient en fonction de leur optique personnelle, voire selon leur couleur politique (ou la couleur politique de leur journal). Ces appréciations vont de la réserve nuancée à l'hostilité déclarée et doivent se replacer dans le cadre passionnel de l'époque où la République était fort divisée à propos de la séparation de l'Église et de l'État.

Voici Émile de Saint-Autan dans Le Soleil *du 24 octobre 1909:*
« La Bigote m'a peiné; je n'aime pas que l'esprit d'observation, du style... fassent œuvre de sectaire et gâtent un sujet fécond. » Voici celui d'un critique, M. Ergaste, qui, tout en faisant de graves réserves, n'est pas sans souligner certaines analogies entre le personnage de M. Lepic et celui de Jules Renard, lui-même maire philosophe d'une petite commune: « La série de conversations narquoises souvent fines et souvent absurdes, dont se compose la comédie, n'a pas laissé de paraître un peu longue... Le personnage le plus réussi est celui de M. Lepic, maire philosophe et désabusé de quelque commune rurale, sorte de bourru bienfaisant avec plus de confiance en soi que de culture et de réflexion. Au demeurant le meilleur des hommes... Si ce brave homme est devenu en une vingtaine d'années un égoïste aussi misanthrope, c'est, nous dit-on, parce que sa femme « la bigote » est tombée sous la domination non des prêtres, mais « du curé ». La pièce de M. Jules Renard prouve que cet écrivain, non content de collectionner ses minces observations de psychologie, se mêle aussi fort indiscrètement d'avoir ses idées sur les religions. Cela est d'autant plus fâcheux que cela gâte ses petites observations elles-mêmes en y mêlant de vieux poncifs et des conventions ridicules. »

Franchement hostiles, François de Nion (dans L'Écho de Paris *du 22 octobre 1909): « On peut s'étonner seulement qu'un écrivain distingué comme M. Renard consente à devenir le grand veneur de l'anticléricalisme », ou Albert Blavinhac (*La République Française *du 23 octobre 1909) : «... L'anticléricalisme n'est pas un article de théâtre. L'Église étant aujourd'hui séparée de l'État, il serait à souhaiter qu'elle le fût également du théâtre. »*

L'hostilité devient entreprise politique à la Libre Parole *(article de Jean Drault):* La Bigote *est encore plus ennuyeuse que* Poil de Carotte, *et pour le journaliste... « l'idée en a été approuvée en loge maçonnique ». Jules Renard et la Franc-maçonnerie ? Quel beau sujet! Mais pour l'auteur de l'article il n'est pas question de discuter, il s'agit de disqualifier par tous les moyens. Il tranche et affirme que la pièce est « à la portée des primaires les plus constipés ». Paul Souday, lui aussi, juge sommairement, avec une sévérité qui ne s'encombre pas d'explications. Pour lui, ces deux actes sont « dépourvus de vérité littéraire et divertissants comme une journée de pluie ». Quant au sujet, c'est de « l'anticléricalisme pareil à celui de M. Combes et de M. Homais ».*

Léon Blum, au risque de passer pour primaire constipé, trouvait que La Bigote *était une pièce particulièrement originale. En effet: « Selon les procédés ordinaires du théâtre, pour rendre sensible un caractère comme celui-là, on nous l'eût montré en action, dans le détail de sa conduite quotidienne... M. Jules Renard n'a rien tenté de pareil, il a tenté quelque chose de plus difficile. D'un bout à l'autre de ces deux actes, nous verrons passer Mme Lepic, nous l'entendons parler quelquefois, d'une voix sourde, et mesurée, nous ne la verrons pas agir. Il semble qu'il en soit pour Jules Renard comme de la critique que La Bruyère a donnée du caractère de Tartuffe... ce qui importe, ce n'est pas ce que la bigote a fait de sa propre vie, c'est ce qu'elle a fait de la vie des autres... »*

Cette adhésion du critique dépasse le sujet et s'attache à la construction même de la pièce. Léon Blum ajoute à son analyse : « Je n'ai conté cette pièce que d'assez loin... je n'en ai fait sentir ni le mouvement, ni l'émotion, qui, dans tous les moments d'arrêt, de repos, de contact un peu prolongé entre les personnages, atteint à la même intensité que Poil de Carotte, ni l'originalité comique, ni la puissance pittoresque... Le dialogue est fait de répliques brèves qui pourraient sembler discontinues par la raison que chacune se suffit et dont pourtant la trame solide ne permettrait guère une coupure ou un rajout...

Conscient de la chaleur de son approbation, dans ce long article, repris dans son livre Au Théâtre, Léon Blum s'interroge : « N'ai-je point d'objections ? J'en ai sans doute. Un critique en a toujours... Je ne sais si... bien que les confidences de M. Lepic soient préparées avec un tract et un art parfaits, si l'ampleur n'en dépasse pas ce que comportaient la situation et le personnage. Ce sont là des objections auxquelles il serait sans doute facile de répondre... (il est facile de tout discuter, au théâtre). Ce qui n'est ni facile ni fréquent, c'est d'admirer, c'est de sentir tout à la fois, comme nous le sentions devant La Bigote, cette pleine satisfaction que crée l'œuvre d'art achevée, cette émotion qu'inspire la vérité, ce respect qu'imposent la noblesse et le courage de la pensée. »

Telle quelle, cette longue étude que nous avons longuement citée constitue la réponse d'un critique aux critiques de l'auteur de La Bigote. Mais que pensait Jules Renard, lui, de ces controverses souvent passionnées ?

Dès le 23 octobre 1909, il écrit à sa sœur Amélie que le succès de La Bigote a été inespéré. Mais ajoute : « Je ne sais pas de combien la presse réactionnaire, très malveillante, le diminuera, mais tu sais que je n'ai pas beaucoup d'exigences comme homme d'affaires. » A propos de cette lettre, un passage est à signaler : « Les craintes dont je t'avais parlé étaient vaines. Pas un mot, pas une insinuation : on oublie vite. » Il s'agit, bien sûr, de sa mère (qui venait de mourir) et qu'on prétendait être le modèle de Mme Lepic, en particulier de celle de Poil de Carotte. Et il termine la lettre à sa sœur. « Je t'enverrai La Bigote dès qu'elle aura paru, et mon succès sera complet si elle ne te choque pas. » Quelque temps plus tard, il est forcé de se rendre compte qu'à cet égard le succès ne sera pas complet. « Je n'exige pas que ma famille, toute ma famille, se confonde avec eux (les thuriféraires immodérés), mais je ne cache pas qu'il me serait désagréable qu'elle fût tout entière dans l'autre camp... » Et il termine. « Nous ne nous fâcherons pas à cause d'elle (la pièce), mais je ne comprendrais pas que tu l'ignores de parti pris : voilà tout. »

Le parti pris, ce fut là pourtant l'attitude de la critique. Aussi écrit-il avec reconnaissance à Marcel Boulenger pour le remercier de son « charmant article » qui le console « de toutes les niaiseries » qu'il vient de lire. Il avait d'ailleurs raison de craindre que la pièce pâtit de la critique et il ne cache pas à Antoine que sa pièce, « vraiment audacieuse, n'ait porté préjudice aux intérêts bourgeois » de son théâtre. De fait, La Bigote disparut rapidement de l'affiche. Inquiet, il multiplie les lettres à ceux de ses amis qui l'ont soutenu. A Maurice Pottecher : « J'ai lu sur cette petite pièce les choses les plus incroyables. Que c'est donc reposant de lire quelque chose de juste, de simple, de clair, sur ce simple drame : un homme embêté toute sa vie par sa femme au moyen du curé ! Je vous remercie de l'avoir compris et dit comme il fallait. » A Edmond Sée : « Qu'est-ce qui me resterait, aujourd'hui, si je n'avais ça, votre mot touchant de ce matin ? » Voilà un langage qu'on ne connaissait pas. Entre lui et le public s'est imposé l'écran de la critique, d'une certaine critique, car celle de ses amis le console du mot que Boylesve vient de lui rapporter et qui résume parfaitement l'agacement des confrères : « Ce qu'André Gide déteste le plus dans La Bigote, ce sont les trépignements du public. »

Car, point de doute là-dessus, c'est lui qu'on cherche à atteindre. La mise en scène, le jeu des acteurs sont mis en valeur comme l'atteste la fin de l'article, plein de réserves quant au sujet, d'Émile de Saint-Autan (il est vrai, élogieux pour le prestigieux talent de l'auteur) : « L'interprétation de l'œuvre atteint la perfection. » Jules Renard s'était d'ailleurs beaucoup préoccupé de la distribution et, avant même que Antoine ait définitivement reçu la pièce, il suggérait pour le rôle de M. Lepic l'acteur Desjardins. Ce fut finalement Léon Bernard qui fut choisi. Renard, d'abord déçu, se reprit bien vite : « Bernard est un réactionnaire : patrie, tradition, mais c'est un bon gros garçon tout prêt à aimer Jaurès. Il dit que La Bigote est un chef-d'œuvre... » Et lorsque l'acteur, après la disparition de la pièce de l'affiche à l'Odéon, a été engagé en décembre 1909, à la Comédie-Française, il lui écrit un mot pour le féliciter et pour lui décerner le plus bel hommage qu'un auteur puisse rendre à un acteur : l'identifier à son personnage : « Bravo, mon vieux papa Lepic ! »

Plus tard, lorsque la pièce parut en librairie, c'est à tous ses interprètes, collectivement, qu'il dédia La Bigote, « à tous les artistes de l'Odéon qui jouèrent la pièce ». Un excellent article de F. Chevassu dans Le Figaro du 22 octobre 1909 nous renseigne d'ailleurs sur le jeu des acteurs et la mise en scène : « L'effort intelligent de M. Bernard, qui n'apparaît point, dessina en un haut-relief les traits de M. Lepic ; lourds de sous-entendus, ses gestes, ses accents, ses inflexions soulignent en pleine clarté la mélancolie agressive et hargneuse de cette âme repliée. A ses côtés, Mme Kerwich fut une bigote cauteleuse et bornée. Mme Meloot marqua de tout son talent, fin et sûr, l'effarement de la jeune fille qu'on néglige et qui se néglige ; fraîche éclose du Conservatoire, Mlle Du Eyner fut vivace à souhait, dans le personnage d'une jeune amie d'Henriette dont la malice apprivoise un instant M. Lepic. Les rôles épisodiques furent bien tenus par Mme Barbièri et Marley et par M. Stephen. M. Denis d'Inès était peut-être le seul à ne jouer dans un ton accordé à ce décor de neutre et honnête province où les moindres accessoires rappellent avec quelle conscience M. Antoine met les pièces à la scène. »

Le succès de La Bigote doit beaucoup à ses acteurs, certes. Mais dans le théâtre de Jules Renard la pièce a sa place immédiatement après Poil de Carotte. Le sujet en est peut-être démodé, encore que le conformisme connaît de beaux jours, hier et aujourd'hui. Quoi qu'il en soit, c'est là une pièce de bon théâtre, de vrai théâtre, et Renard la considérait comme telle dans sa dernière lettre écrite peu de temps avant sa mort. L'Entêté, qu'il écrivait alors, n'a pas été achevé, en sorte que sa dernière œuvre théâtrale c'est cette Bigote, qui a révélé (à la grande fureur de certains) un Renard écrivain « engagé » et un des précurseurs de ceux qui, trente ans plus tard, se sont emparés de la scène pour y exprimer des « idées » (ces mêmes « idées » dont pourtant Renard ne voulait pas dans son Théâtre !).

PERSONNAGES

M. LEPIC, 50 ans — MM. BERNARD

PAUL ROLAND, gendre, 30 ans — DESFONTAINES

FÉLIX LEPIC, 18 ans — DENIS D'INÈS

M. LE CURÉ, jeune — BACQUÉ

JACQUES, 25 ans, petit-fils d'Honorine — STEPHEN

Mme LEPIC, 42 ans — Mmes KERWICH

HENRIETTE, sa fille, 20 ans — MELLOT

MADELEINE, amie d'Henriette, 16 ans — DU EYNER

Mme BACHE, tante de Paul Roland — MARLEY

LA VIEILLE HONORINE — BARBIERI

UNE PETITE BONNE — BARSANGE

LE CHIEN — MINOS

LES DEUX ACTES SE PASSENT DANS UN VILLAGE DU MORVAN, DONT M. LEPIC EST LE MAIRE.

DÉCOR DES DEUX ACTES

GRANDE SALLE. FENÊTRES A PETITS CARREAUX. VASTE CHEMINÉE. POUTRES AU PLAFOND. DE TOUS LES MEUBLES, SAUF DES LITS : ARCHE, ARMOIRE, HORLOGE, PORTE-FUSILS. PAR LES FENÊTRES, UN PAYSAGE DE SEPTEMBRE.

A TABLE, FIN DE DÉJEUNER. TABLE OBLONGUE, NAPPE DE COULEUR, EN TOILE DES VOSGES. M. LEPIC A UN BOUT, Mme LEPIC A L'AUTRE, LE PLUS LOIN POSSIBLE. LE FRÈRE ET LA SŒUR, AU MILIEU, FÉLIX PLUS PRÈS DE SON PÈRE, HENRIETTE PLUS PRÈS DE SA MÈRE. CES DAMES SONT EN TOILETTE DE DIMANCHE. SILENCE QUI MONTRE COMBIEN TOUS LES MEMBRES DE CETTE FAMILLE, QUI A L'AIR D'ABORD D'UNE FAMILLE DE MUETS, S'ENNUIENT QUAND ILS SONT TOUS LA. C'EST LA FIN DU REPAS. ON NE PASSE RIEN. M. LEPIC TIRE A LUI UNE CORBEILLE DE FRUITS, SE SERT, ET REPOUSSE LA CORBEILLE. LES AUTRES FONT DE MÊME, PAR RANG D'AGE. HENRIETTE ESSAIE, A PROPOS D'UNE POMME QU'ELLE COUPE, DE CÉDER SON DROIT D'AINESSE A FÉLIX, MAIS FÉLIX PRÉFÈRE UNE POMME TOUT ENTIÈRE. LA BONNE, HABITUÉE, SURVEILLE SON MONDE. ON LUI RÉCLAME UNE ASSIETTE, DU PAIN, PAR SIGNES. LA DISTRACTION GÉNÉRALE EST DE JETER DES CHOSES AU CHIEN, QUI SE BOURRE. Mme LEPIC NE PEUT PAS « TENIR » JUSQU'A LA FIN DU REPAS, ET ELLE CAUSE A FÉLIX, DONT LES YEUX S'ATTACHENT AU PLAFOND.

ACTE PREMIER

1

M. LEPIC, Mme LEPIC, HENRIETTE, FÉLIX.

Mme LEPIC, *à Félix.*

Tu as bien déjeuné, mon grand ?

FÉLIX

Oui, maman, mais je croyais le lièvre de papa plus gros. Hein, papa ?

M. LEPIC

Je n'en ai peut-être tué que la moitié.

Mme LEPIC

Il a beaucoup réduit en cuisant.

FÉLIX

Hum !

Mme LEPIC

Pourquoi tousses-tu ?

FÉLIX

Parce que je ne suis pas enrhumé.

343

Mme LEPIC

Comprends pas... Qu'est-ce que tu regardes ? Les poutres. Il y en a vingt et une.

FÉLIX

Vingt-deux, maman, avec la grosse : pourquoi l'oublier ?

Mme LEPIC

Ce serait dommage.

FÉLIX

Ça ne ferait plus le compte !

Mme LEPIC, *enhardie.*

Tu ne viendras pas avec nous ?

FÉLIX

Où ça, maman ?

Mme LEPIC

Aux Vêpres.

FÉLIX

Aux Vêpres ! A l'église ?

Mme LEPIC

Ça ne te ferait pas de mal. Une fois n'est pas coutume ; moi-même, j'y vais quand j'ai le temps.

FÉLIX

Tu le trouves toujours !

Mme LEPIC

Pardon ! mon ménage avant tout ! l'église après !

FÉLIX

Oh !

Mme LEPIC

N'est-ce pas, Henriette ? Mieux vaut maison bien tenue qu'église bien remplie.

FÉLIX

Ne fais pas dire de blagues à ma sœur ! Ça te regarde, maman ! En ce qui me regarde, moi, tu sais bien que je ne vais plus à la messe depuis l'âge de raison, ce n'est pas pour aller aux vêpres.

Mme LEPIC

On le regrette. Tout le monde, ce matin, me demandait de tes nouvelles, et il y avait beaucoup de monde. L'église était pleine. J'ai même cru que notre pain bénit ne suffirait pas.

FÉLIX

Ils n'avaient donc pas mangé depuis huit jours ? Ah ! ils le dévorent, notre pain ! Prends garde !

Mme LEPIC

J'offre quand c'est mon tour, par politesse ! Je ne veux pas qu'on me montre du doigt ! Oh ! sois tranquille, je connais les soucis de M. Lepic, je sais quel mal il a à gagner notre argent. Je n'offre pas de la brioche, comme le château. Ah ! si nous étions millionnaires ! C'est si bon de donner !

FÉLIX

Au curé... Tu ferais de son église un restaurant. Il y a déjà une petite buvette !

Mme LEPIC

Félix !

FÉLIX

J'irai alors, à ton église, par gourmandise.

Mme LEPIC

Tu n'es pas obligé d'entrer. Conduis-nous jusqu'à la porte.

FÉLIX

Vous avez peur, en plein jour ?

Mme LEPIC

C'est si gentil, un fils bachelier qui accompagne sa mère et sa sœur !

FÉLIX

C'est pour lui la récompense de dix années de travail acharné ! C'est godiche !

Mme LEPIC

Tu offrirais galamment ton bras.

FÉLIX

A toi ?

Mme LEPIC

A moi ou à ta sœur !

FÉLIX, *à Henriette.*

C'est vrai, cheurotte, que tu as besoin de mon bras pour aller chez le curé ?

HENRIETTE, *fraternelle.*

A l'église !... Je ne te le demande pas.

FÉLIX

Ça te ferait plaisir ?

HENRIETTE

Oui, mais à toi ?...

FÉLIX

Oh ! moi ! ça m'embêterait.

HENRIETTE

Justement.

Mme LEPIC

Il fait si beau !

FÉLIX

Il fera encore plus beau à la pêche.

Mme LEPIC

Une seule fois, par hasard, pendant tes vacances.

HENRIETTE, *à Mme Lepic.*

Puisque c'est une corvée !

Mme LEPIC

De plus huppés que lui se sacrifient.

FÉLIX

Oh ! ça, je m'en...

Mme LEPIC

J'ai vu souvent M. le conseiller général Perrault, qui est républicain, aussi républicain que M. le maire, attendre sa famille à la sortie de l'église.

FÉLIX

C'est pour donner, sur la place, des poignées de main aux amis de sa femme qui sont réactionnaires. N'est-ce pas, M. le maire ? *(M. Lepic approuve de la tête.)* Quand il reçoit chez lui la visite d'un curé, il accroche une petite croix d'or à sa chaîne de montre, n'est-ce pas, papa ?

(M. Lepic approuve et rit dans sa barbe.)

Mme LEPIC

Où est le mal ?

FÉLIX

Il n'y a aucun mal, si M. Perrault n'oublie pas d'ôter la petite croix quand on lui annonce papa. *(A M. Lepic.)* Il n'oublie pas, hein ?

(M. Lepic fait signe que non.)

Mme LEPIC

C'est spirituel !

FÉLIX

Ça fait rire papa ! C'est l'essentiel ! Écoute, maman, je t'aime bien, j'aime bien cheurotte, mais vous connaissez ma règle de conduite : tout comme papa ! Je ne m'occupe pas du conseiller général, ni des autres, je m'occupe de papa. Quand papa ira aux vêpres, j'irai. Demande à papa s'il veut aller ce soir aux vêpres.

HENRIETTE

Félix !

Mme LEPIC

C'est malin.

FÉLIX

Demande !... Papa, accompagnons-nous ces dames ? *(M. Lepic fripe sa serviette en tapon. Henriette la pliera, la met sur la table et se lève.)* Voilà l'effet produit : il se sauve avant le café ! Et ton café, papa ?

M. LEPIC

Tu me l'apporteras au jardin.

Mme LEPIC, *amère.*

Il ne s'est pas toujours sauvé.

HENRIETTE, *sans que M. Lepic la voie.*

Maman !

FÉLIX, *à Mme Lepic.*

Papa t'a accompagné à l'église ? Quand ?

Mme LEPIC

Le jour de notre mariage.

FÉLIX

Ah ! c'est vrai !

Mme LEPIC

Il était assez fier et il se tenait droit comme dans un corset !

FÉLIX

J'aurais voulu être là.

M. LEPIC

Il fallait venir !

FÉLIX

Et il a fait comme les autres ?

Mme LEPIC

Oui.

FÉLIX

Ce qu'ils font ?

Mme LEPIC, *accablante.*

Tout.

FÉLIX

Il s'est agenouillé ?

Mme LEPIC, *implacable.*

Tout, tout.

FÉLIX

Mon pauvre vieux papa ! Quand je pense que toi aussi, un jour dans ta vie... Tu ne nous disais pas ça !

M. LEPIC

Je ne m'en vante jamais !

Mme LEPIC, *porte son mouchoir à ses yeux, mais on frappe et elle dit, les yeux secs :*
Entrez !

LES MÊMES, la vieille HONORINE, son petit-fils JACQUES
avec une pioche sur l'épaule ; tous deux en dimanche.

HONORINE

Salut, messieurs, dames !

TOUS

Bonjour, vieille Honorine.

HONORINE

Je vous apporte un mot d'écrit qu'on a remis à Germenay *(Mme Lepic s'avance)* pour M. le maire.

(M. Lepic prend la lettre et l'ouvre.)

Mme LEPIC, *intriguée.*

Qui donc vous a remis cette lettre, Honorine ?

HONORINE

Mme Bache. Elle savait que j'étais, ce matin, de vaisselle chez les Bouvard qui régalaient hier soir. Elle est venue me trouver à la cuisine et elle m'a dit : tu remettras ça sans faute à M. Lepic, de la part de M. Paul.

Mme LEPIC

De M. Paul Roland ?

HONORINE

Oui.

Mme LEPIC, *à Henriette.*

Henriette, une lettre de M. Paul ! Il y a une réponse, Honorine ?

HONORINE

Mme Bache ne m'en a pas parlé ! Elle m'a seulement donné dix sous pour la commission !

Mme LEPIC

Moi, je vous en donnerai dix avec.

HONORINE

Merci, madame, je suis déjà payée. Une fois suffisait...

(Elle accepterait tout de même.)

Mme LEPIC

C'était de bon cœur, ma vieille.

(M. Lepic, après avoir lu la lettre, la pose près de lui, sur la table, où il est appuyé. La curiosité agite Mme Lepic.)

HONORINE

Elle était fameuse votre brioche, ce matin, à l'église, madame Lepic !

JACQUES

Oh ! oui, je me suis régalé. Je ne vais à la messe que quand c'est votre jour de brioche, madame Lepic. J'en ai d'abord pris un

morceau que j'ai mangé tout de suite, et puis j'en ai volé un
autre pour le mettre dans ma poche, que je mangerai ce soir à
mon goûter de 4 heures.

Mᵐᵉ LEPIC

Quelle brioche ? Ils appellent du pain de la brioche, parce qu'il a
le goût de pain bénit. On voit bien que vous ne savez pas ce que
c'est que de la brioche, mes pauvres gens !

HONORINE

Ah ! c'était bien de la brioche fine, et pas de la brioche de
campagne. Le château, lui qui est millionnaire, ne donne que du
pain, mais vous...

Mᵐᵉ LEPIC

Taisez-vous donc, Honorine ; vous ne savez pas ce que vous
dites.

HONORINE

Le château a une baronne, mais vous, vous êtes la dame du
village !

Mᵐᵉ LEPIC

Ma mère m'a bien élevée, voilà tout ! Mais vous empêchez
M. Lepic de lire sa lettre.

HONORINE

Il a fini !... Ce n'était pas une mauvaise nouvelle, monsieur
le maire... Non ?

M. LEPIC, *à Honorine.*

Tu veux lire ?

HONORINE

Oh ! non... Je suis de la vieille école, moi, de l'école qui ne
sait pas lire ; mais, comme ils ont l'air d'attendre et que vous
ne dites rien... Enfin !... ce n'est pas mon affaire ! mais à propos
de lettre, avez-vous tenu votre promesse d'écrire au préfet ?

M. LEPIC

Au préfet ?

HONORINE

Oui, à M. le Préfet.

(M. Lepic ouvre la bouche, mais Mᵐᵉ Lepic le devance.)

Mᵐᵉ LEPIC, *tous ses regards vers la lettre.*

Quand M. Lepic fait une promesse, c'est pour la tenir, Honorine.

HONORINE

Le préfet a-t-il répondu ?

Mᵐᵉ LEPIC

Il ne manquerait plus que ça !

HONORINE

Mon Jacquelou aura-t-il sa place de cantonnier ?

Mᵐᵉ LEPIC

Quand M. Lepic se mêle d'obtenir quelque chose...

HONORINE

Alors Jacquelou est nommé.

Mme LEPIC

Vous voyez bien que M. Lepic ne dit pas non.

HONORINE

Vous n'allez pas vous taire !

Mme LEPIC

Ne vous gênez pas, Honorine.

HONORINE, *penaude.*

Excusez-moi, Madame. Mais laissez-le donc répondre, pour voir ce qu'il va dire. Il est en âge de parler seul. Je vois bien qu'il ne dit pas non ; mais je vois bien qu'il ne dit pas oui. Dis-tu oui ?

Mme LEPIC

Quelle manie vous avez de tutoyer M. Lepic !

HONORINE

Des fois ! Ça dépend des jours, et ça ne le contrarie pas. *(A M. Lepic.)* Oui ou non ?

Mme LEPIC

Mais oui, mais oui, Honorine.

HONORINE

C'est qu'il ne le dirait pas, si on ne le poussait pas. *(A Mme Lepic.)* Heureusement que vous êtes là, et que vous répondez pour lui. *(A M. Lepic.)* Ah ! que tu es taquin ! Je te remercie quand même, va, de tout mon cœur. Je te dois déjà le pain que me donne la commune. Tu as beau avoir l'air méchant, tu es bon pour les pauvres gens comme nous.

Mme LEPIC

Il ne suffit pas d'être bon pour les pauvres, Honorine, il faut encore l'être pour les siens, pour sa famille.

HONORINE

Oui, Madame. *(A M. Lepic.)* Mais tu as supprimé la subvention de M. le curé : ça c'est mal.

FÉLIX

C'est avec cet argent que la commune peut vous donner du pain, ma vieille Honorine.

HONORINE, *à M. Lepic.*

Alors, tu as bien fait ; j'ai plus besoin que lui.

JACQUES

Merci pour la place, monsieur le maire !

HONORINE

Jacquelou avait peur, parce que de mauvaises langues rapportent qu'il a eu le bras cassé en nourrice et qu'il ne peut pas manier une pioche. C'est de la méchanceté.

JACQUES, *stupide.*

C'est de la bêtise !

HONORINE

Je lui ai dit : Prends ta pioche et tu montreras à M. le maire que tu sais t'en servir.

JACQUES

Venez dans votre jardin, monsieur le maire, et je vous ferai voir.

M. LEPIC

Pourquoi au jardin ? Nous sommes bien ici. Pioche donc !

(Jacques lève sa pioche.)

Mme LEPIC, *se précipite.*

Sur mon parquet ciré !

JACQUES

Je ne l'aurais pas abîmé ! Je ne suis pas si bête ! Je ne ferais que semblant pour que vous voyiez que je n'ai point de mal au bras.

HONORINE, *à M. Lepic.*

Et tu ris, toi ! Il rit de sa farce... *(M. Lepic pique une prune dans une assiette.)* Tu es toujours friand de prunes ?

Mme LEPIC

Il en raffole.

(M. Lepic laisse retomber sa prune.)

HONORINE

J'ai des reines-claudes dans mon jardin, faut-il que Jacquelou t'en apporte un panier ?

Mme LEPIC

Il lui doit bien ça !

JACQUES

Vous l'aurez demain matin, monsieur le maire.

Mme LEPIC

Et moi, je demanderai à Mme Narteau une corbeille des siennes.

HENRIETTE

Je crois, maman, que les prunes de Mme Mobin sont encore plus belles ; nous pourrions y passer après vêpres ?

Mme LEPIC

Oui, mais l'une n'empêche pas l'autre ; personne n'a rien à refuser à M. le maire.

HONORINE

Tu vas te bourrer !

M. LEPIC

Et toi, Félix ?

FÉLIX

Papa ?

M. LEPIC

Tu ne m'en offriras pas... des prunes ?

FÉLIX, *riant.*

Si, si... je chercherai, et je te promets que s'il en reste dans le pays !...

HONORINE

Il se moque de nous. Oh ! qu'il est mauvais !

Mme LEPIC, *aigre.*

Des façons, Honorine ! Il ne les laissera pas pourrir dans son assiette !

JACQUES

A présent, je vas me marier !

FÉLIX

Tout de suite ?

HONORINE

Il n'attendait que d'avoir une position.

FÉLIX

Qu'est-ce qu'il gagnera comme cantonnier ?

JACQUES

Cinquante francs par mois. En comptant la retenue, pour la retraite, il reste quarante-sept francs.

FÉLIX

Mâtin !

JACQUES

Et on a deux mois de vacances par an, pour travailler chez les autres !

Mme LEPIC

Avec ça, tu peux t'offrir une femme et un enfant !

HONORINE

Quand sa femme aura un enfant, elle prendra un nourrisson.

HENRIETTE

Ça lui fera deux enfants.

HONORINE

Oui, mademoiselle, mais le nourrisson gagne, lui, et il paie la vie de l'autre.

FÉLIX

Et il n'y a plus de raison pour s'arrêter !

JACQUES

Et soyez tranquille, monsieur Lepic, si mon petit meurt, il aura beau être petit, je le ferai enterrer civilement.

Mme LEPIC

Il est capable de le tuer exprès pour ça.

HENRIETTE

Avec qui vous mariez-vous ?

HONORINE

Avec la petite Louise Colin, servante à Prémery.

FÉLIX

Elle a une dot ?

HONORINE

Et une belle ! Un cent d'aiguilles et un sac de noix ! Mais ils sont jeunes ; ils feront comme moi et défunt mon vieux : ils travailleront ; s'il fallait attendre des économies pour se marier !

FÉLIX

A quand la noce ?

JACQUES

Le plus tôt possible. Menez-nous ça rondement, monsieur le maire.

HONORINE

Je vous invite tous. Je vous chanterai une chanson et je vous ferai rire, marchez !

JACQUES

On dépensera ce qu'il faut.

M. LEPIC

Tu ne pourrais pas garder ton argent pour vivre ?

HONORINE

On n'a que ce jour-là pour s'amuser !

JACQUES

C'est la vieille qui paie.

FÉLIX

Avec quoi ?

Mme LEPIC

Elle n'a pas le sou.

HONORINE

J'emprunterai ! Je ferai des dettes partout ; ne vous inquiétez pas ! Mais c'est vous qui les marierez, monsieur le maire. Ne vous faites pas remplacer par l'adjoint. Il ne sait pas marier, lui !

JACQUES

Il est trop bête. Il est encore plus bête que l'année dernière.

HONORINE

Et puis, tu embrasseras la mariée !

JACQUES

Ah ! ça oui, par exemple !

HONORINE

Tu n'as pas embrassé Julie Bernot. Elle est sortie de la mairie toute rouge. Son homme lui a dit que c'était un affront et qu'elle devait avoir une tache.

JACQUES

On dirait que ma Louise en a une. On le dirait ! Le monde est encore plus bête qu'on ne croit. Si vous n'embrassez pas

12

ma Louise, je vous préviens, monsieur le maire, que je la lâche dans la rue, entre la mairie et l'église ; elle ira où elle voudra. Vous l'embrasserez, hein ?

M. LEPIC

Tu ne peux pas faire ça tout seul ?

JACQUES

Après vous. Ne craignez rien. Commencez, moi je me charge de continuer.

M. LEPIC

Tu n'es pas jaloux ?

JACQUES

Je serai fier que monsieur le maire embrasse ma femme.

M. LEPIC

Elle ne doit pas être jolie !

JACQUES

Moi, je la trouve jolie ; sans ça !... Elle a déjà trois dents d'arrachées ; mais ça ne se voit pas, c'est dans la bouche.

FÉLIX

Si tu veux que je te remplace, papa ?

M. LEPIC, *à Félix.*

A ton aise, mon garçon !

JACQUES

Lui d'abord, monsieur Félix ! L'un ne gênera pas l'autre, mais d'abord lui. *(A M. Lepic.)* Elle retroussera son voile, et elle vous tendra le bec, vous ne pourrez pas refuser.

M. LEPIC, *à Jacques.*

Enfin, parce que c'est toi !

JACQUES

Merci de l'honneur, monsieur le maire, je peux dormir tranquille pour la place ?

M. LEPIC

Dors !... Tu ne sais ni lire ni écrire au moins ?

JACQUES

Ah, non !

M. LEPIC

Tant mieux, ça va bien !

JACQUES

Ah ! vous ne savez pas comme tout le monde est envieux de moi ! Ils vont tous fumer, quand j'aurai ma plaque de fonctionnaire sur mon chapeau !

HONORINE

Tous des jaloux ! Mais on laisse dire !

FÉLIX

Puisque vous avez votre pioche, Jacques, venez donc me chercher des amorces, que j'aille à la pêche.

JACQUES

Oui, monsieur Félix. *(Il brandit sa pioche.)* Eh ! bon Dieu !

Mme LEPIC, *se signe.*

Il va arracher tout notre jardin.

HONORINE

Oh ! non, il est raisonnable. *(Jacques et Félix sortent.)* Je t'attends là, Jacquelou !... Ce n'est pas parce que je suis sa grand-mère, mais je le trouve gentil, moi, mon Jacquelou !

Mme LEPIC

Comme un petit loup de sept ans.

HENRIETTE

Pourquoi l'appelez-vous Jacquelou au lieu de Jacques, Honorine ?

HONORINE

Parce que c'est plus court. *(A M. Lepic.)* Il aurait fait un scandale dans ta mairie, si tu n'avais pas cédé.

Mme LEPIC

Ma pauvre Honorine, M. Lepic n'aime plus embrasser les dames.

HONORINE

Ça dépend lesquelles !

Mme LEPIC

Ah !

HONORINE

Je le connais mieux que vous, votre monsieur : quand il est venu au monde, je l'ai reçu dans mon tablier. Oh ! qu'il était beau ! Il avait l'air d'un petit ange !

Mme LEPIC

Pas si vite ! Vous oubliez le péché originel, Honorine. On ne peut pas être un petit ange avant d'avoir été baptisé.

HONORINE

Oh ! il l'a été ; mais il n'y pense plus, aujourd'hui... c'est un mécréant ! Il ne croit à rien. Un homme si capable, le maire de notre commune ! Il ne croit même pas à l'autre monde !

M. LEPIC

Tu y crois donc toujours, toi ?

HONORINE

Oui... Pourquoi pas ?

Mme LEPIC

Vous savez, Honorine, que M. Lepic n'aime pas ce sujet de conversation. Il ne vous répondra pas.

M. LEPIC, *légèrement.*

Un autre monde ! Tu as plus de soixante-dix ans et tu vivras cent ans, peut-être ! Tu auras passé ta vie à laver la vaisselle des riches, y compris la nôtre ; on te voit toujours ta hotte derrière le dos.

HONORINE

Je ne l'ai pas aujourd'hui.

M. LEPIC

On la voit tout de même. C'est comme une vilaine bosse, ça ne s'enlève pas le dimanchè ! Tu n'as connu que la misère et tu crèveras dans la misère. Si la commune ne t'aidait pas un peu, tu te nourrirais d'ordures ! Sauf ton Jacquelou qui est estropié, tous tes enfants sont morts ! Tu ne sais même plus combien ! Jamais un jour de joie, de plaisir, sans un lendemain de malheur. Et il te faudrait encore un autre monde ! Tu n'as pas assez de celui-là ?

HONORINE

Qu'est-ce qu'il dit ?

Mme LEPIC

Rien, ma vieille.

HONORINE

Il me taquine. Il blague toujours. Ah ! si je voulais lui répondre, je l'écraserais ! Mais je l'aime trop ! Il était si mignon à sa naissance, quand je l'ai eu baigné, lavé, dans sa terrine, torché, langé, enfariné. Je n'ai pas mieux tapiné les miens. Je le connais comme si je l'avais fait...Il lève les épaules, mais il sait bien que j'ai raison ! Malgré qu'il soit malin, je devine ses goûts et je peux vous dire, moi, les dames qu'il aime et les dames qu'il n'aime pas.

Mme LEPIC

Vraiment !

HONORINE

Oui, Madame. Il n'aime pas les bavardes.

(M. Lepic, agacé, s'en va vers le jardin et laisse la lettre sur la table.)

M. LEPIC

Non !

Mme LEPIC

Vous entendez, Honorine ?

HONORINE

J'entends comme vous. Il n'aime pas les curieuses.

M. LEPIC

Non.

HONORINE

Ni les menteuses.

M. LEPIC, *toujours en s'éloignant.*

Non.

HONORINE

Ni surtout les bigotes.

M. LEPIC, *presque dans le jardin.*

Ah ! non !

HENRIETTE, *à Honorine.*

Voulez-vous boire quelque chose, ma vieille ?

HONORINE

Ma foi, mademoiselle !...

Mme LEPIC, *vexée et attirée par la lettre qui est sur la table... Sonnerie de cloche lointaine.*

Le premier coup des vêpres, Honorine !

HONORINE, *elle écoute par la cheminée.*

C'est vrai ! Oh ! j'ai le temps ! le second coup ne sonne qu'à 2 heures.

Mme LEPIC

C'est égal, ma vieille toquée ! Je ne vous conseille pas de vous mettre en retard.

HONORINE, *que le son de voix de Mme Lepic inquiète, à Henriette.*

Merci, ma bonne demoiselle !... Portez-vous bien, mesdames !

(Elle sort plus vite qu'elle ne voudrait, poussée dehors par Mme Lepic.)

3

Mme LEPIC, HENRIETTE.
Mme Lepic saisit la lettre.

HENRIETTE, *pour l'empêcher de lire.*

Papa l'a oubliée !

Mme LEPIC

Il l'a oubliée exprès. Depuis le temps que tu vis avec nous, tu devrais connaître toutes ses manies : quand il ne veut pas qu'on lise ses lettres, il les met dans sa poche. Quand il veut qu'on les lise, il les laisse traîner sur une table. Elle traîne, j'ai le droit de la lire. *(Elle lit.)* Henriette, mon Henriette ! Écoute.

(Elle lit tout haut.)

« Cher monsieur,

» Voulez-vous me permettre d'avancer la visite que je devais vous faire jeudi ? Un télégramme me rappelle à Nevers demain. Nous viendrons aujourd'hui, ma tante et moi, vers 4 heures, après les vêpres de ces dames.

» Ma tante est heureuse de vous demander, plus tôt qu'il n'était

357

convenu, la faveur d'un entretien, et je vous prie de croire, cher monsieur, à mes respectueuses sympathies.

> » Signé : Paul ROLAND. »

M. Paul et sa tante seront ici à 4 heures. Ils parleront à ton père et nous serons fixés ce soir. Oh ! ma fille, que je suis contente ! D'abord, je n'aurais pas pu attendre jusqu'à jeudi. Je me minais. C'était mortel ! Oh ! ma chérie ! Dans trois heures, M. Paul aura fait officiellement demander ta main à ton père, et ton père aura dit oui.

HENRIETTE

Ou non.

Mme LEPIC

Oui. Cette fois, ça y est, je le sens !

HENRIETTE

Comme l'autre fois.

Mme LEPIC

Si, si. Ton père a beau être un ours...

HENRIETTE

Je t'en prie...

Mme LEPIC

Moi, je dis que c'est un ours ; toi, avec ton instruction, tu dis que c'est un misanthrope ; ça revient au même. Il a beau être ce qu'il est, il recevra la tante Bache et M. Paul, j'imagine !

HENRIETTE

Il les recevra, comment ?

Mme LEPIC

Le plus mal possible, d'accord ; mais j'ai prévenu M. Paul ; il ne se laissera pas intimider, lui, par l'attitude, les airs dédaigneux ou les calembours de ton père. M. Paul saura s'exprimer. C'est un homme, et tu seras Mme Paul Roland.

HENRIETTE

Espérons-le.

Mme LEPIC

Tu y tiens ?

HENRIETTE

Je suis prête.

Mme LEPIC

Tu es sûre que M. Paul t'aime ?

HENRIETTE

Il me l'a dit.

Mme LEPIC

A moi aussi. Et quoi de plus naturel ! Tu as une jolie dot.

HENRIETTE

Combien, maman ?

Mme LEPIC

Est-ce que je sais ? 40 000... 50 000 ! J'ai dit 50 000. Ce serait malheureux qu'avec notre fortune...

HENRIETTE

Quelle fortune, maman ?

Mme LEPIC

Celle qui est là, dans notre coffre-fort. Je l'ai encore vue l'autre jour ! Si tu crois que ton père me donne des chiffres exacts !... Il faut bien que j'en trouve, pour renseigner les marieurs. Et puis tu n'as pas qu'une belle dot. Tu es instruite. Tu es très bien. Inutile de faire la modeste avec ta mère... Enfin, tu n'es pas mal.

HENRIETTE

Je ne proteste pas.

Mme LEPIC

Tu plais à M. Paul. Il te plaît. Il me plaît. Il plaira à M. Lepic.

HENRIETTE

Ce n'est pas une raison.

Mme LEPIC

Alors, M. Lepic dira pourquoi... ou je me fâcherai...

HENRIETTE

Ce sera terrible !

Mme LEPIC, *piquée.*

Certainement... Je ne me mêle plus de rien.

HENRIETTE

Si, si, maman, mêle-toi de tous mes mariages, c'est bien ton droit... et ton devoir. Et je ne demande pas mieux que de me marier ; mais tu te rappelles M. Fontaine, l'année dernière...

Mme LEPIC

M. Fontaine n'avait ni les qualités, ni la situation, ni le prestige...

HENRIETTE

Oh ! épargne-le... maintenant ! Il est loin !

Mme LEPIC

Tu ne vas pas me soutenir que M. Fontaine valait M. Paul.

HENRIETTE

Nous l'aurions épousé tout de même, tel qu'il était. Il ne me déplaisait pas.

Mme LEPIC

Il te plaisait moins que M. Paul.

HENRIETTE

Je l'avoue. Il te plaisait naturellement.

Mme LEPIC

Pourquoi naturellement ?

HENRIETTE

Parce que tu n'es pas regardante, et qu'ils te plaisent tous.

Mme LEPIC

C'est à toi de les refuser, en définitive, non à moi.

HENRIETTE

Oui, oui, maman. Je suis libre et papa aussi.

Mme LEPIC

Il ne va pourtant pas refuser tout le monde.

HENRIETTE

Ce ne serait que le deuxième !

Mme LEPIC

Et sans donner de motifs... Je vois encore ce M. Fontaine, qui était en somme acceptable, quitter ton père après leur entretien, nous regarder longuement comme des bêtes curieuses, nous saluer à peine, prendre la porte et... on ne l'a jamais revu.

HENRIETTE

Il avait déplu à mon père...

Mme LEPIC

Ou ton père lui avait déplu. M. Lepic n'a rien daigné dire et toi tu n'as rien demandé.

HENRIETTE

C'était fini.

Mme LEPIC

Et pourquoi ? Mystère !

HENRIETTE, *rêveuse.*

Je cherche à deviner. Mon père n'est peut-être pas partisan du mariage.

Mme LEPIC

Je te remercie !... C'est ça qui te pendait au bout de la langue ?

HENRIETTE

Oh ! maman !

Mme LEPIC

Tu as de l'esprit, sauf quand ton père est là. Tu ne débâilles pas devant lui. Prends garde qu'il ne reçoive ton M. Roland comme il a reçu ton M. Fontaine.

HENRIETTE

Je le crains et je voulais dire que, peut-être, mon mariage lui est indifférent.

Mme LEPIC

Oh ! tu me révoltes. Ton père ne t'aime pas comme je t'aime, aucun père n'aime comme une mère, nous le savons ; mais le père le plus dénaturé tient à marier sa fille.

HENRIETTE

Ne serait-ce que pour se débarrasser d'elle.

Mme LEPIC

Dirait-on pas que tu as une tache !

HENRIETTE

Quelle tache ?

Mme LEPIC

Ah ! si tu prends tout ce que je dis de travers.

HENRIETTE

Je m'énerve.

Mme LEPIC

C'est l'émotion des mariages. Calmons-nous, ma pauvre fille, je te jure que ce mariage réussira. S'il venait à manquer, moi qui suis déjà la plus malheureuse des femmes, je serais la plus malheureuse des mères.

HENRIETTE

Ce serait complet. Il ne te manquerait plus rien. Ne te désole donc pas, ma pauvre maman, puisque cette fois, ça y est. Tu vois, je ris !

Mme LEPIC

Oui, tu ris, comme un chien qui a le nez pris dans une porte ! Ris mieux que ça. A la bonne heure ! Et puis, sois adroite. Une vraie femme doit toujours céder, pallier, composer.

HENRIETTE

A propos de quoi, maman ?

Mme LEPIC

A propos de tout. Rappelle-toi ce que dit M. le curé sur les petits mensonges nécessaires, qui atténuent ; ainsi, par exemple, ton père déteste les curés ; eh bien, si ça le prend, écoute-le un peu, pas trop, une minute. C'est dur ! Qu'est-ce que ça te fait ? Veux-tu épouser M. Paul Roland, oui ou non ?

HENRIETTE

Oui, maman, tu as raison ! Je veux me marier, il faut que je me marie !

4

LES MÊMES, MADELEINE.

MADELEINE, *toilette des dimanches. Un petit livre de messe à la main.*

Qu'est-ce que vous avez ?

Mme LEPIC, *encore désolée.*

Nous sommes dans la joie !

MADELEINE

Ah ! oui !

Mme LEPIC

M. Paul et sa tante, Mme Bache, viendront à 4 heures, demander à M. Lepic la main d'Henriette.

MADELEINE, *gaie.*

M. Paul Roland ? Vrai ?

Mme LEPIC

Il nous a prévenus par cette lettre. Lis, tu peux lire. M. Lepic est enchanté !

MADELEINE, *à Henriette.*

Veinarde !... Oh ! quelle bonne nouvelle ! Ça me met en joie aussi, comme demoiselle d'honneur. *(A Henriette.)* Tu me gardes toujours, hein ?

HENRIETTE

Tu es indispensable. Tu seras la demoiselle d'honneur de tous mes projets de mariage !

MADELEINE

Comme si tu coiffais Sainte-Catherine ? Tu n'as pas vingt ans. Je passais vous prendre pour aller aux vêpres ; vous ne venez pas ?

Mme LEPIC

Oh ! si ! Manquer les vêpres aujourd'hui ? Mais nous ne resterons pas au salut, pour être sûrement de retour à l'arrivée de M. Paul et de sa tante.

MADELEINE

Comme nous bavarderons à l'église !

Mme LEPIC

Commencez tout de suite, mes filles. Je vais préparer un bon goûter de 4 heures et je vous rejoins.

5

HENRIETTE, MADELEINE.

MADELEINE, *au cou d'Henriette.*

Que je te félicite et que je t'embrasse ! M. Paul Roland est très bien.

HENRIETTE

Tu trouves ?

MADELEINE

Très, très bien. J'en voudrais un comme lui.

HENRIETTE

Tu me fais plaisir.

MADELEINE

Avec des yeux plus grands.

HENRIETTE

Si tu y tiens.

MADELEINE

Ça ne te contrarie pas ?

HENRIETTE

Moi-même, je les trouve un peu petits.

MADELEINE

Ce n'est qu'un détail. Et puis, M. Paul Roland a une belle position. Tout le monde le sait. Il va faire une demande officielle pour la forme. Il t'aime ?

HENRIETTE

Je crois.

MADELEINE

Et tu l'aimes ?

HENRIETTE

Oui, mais je n'ose pas trop me lancer.

MADELEINE

M. Lepic et lui sont déjà d'accord ?

HENRIETTE

Papa n'a encore rien dit à personne.

MADELEINE

Même à toi ? Tu n'as pas causé avec lui ?

HENRIETTE

Est-ce que je cause avec papa ?

MADELEINE

M. Lepic et moi nous causons. Nous sommes une paire d'amis intimes.

HENRIETTE

Tu n'es pas sa fille !

MADELEINE

Je suis la fille de papa. Mais j'ai des causeries sérieuses avec papa.

HENRIETTE

Ton papa n'est pas marié avec maman.

MADELEINE

Ah ! non !

HENRIETTE

Tout est là, Madeleine. A chacun sa famille, et tu le sais bien.

MADELEINE

Je sais que dans la tienne il fait plutôt froid, mais il me semble que, pour un cas aussi grave que ton mariage, on se dégèle.

HENRIETTE

Écoute, ma chérie, M. Paul m'écrit de temps en temps. Or, chaque lettre que je reçois, je la montre à papa. Il ne la regarde même pas !

MADELEINE

Eh bien ! Après ? M. Lepic pense que les lettres de M. Paul sont à toi seule.

HENRIETTE

C'est la même chose pour mes réponses. Je les lui offre à lire ; il ne les regarde pas.

MADELEINE

Je trouve ça très délicat. M. Lepic vous laisse écrire librement. Moi, je ne montrerai mes lettres à personne. Tu ne peux pas reprocher à ton père sa discrétion.

HENRIETTE

Je lui reproche de ne pas s'apercevoir de mes efforts, de me paralyser, de me faire peur. Oh ! et puis, je ne lui reproche rien.

MADELEINE

Oui, tu me répètes souvent que tu as peur de ton père. Comme c'est drôle !

HENRIETTE

Depuis ma sortie de pension, depuis quatre années que je vis dans cette maison, au milieu des miens, entre mon père, qui n'aime que la franchise, et ma mère, qui s'en passe volontiers, je ne fais qu'avoir peur. J'ai peur de tout, j'ai peur de lui, j'ai peur...

MADELEINE

De ta mère ?

HENRIETTE

Oh ! non. Mais à chaque instant j'ai peur pour elle ! Si tu savais, Madeleine, comme il est facile à une femme d'être insupportable à son mari ! Alors, j'ai peur de moi, peur de mon mariage, de l'avenir, de la femme que je serai.

MADELEINE

Tu as peur d'être une femme insupportable à M. Paul ?

HENRIETTE

Je ne suis pas sûre de rendre mon mari heureux.

MADELEINE

Qu'il te rende heureuse d'abord ! On s'occupera de lui après.

HENRIETTE

Je ressemble beaucoup à ma mère.

MADELEINE

Quoi de plus naturel ?

HENRIETTE

Je m'entends.

MADELEINE

Va mettre ton chapeau et allons aux vêpres, ça te distraira.

HENRIETTE

Ça ne me fait plus aucun bien. Tu sais si j'aime M. le curé, si j'ai en lui une confiance absolue. Eh bien ! elle se trouble, et à l'église, depuis quelques jours, je prie machinalement, je ne prie plus, je rêvasse, je pense à des actes de foi que les hommes ne peuvent ou ne veulent pas comprendre.

MADELEINE

Ils pourraient. Ils ne veulent pas. C'est des choses de femmes et de curé, ça ne regarde pas les hommes.

HENRIETTE

Pourquoi, Madeleine ?

MADELEINE

Ça leur est égal ; mon père, lui, s'en moque !

HENRIETTE

Le mien, non.

MADELEINE

Il a pourtant une forte tête, ton père !

HENRIETTE

C'est peut-être là le malheur !

MADELEINE

Henriette, tu avais trop de prix à la pension ! Veux-tu un conseil de ta petite amie ? Tu sais si papa est tendre pour moi. Eh bien ! je vais te faire une confidence qui t'étonnera : il lui arrive, comme aux autres, de bouder.

HENRIETTE, *ironique.*

Oh ! c'est grave !

MADELEINE

Ça me fait souffrir ; il n'y a pas que toi de sensible ! Mais dès que je m'aperçois qu'il boude, je ne compte ni une ni deux, je saute à son cou, et j'y reste pendue, jusqu'à ce qu'il déboude, et ce n'est pas long !...

HENRIETTE

Sauter au cou de papa !

MADELEINE

Tu verras l'effet que ça fait !

HENRIETTE

Au cou de papa ! Madeleine !

MADELEINE

Eh bien ! quoi, ce n'est pas le clocher !

HENRIETTE

J'aimerais mieux sauter dans la rivière.

MADELEINE

Il est grand temps que tu te maries !... Tu ne peux pas ; si ça te gêne de bondir, t'approcher, tendre ta joue à ton père et lui dire, câline : papa, ça me ferait plaisir d'épouser M. Paul Roland. Tu ne pourrais pas ? *(M. Lepic paraît.)* Veux-tu que je te montre ?

HENRIETTE

Je vais mettre mon chapeau.

(Elle se sauve.)

6

MADELEINE, M. LEPIC.

M. LEPIC

Te voilà, toi ?

MADELEINE

Oui ; bonjour, monsieur Lepic.

M. LEPIC

Bonjour, Madeleine !

MADELEINE

Ça va bien ?

M. LEPIC

Ça va comme les vieux.

MADELEINE

Vous êtes encore jeune.

M. LEPIC

Pas tant que toi.

MADELEINE

Chacun son tour !

M. LEPIC

Et pas si joli !

MADELEINE

Je suis donc jolie ?

M. LEPIC

Je ne te le répéterai pas.

MADELEINE

Ah ! j'ai mis ma belle robe bleue du dimanche.

M. LEPIC

Elle te va bien. Ce n'était pas pour venir me voir.

MADELEINE

Si, après la messe.

M. LEPIC

Tu y es allée ?

MADELEINE

Je ne la manque jamais.

M. LEPIC

Et tu l'as vu ?

MADELEINE

Qui ça ?

M. LEPIC

M. le curé !

MADELEINE

Oui.

M. LEPIC

Il y était à la messe ?

MADELEINE

Ça vous étonne ?

M. LEPIC

De lui, non. Qu'est-ce qu'il t'a dit ?

MADELEINE

Il m'a dit : *Pax vobiscum* ! en latin.

M. LEPIC

Il ne sait donc pas le français ?

MADELEINE

Et je le reverrai tout à l'heure, aux vêpres.

M. LEPIC

Il y va aussi ?

MADELEINE

Il fait son métier. Qu'est-ce que je lui dirai de votre part ?

M. LEPIC

Ce que tu voudras : fichez-nous la paix, en français.

MADELEINE

Oh ! vilain ! Faudra-t-il lui annoncer la grande nouvelle ?

M. LEPIC

Tu en connais une ?

MADELEINE

Oui, vous voulez la savoir ?

M. LEPIC

Je n'y tiens pas.

MADELEINE

Je vous la dis tout de même. M. Paul Roland va venir aujour-d'hui, à 4 heures, avec sa tante, Mme Bache. Il vous demandera la main de mon amie Henriette, et vous la lui accorderez. Voilà !

M. LEPIC

C'est intéressant.

MADELEINE

Je suis bien renseignée ?

M. LEPIC

Tu en as l'air.

MADELEINE

N'est-ce pas que vous direz : oui ? N'est-ce pas ? Qui ne dit rien consent.

M. LEPIC

Qui ne dit rien ne dit rien.

MADELEINE

Répondez gentiment.

M. LEPIC

Qu'est-ce que tu me conseilles ?

MADELEINE

Oh ! comme c'est fort ! Bien sûr, ça ne me regarde pas.

M. LEPIC

On ne le dirait guère.

MADELEINE

Si, ça me regarde ! Henriette n'est-elle pas ma grande amie ? la seule. Après son mariage, le mien ! qu'elle se dépêche ! Vous direz oui, hein ! sans vous faire prier. Il ne veut pas répondre... *(Elle lui touche le front.)* Oh ! qu'est-ce qu'il y a là ?

M. LEPIC

Un os, l'os du front.

MADELEINE

Dites oui, je vous en prie.

M. LEPIC

Ce n'est pas moi, un homme, qu'il faut prier, c'est...

(Il désigne le ciel du doigt.)

MADELEINE

Dieu ! Je le prie chaque jour ! Dites oui, et vous aurez la meil-leure place dans mes autres prières.

(Elle désigne son livre.)

M. LEPIC

La meilleure, et ton amoureux ? Qu'est-ce que c'est que ça ?

MADELEINE

Je n'ai pas d'amoureux. Je n'ai que votre Félix, il ne compte pas. Ça, c'est mon livre.

M. LEPIC

Un roman ?

MADELEINE

Mon livre de prières. J'aurai un vrai amoureux, quand ce sera mon tour.

M. LEPIC

Dépêche-toi.

MADELEINE

Quand Henriette sera mariée, dès le lendemain, je vous le promets.

M. LEPIC

Il y a déjà peut-être là-dedans sa photographie !

MADELEINE, *offrant le livre.*

Voyez, je vous le prête. Ouvrez, cherchez !

M. LEPIC

Ton livre ! Je le connais mieux que toi.

MADELEINE

Un fameux !

M. LEPIC

Veux-tu parier ?

MADELEINE

Vous n'en réciteriez pas une ligne.

M. LEPIC

Deux.

MADELEINE

Allons !

M. LEPIC

« Faux témoignage ne diras, ni mentiras aucunement. »

MADELEINE

Très bien, après ?

M. LEPIC

Continue, toi. *(Madeleine cherche.)* Tu ne te rappelles plus ?

MADELEINE, *reprend son livre.*

Ma foi, non : « L'œuvre de chair ne désireras, qu'en mariage seulement. »

M. LEPIC

Eh bien ?

MADELEINE

Eh bien, quoi ?

M. LEPIC

Tu as compris ?

MADELEINE, *gênée.*

Un peu.

M. LEPIC

M. le curé t'explique ?

MADELEINE

Sans insister.

M. LEPIC

C'est pourtant raide !

MADELEINE

Vous choisissez exprès !

M. LEPIC, *reprend le livre.*

Il y en a d'autres : « Luxurieux point ne seras... »

MADELEINE

Assez ! Assez ! Élève Lepic. Vous savez encore votre catéchisme.

M. LEPIC

Pourquoi rougis-tu ?

MADELEINE

Parce que vous êtes méchant, et que vous me faites de la peine !

M. LEPIC

Pauvre petite ! Ça pourrait être un si beau livre ! Tu ne feras pas
mal de lire quelques poètes, pour te purifier.

MADELEINE

J'en lirai avec Henriette, quand nous serons mariées.

M. LEPIC

Trop tard !

MADELEINE

Nous nous rattraperons. Au revoir... Malgré vos malices de païen,
je vous aime bien.

M. LEPIC

Moi aussi.

MADELEINE

Oh ! vous, vous m'adorez !

M. LEPIC

Oh ! oh !

MADELEINE

C'est vous qui me l'avez dit.

M. LEPIC

Tu m'étonnes. Je ne me sers pas de ce mot-là aussi facilement que tes écrivains.

MADELEINE

Vous ne m'avez pas dit que vous m'aimiez ?

M. LEPIC

Ça, c'est possible.

MADELEINE

Vous me détestez, alors ?

M. LEPIC

Comme tu raisonnes bien !

MADELEINE

Vous n'aimez personne ?

M. LEPIC

Mais si.

MADELEINE

Qui donc ?

M. LEPIC, *gaiement.*

Ma petite amie.

MADELEINE

Vous en avez une ?

M. LEPIC

Tiens !...

MADELEINE

A votre âge ?

M. LEPIC

Elle est si jeune, que ça compense.

MADELEINE, *très curieuse.*

Comment s'appelle-t-elle ? Son petit nom ?

M. LEPIC

Madeleine.

MADELEINE

Comme moi. Et son nom de famille ?

M. LEPIC

Bertier.

MADELEINE

Madeleine Bertier, moi !

M. LEPIC

Dame !

MADELEINE

Oh ! quelle farce ! Ce n'est pas ce que je voulais dire. Je croyais que vous parliez d'une autre, je pensais à une vraie.

M. LEPIC

Tu ne penses qu'au mal !

MADELEINE

Bien sûr qu'on s'aime tous deux, et je vous répète que je vous aime beaucoup.

M. LEPIC

Le dis-tu à M. le curé ?

MADELEINE

Je lui dis tout.

M. LEPIC

Tu diras le reste à ton mari.

MADELEINE

Est-il mauvais donc ! Ah ! vous ne vous êtes pas levé du bon côté, ce matin.

M. LEPIC

C'était dimanche.

MADELEINE

Au revoir, monsieur Lepic.

M. LEPIC

Au revoir, ma fille !

MADELEINE

Oh ! si j'étais votre fille !

M. LEPIC

Ça se gâterait peut-être.

MADELEINE

Pourquoi ? Au fait, c'est à votre fille que vous devriez dire tout ça.

M. LEPIC

J'en suis las !

MADELEINE

Vous ne lui dites peut-être pas bien comme à moi.

M. LEPIC

Ah ! dis-le-lui toi-même, répète-le, puisque tu te mêles de tout.

MADELEINE

C'est ce que je m'en vais faire, à l'instant, aux vêpres.

M. LEPIC

Ce ne sera pas du temps perdu...

MADELEINE

Allons, embrassez-moi. *(Elle lui tend la joue.)* Sur l'autre. *(A Henriette qui revient.)* Tu vois...

HENRIETTE

Au revoir, papa ! *(Elle lui donne avec timidité un baiser que M. Lepic garde. A Madeleine.)* Tu vois !

MADELEINE

Ton fiancé te le rendra ce soir !

(Sonneries de cloches pour le départ. M. Lepic se bouche une oreille du creux de la main. Les trois dames, Mme Lepic au milieu, sont sur un rang, avec les trois livres de messe.)

Mme LEPIC

Vous y êtes, nous partons. *(Énormité du livre de Mme Lepic ; le livre de Mme Lepic tombe.)*

M. LEPIC

Pouf !...

Mme LEPIC

Allez devant, mes filles, je vous rejoins.

(Elle ramasse son livre. M. Lepic va décrocher son fusil. Mme Lepic, qui est restée en arrière, feint d'essuyer son livre et observe avec stupeur M. Lepic.)

7

M. LEPIC, Mme LEPIC.

Mme LEPIC

Tu sors, mon ami ?... tu sors ?... Tu as bien lu la lettre de M. Paul Roland ?... Tu cherches des allumettes ? En voilà une boîte de petites que j'ai achetées pour toi. C'est moins lourd dans la poche. *(M. Lepic prend une autre boîte d'allumettes sur la cheminée et il se bouche encore l'oreille. Mme Lepic continuant.)* Avec ces cloches, on ne s'entend pas ! *(Elle ferme la fenêtre.)* M. Paul et sa tante seront là à 4 heures. *(M. Lepic appuie son fusil sur une autre table et l'ouvre ; par les canons, il cherche la lumière et rencontre Mme Lepic.)* A 4 heures précises. Tu seras là. Oui, tu ne vas pas loin ? *(M. Lepic et Mme Lepic se heurtent. Passage difficile. M. Lepic reste immobile et attend.)* Un petit tour seulement ? Ce n'est pas la peine de mettre tes guêtres. *(M. Lepic met ses guêtres.)* Veux-tu que je te prépare une chemise propre pour les recevoir ? Tu n'as pas besoin de t'habiller, mais ce serait une occasion d'essayer tes chemises neuves... Ton chapeau de paille, par ce soleil ? *(M. Lepic prend son chapeau de feutre.)* Oh ! ces cloches. *(Elle ferme la porte.)* A 4 heures, 4 h. 15. Nous ne sommes pas à un quart d'heure près... D'ailleurs nous t'attendrons. Au revoir, mon ami ! Si tu pouvais nous rapporter un petit oiseau pour notre dîner !

(M. Lepic sort. Les cloches rentrent.)

8

Mme LEPIC seule.

Mme LEPIC

Oh ! tête de fer ! pas un mot. Pas même : tu m'ennuies ! Et c'est comme ça depuis vingt-sept ans ! Et ma fille va se marier !

(Elle sort avec dignité, au son des cloches.)

RIDEAU

ACTE DEUXIÈME

1

Mᵐᵉ LEPIC, HENRIETTE retour de vêpres, FÉLIX, PAUL ROLAND, TANTE BACHE.

Mᵐᵉ LEPIC, *regarde l'horloge.*

Il sera là dans un quart d'heure. Il me l'a bien promis.

FÉLIX, *ironique.*

Oh ! Formellement ?

Mᵐᵉ LEPIC

Il était de si bonne humeur qu'il m'a dit en partant : je tâcherai de te rapporter un petit oiseau qui t'ouvre l'appétit.

FÉLIX

Il t'a dit ça ?

Mᵐᵉ LEPIC

Oui, ça t'étonne ? Il fallait être là, tu l'aurais entendu !

TANTE BACHE, *agitée.*

Nous sommes tranquilles, M. Lepic est un homme du monde !

Mᵐᵉ LEPIC

Surtout avec les étrangers.

TANTE BACHE

D'une politesse ! Froid, mais si comme il faut ! Et quel grand air !

Mme LEPIC

Et si vous l'aviez vu danser !

TANTE BACHE

Oh ! je le vois !

Mme LEPIC

Toutes les femmes le regardaient. C'est par là qu'il m'a séduite...
Il ne danse plus !

TANTE BACHE

Il reste élégant.

Mme LEPIC

Oui, il fait encore de l'effet, à une certaine distance.

TANTE BACHE

De loin et de près, il m'impressionne. Si je me promenais à son
bras, je n'oserais rien lui dire.

Mme LEPIC

Comme il est lui-même peu bavard, vous ne seriez pas longue à
vous ennuyer.

TANTE BACHE, *rêveuse.*

Non. Nous marcherions silencieusement, muets, dans un parc, à
l'heure où la musique joue.

HENRIETTE

Comme vous êtes poétique, tante Bache.

TANTE BACHE

Je l'avoue. C'est ce que mon mari, de son vivant, appelait « faire
la dinde ».

FÉLIX

C'était un brave homme, M. Bache !

TANTE BACHE

Oui, mais il avait de ces familiarités.

Mme LEPIC

Ça vaut mieux que rien !

TANTE BACHE

Mieux que rien, des gros mots !

HENRIETTE

Des gros mots affectueux.

TANTE BACHE

Des injures, oui...

Mme LEPIC

Ça rompt le silence.

PAUL

Mesdames ! mesdames ! Ce n'est pas le jour de dire du mal des
maris.

TANTE BACHE

Et devant Henriette !

Mme LEPIC

Elle aura son tour !

PAUL

Attendez !

TANTE BACHE

Oh ! tu ne ressembles pas à M. Bache, mais plutôt à M. Lepic qui est d'une autre race.

Mme LEPIC

Quand il veut, charmant causeur. Ah ! j'en ai écouté de jolies choses !

TANTE BACHE

Il les choisit ses mots, lui, et les pèse.

Mme LEPIC

Un à un. Aujourd'hui il y met le temps !

TANTE BACHE

C'est un sage !

Mme LEPIC

Oh ! chère amie, une image ! Je vous le prêterai.

PAUL

Mesdames !...

TANTE BACHE

Un penseur !...

Mme LEPIC, *regarde l'horloge.*

Pourvu qu'il pense à revenir !

TANTE BACHE

Chose bizarre ! Il m'attire et je le crains. Oh ! cette demande en mariage !

PAUL

Tu ne vas pas reculer ?

TANTE BACHE

Non, non, je la ferai puisqu'il le faut, puisque c'est l'usage. Drôle d'usage ! C'est toi qui vas te marier, et c'est moi...

PAUL

Ma bonne tante !

TANTE BACHE

Oh ! ne te tourmente pas ; je serai brave. J'ai bien mes gants dans ma poche ! Oui. Des gants neufs ! C'est leur première sortie. Mon cœur toque ! Il me semble que je vais demander M. Lepic en mariage pour moi ! Qu'est-ce que je lui dirai, et comment le dirai-je ?

PAUL

Tu t'en tireras très bien !

TANTE BACHE

Très bien ! très bien ! Il ne faut pas me prendre pour une femme si dégourdie !

Mme LEPIC

Soyez nette. La netteté avant tout !

TANTE BACHE

Oui. N'est-ce pas ! toute ronde !

FÉLIX

Avec papa qui est carré, gare les chocs !

TANTE BACHE

Ah !

FÉLIX

Je dis ça pour vous prévenir !

TANTE BACHE

Oui, oui.

Mme LEPIC

Et flattez-le d'abord.

TANTE BACHE

Vous me disiez d'être nette.

Mme LEPIC

Avec de la souplesse et même de la ruse. Par exemple, dites-lui du mal des curés.

TANTE BACHE

A propos de quoi ?

Mme LEPIC

Il n'y a plus que ça qui lui fasse plaisir !

TANTE BACHE

Je ne pense pas de mal des curés !

FÉLIX

Vous vous confesserez après.

PAUL

Ma tante ! reste naturelle, sois franche, comme toujours ! J'ai causé plusieurs fois avec M. Lepic, et il m'a fait l'impression d'un homme de sens, quoique spirituel.

TANTE BACHE

Spirituel ! Mon Dieu !

PAUL

Oh ! il a de l'esprit, c'est incontestable, un esprit particulier, personnel, caustique ; mais je ne suis pas ennemi d'une certaine satire, même à mes dépens, pourvu qu'elle soit raisonnable, et, à ta place, je prendrais M. Lepic par la simple raison.

TANTE BACHE

J'essaierai !

Mme LEPIC

Ou les belles manières, puisque vous trouvez qu'il en a.

TANTE BACHE

Oui, mais, est-ce que j'en ai, moi ?

FÉLIX

Vous ne manquez pas d'un certain genre.

TANTE BACHE

Moquez-vous de moi, c'est le moment !

HENRIETTE

Prenez-le par la douceur.

TANTE BACHE

C'est le plus sûr.

FÉLIX

Prenez-le donc comme vous pourrez. Papa est un chic type !

TANTE BACHE

Oh ! oui ! comme je pourrai... C'est le plus simple. D'ailleurs, je ne dirai que deux mots, n'est-ce pas : « M. Lepic, j'ai l'honneur... » Je me rappelle bien ta phrase, Paul, et je n'ai pas besoin d'entrer dans les détails.

FÉLIX

Non, n'exagérez pas les cérémonies avec papa !

TANTE BACHE

Un oui de M. Lepic me suffira.

FÉLIX

Il ne vous en donnera pas deux.

PAUL

Pourvu que tu l'obtiennes !

FÉLIX

Ça ne fait aucun doute ! J'ai besoin d'un beau-frère, maintenant que je suis bachelier ! Quand vous irez à Paris pour affaires, vous m'emmènerez et nous ferons la noce !

PAUL

Votre confiance m'honore.

FÉLIX

Je me suis fait faire un complet-jaquette.

PAUL

C'est de rigueur. *(A Henriette.)* Ma tante réussira-t-elle ?

HENRIETTE

Je ne sais pas.

PAUL

Vous l'espérez ?

HENRIETTE

Je l'espère.

FÉLIX

J'te crois, que tu l'espères ! Henriette est une fille bien élevée qui a la mauvaise habitude de cacher ses sentiments.

PAUL

Il est spirituel ! Il tient de son père !

FÉLIX, *fier.*

Je ne tiens que de lui ! Je suis le sous-chef de la famille.

Mme LEPIC

Et tu tiens le reste de ta mère, mauvais fils !

FÉLIX

Je le laisse à ma sœur.

Mme LEPIC

Ma chère fille ! Embrassez-le, monsieur Paul, ça portera bonheur à tante Bache.

FÉLIX

Il n'a pas le droit ! Oh ! ce soleil, Henriette.

TANTE BACHE

C'est l'amour.

FÉLIX

C'est curieux de changer de couleur comme ça. Elle va prendre feu !

Mme LEPIC, *attendrie, à Paul.*

Ah ! mon cher fils !

FÉLIX

Mais non, maman, c'est moi, ton fils.

Mme LEPIC

J'en aurai deux. Du courage, chère tante.

FÉLIX

Tu te trompes encore ! Ce n'est pas ta tante.

Mme LEPIC

Tu m'ennuies, elle le sera bientôt par alliance. A l'arrivée de M. Lepic, nous disparaîtrons, sur un signe que je ferai, pour vous laisser seuls.

TANTE BACHE

Seuls.

Mme LEPIC

Oui, tous les deux ici.

TANTE BACHE

Ah ! ici.

Mme LEPIC

Ça vous va ?

TANTE BACHE

Oh ! n'importe où. Partout j'aurai une frousse !

Mme LEPIC

Ici, il y a de la lumière et de l'espace.

TANTE BACHE

Il ne m'en faut pas tant !

Mme LEPIC

Et nous serons là, près de vous, derrière la porte ; nous vous soutiendrons de nos vœux, de nos prières.

FÉLIX

Si tu allais chercher M. le curé !

Mme LEPIC, *désolée.*

M. Lepic ne peut pas le sentir ! Et c'est pourtant un curé parfait, qui ne s'occupe de rien !

FÉLIX

A quoi sert-il ?

PAUL

Pour l'instant il est inutile.

Mme LEPIC

Écoutez : nous mettrons d'abord M. Lepic de bonne humeur... C'est demain sa fête, il faut la lui souhaiter aujourd'hui, tout à l'heure, dès qu'il rentrera...

FÉLIX

Tu es sûre de ton effet ? D'ordinaire, ça ne porte pas.

Mme LEPIC

Quand nous ne sommes qu'entre nous, non ! Mais si son cœur se ferme aux sentiments les plus sacrés de la famille, devant le monde il n'osera pas le laisser voir. Henriette, montre ton cadeau.

HENRIETTE, *rieuse.*

Un portefeuille que j'ai brodé.

PAUL

Très artistique ! Un goût !...

Mme LEPIC

Vous remarquez le sujet ?

PAUL

Une tête de République.

Mme LEPIC

Ce ne sont pas nos idées, à ma fille et à moi, mais ça l'attendrira peut-être... Le prochain sera brodé pour vous, avec un autre sujet.

(Elle reprend le portefeuille.)

PAUL

Oh ! je suis très large d'idées !

381

FÉLIX

Papa dit qu'on est très large d'idées quand on n'en a point.

PAUL

C'est très fin !

TANTE BACHE

Et des fleurs, pour M. Lepic ?

FÉLIX

Papa ne les aime que dans le jardin.

TANTE BACHE

Toujours des goûts distingués !

Mᵐᵉ LEPIC

Quatre heures et demie !

PAUL

Vous êtes inquiète ?

Mᵐᵉ LEPIC

Non, non. Mais il est si original !

PAUL

Quelque lièvre qui l'aura retardé !

FÉLIX

Ou un lapin qu'il vous pose.

Mᵐᵉ LEPIC, *à Félix.*

Si tu allais au-devant de lui ?

FÉLIX

Ça le ferait venir moins vite.

Mᵐᵉ LEPIC, *fébrile.*

Je commence à... J'aurais donc mal compris...

TANTE BACHE, *avec espoir.*

S'il ne venait pas !

Mᵐᵉ LEPIC

Ce serait une humiliation pour vous !

TANTE BACHE

Oh ! ça !

FÉLIX, *qui regardait par la fenêtre.*

Voilà le chien ! Et papa avec Madeleine.

Mᵐᵉ LEPIC, *soupire.*

Ah ! mon Dieu !... Je le savais bien !

TANTE BACHE, *avec effroi.*

Ah ! mon Dieu !... plus d'espoir.

PAUL, *troublé.*

Le bel animal !

(Sifflements et caresses au chien par la fenêtre.)

382

HENRIETTE

Il s'appelle Minos.

TANTE BACHE, *la main sur son cœur.*

C'est la minute la plus palpitante de ma vie !... *(A Mᵐᵉ Lepic.)*
Pipi ! Pipi !...

(Elle s'éclipse.)

2

LES MÊMES, M. LEPIC, MADELEINE.
Salutations.

Mᵐᵉ LEPIC, *à Madeleine.*

Tu l'as rencontré ?

MADELEINE

Il revenait sans se presser.

PAUL, *avec le désir de plaire.*

Cher monsieur, on ne demande pas à un chasseur s'il se porte
bien, mais s'il a fait bonne chasse.

Mᵐᵉ LEPIC, *volubile.*

Oh ! M. Lepic fait toujours bonne chasse ! Depuis que nous
sommes mariés, je ne l'ai jamais vu rentrer bredouille. Grâce
à lui, notre garde-manger ne désemplit pas, et M. le conseiller
général me disait hier (et pourtant il chasse) que mon mari est
le meilleur tireur du département. Je suis sûre que nous n'allons pas jeûner !

FÉLIX, *qui, cette phrase durant, a fouillé la carnassière de M. Lepic.*

Une pie !

(M. Lepic rit dans sa barbe.)

PAUL

Compliments ! elle est grasse !

(On se passe la pie.)

TANTE BACHE, *reparaît.*

Que dites-vous ? qu'est-ce qu'il y a ? Pauvre petite bête !

PAUL

On prétend que c'est très bavard !

M. LEPIC

C'est pour ça que je les tue !

Mᵐᵉ LEPIC

M. Lepic n'a pas eu le temps de faire bonne chasse ! Il est rentré
trop tôt, à cause de vous, il s'est dépêché en votre honneur. Il ne
l'aurait pas fait pour n'importe qui, je le connais.

383

TANTE BACHE, *à M. Lepic qui ôte ses guêtres.*

Nous sommes très touchés.

Mᵐᵉ LEPIC, *passe le portefeuille.*

Henriette !

HENRIETTE, *émue.*

Mon cher papa, je te souhaite une bonne fête.

M. LEPIC, *avec un haut-le-corps.*

Hein ? Quoi ? Ça surprend toujours.

HENRIETTE

Accepte ce modeste souvenir.

Mᵐᵉ LEPIC

De ta fille affectionnée !

M. LEPIC, *à Henriette.*

Je te remercie.

FÉLIX

Le dessin doit te plaire ?

M. LEPIC

Qu'est-ce que ça représente ? La Sainte Vierge ?

Mᵐᵉ LEPIC

Ah ! pardon ! Je me trompe, ce n'est pas celui-là. *(Elle passe l'autre portefeuille.)* La République ! Une attention délicate de notre chère Henriette !

FÉLIX

Tu en tiens une fabrique, ma sœur ! Pour qui l'autre ? Pour M. le curé !

Mᵐᵉ LEPIC

Pour personne.

(Elle se dresse afin d'embrasser M. Lepic.)

M. LEPIC

Qu'est-ce qu'il y a ?

Mᵐᵉ LEPIC

Laisse-moi t'embrasser, pour ta fête ! Je ne te mangerai pas. *(Elle l'embrasse.)* Lui ne l'embrasse pas : sa cigarette le gêne.

(M. Lepic n'a plus sa cigarette.)

FÉLIX

Mon vieux papa, je te la souhaite bonne et heureuse !

M. LEPIC

Toi aussi ! *(A Paul.)* Je vous prie d'excuser, monsieur, cette petite scène de famille.

PAUL

Mais comment donc ! Permettez-moi de joindre mes vœux...

(Discret serrement de main.)

384

TANTE BACHE, *balbutiante.*

Si j'avais su, monsieur Lepic !...

M. LEPIC

Je l'ignorais moi-même.

TANTE BACHE

Je vous aurais apporté un bouquet ! ne fût-ce que quelques modestes fleurs des champs !

M. LEPIC

Je vous les rendrais, madame, elles vous serviraient mieux qu'à moi de parure !

TANTE BACHE, *confuse.*

Oh ! monsieur Lepic !

Mme LEPIC

Embrassez-le, allez, je ne suis pas jalouse ! Il a ses petits défauts, comme tout le monde, mais, grâce à Dieu, il n'est pas coureur !

TANTE BACHE

Oh ! madame Lepic, qu'est-ce que vous m'offrez là ?

(Elle baisse la tête ; gêne de tous, sauf de M. Lepic et de Félix qui rient.)

M. LEPIC, *à Félix.*

Tu ris, toi ?... A qui le tour ? A toi, Madeleine ?

MADELEINE, *au cou de M. Lepic.*

Je vous souhaite d'être bientôt grand-père !...

M. LEPIC

Tu y tiens toujours ?

PAUL, *à M. Lepic.*

Monsieur, je suis charmé de vous revoir.

M. LEPIC

Pareillement, monsieur !

Mme LEPIC, *frappe légèrement dans ses mains.*

Si nous faisions un tour de jardin, monsieur Paul ? Avec Henriette et Félix. Tu viens, Madeleine ? On vous laisse à M. Lepic, madame Bache.

TANTE BACHE

Moi ! mais je ne suis pas prête.

(Elle tire ses gants.)

TANTE BACHE, M. LEPIC.
M. Lepic regarde Mme Bache mettre ses gants qu'elle déchire.

M. LEPIC

Faut-il mettre les miens ?

TANTE BACHE

Oh ! vous, pas besoin ! Ne bougez pas ! Oui, monsieu Lepic, c'est à moi l'honneur, la mission, le...

M. LEPIC

La corvée.

TANTE BACHE

Le supplice, monsieur Lepic !... *(Elle se précipite sur la porte, la rouvre et crie.)* Paul ! Paul ! je ne peux pas, je ne peux pas ! fais ta demande toi-même !

PAUL

Oh !... ma tante !

TANTE BACHE

Non, non !... Les mots ne sortent plus ! Je m'évanouirais. Tant pis ! Pardon, pardon, monsieur Lepic ! Je me sauve.

(Paul, Mme Lepic, Henriette, Madeleine se précipitent.)

HENRIETTE, *soutenant tante Bache.*

C'est la chaleur !

TANTE BACHE

Non, je suis très émue.

Mme LEPIC

C'est une indigestion ; elle choisit bien son heure.

TANTE BACHE, *à Paul.*

Débrouille-toi !

Mme LEPIC

Oui, parlez, vous, que ça finisse !

TANTE BACHE

Tu ne te démonteras pas, toi, j'espère, un ancien dragon !

Mme LEPIC, *bas à Paul.*

N'oubliez pas de lui dire du mal des curés !

PAUL

Excusez-la, monsieur !

M. LEPIC

Volontiers. Mais de quoi ? Qu'est-ce qu'elle a ? Elle est malade ?

PAUL

Du tout. Au contraire ! elle devait vous dire... Mais vous lui inspirez un tel respect que son trouble était à prévoir ; elle déclarait tout à l'heure : « M. Lepic me ferait entrer dans un trou de souris. »

M. LEPIC

Pauvre femme ! Elle a vraiment l'air de souffrir. Il faut lui faire prendre quelque chose !

PAUL

Oh ! merci, elle n'a besoin de rien ! Est-ce bête ! une femme de cinquante ans ! Je suis furieux ! une démarche de cette importance !

M. LEPIC

De quoi s'agit-il ? Si c'est pressé, ne pouvez-vous... ?

PAUL

Ma foi, monsieur, si vous le permettez, ce qu'elle devait vous dire, je vous le dirai moi-même.

M. LEPIC

Je vous en prie !

PAUL

Merci, monsieur.

M. LEPIC

Asseyez-vous donc, monsieur.

PAUL

Je ne suis pas fatigué.

M. LEPIC

Si vous préférez rester debout !

PAUL

Non, non.

M. LEPIC

Alors !

(Il désigne un siège ; on s'assied, après que M. Lepic a fermé la porte.)

PAUL

Vous devinez d'ailleurs l'objet de ma visite.

M. LEPIC

Presque, monsieur, par votre lettre de ce matin, et par les gants de madame votre tante !

PAUL

Vous êtes perspicace ! Sans doute, il eût été préférable, plus conforme aux règles de la civilité, puisque je suis orphelin, ce qui, à mon âge, trente-sept ans, est presque naturel.

M. LEPIC

C'est moins pénible.

PAUL

J'ai perdu aussi mon oncle.

M. LEPIC

J'avais de l'estime pour M. Bache. Je l'ai vu une fois apostropher Mme Bache d'une façon impressionnante.

PAUL

Oui, ils s'aimaient beaucoup !... Il eût été plus correct, dis-je, que ma tante prît, en cette circonstance solennelle, la place de mes parents. *(Geste vague de M. Lepic.)* Peu vous importe ?

M. LEPIC

Oui.

PAUL

Vous me mettez à l'aise, et je n'hésite plus. Vous me connaissez, monsieur Lepic ?

M. LEPIC

Oui, monsieur.

PAUL

Vous me connaissez ?

M. LEPIC

Oui, M. Paul Roland, orphelin, trente-sept ans.

PAUL

Vous connaissez non seulement ma modeste personne, mais ma situation. Elle est excellente. Si j'ai eu du mal au début, je n'ai pas à me plaindre du résultat de mes efforts. *(Il désigne ses palmes.)* Et me voilà directeur, à Nevers, d'une école professionnelle en pleine prospérité. Vous venez souvent à Nevers ?

M. LEPIC

Quelquefois !

PAUL

L'aspect extérieur de l'école a dû vous frapper, place de l'Hôtel-de-Ville, quand on sort de la cathédrale.

M. LEPIC

Quand on en sort. Mais, pour en sortir, il faut d'abord y entrer.

PAUL

Oh ! un monument historique !...

M. LEPIC

Je ne suis pas connaisseur.

PAUL

Vous n'y perdez pas grand-chose ! Je me propose d'acheter plus tard et de démolir la bicoque d'en face et nous aurons alors une vue splendide sur la Loire. Je vous dis ça, monsieur Lepic, parce que vous êtes, comme chasseur, un passionné de la nature.

M. LEPIC

Je l'apprécie.

PAUL

En artiste ?

M. LEPIC

Je ne suis pas artiste.

PAUL

Comme chasseur ? Un beau coucher de soleil sur la Loire, en septembre !

M. LEPIC

Soit !

PAUL

Il ne manque à mon école qu'une femme capable de la diriger avec moi, de surveiller certains services : la lingerie, l'infirmerie, les cuisines, etc... Une femme d'ordre et de goût. J'ai cherché à Nevers, sans trouver ; à Nevers nous n'avons pas beaucoup de femmes supérieures.

M. LEPIC

Ici non plus.

PAUL

Pardon ! Le hasard m'a fait rencontrer, chez ma tante Bache, Mlle Henriette. C'était la femme qu'il me fallait. Elle m'a du premier coup séduit par sa distinction, sa réserve, sa... *(M. Lepic roule une cigarette.)* Je ne vous ennuie pas ?

M. LEPIC

Du tout. Vous permettez ? J'en ai tellement l'habitude.

PAUL

J'abrégerai.

M. LEPIC

Prenez votre temps.

PAUL

Vous me le diriez, si j'étais trop long ?

M. LEPIC

Je n'y manquerais pas. Vous ne fumez pas ?

PAUL

Si, si, mais plus tard, ça me gênerait en ce moment... J'ai besoin de tous mes moyens !

M. LEPIC

A votre aise !

PAUL

J'ai revu plusieurs fois Mlle Henriette, chez ma tante, avec Mme Lepic, cela va de soi, et après quelques causeries espacées, une douzaine, pour être précis, ces dames ont bien voulu me répondre que je n'avais plus besoin que de votre consentement. C'est donc d'accord avec elles que j'ai l'honneur...

(Il se lève.)

M. LEPIC

Vous partez !

PAUL, *après avoir souri.*

... de vous demander la main de Mlle Henriette, votre fille.

M. LEPIC

Je vous la donne.

(Il se lève et Paul se rassied.)

PAUL, *stupéfait.*

Vous me la donnez ?

M. LEPIC

Oui.

PAUL

Comme ça !

M. LEPIC

Comme vous me la demandez.

PAUL

Vous ne vous moquez pas de moi ?

M. LEPIC

Je sais prendre au sérieux les choses graves de la vie : les naissances, les mariages et les enterrements... Vous n'avez pas l'air content ?

PAUL

Oh ! monsieur Lepic... Mais la joie, la gratitude, la...

M. LEPIC

La surprise !

PAUL

J'avoue que je redoutais les objections.

M. LEPIC

Lesquelles ?

PAUL

Ah ! je ne sais pas, moi... Enfin, je n'espérais guère un consentement si rapide.

M. LEPIC

Vous êtes d'accord avec ces dames ; ça suffit... Elles sont assez grandes pour savoir si elles veulent se marier.

PAUL

Vous êtes le chef de famille !

M. LEPIC

Je ne dis pas non ! Mais je n'ai encore refusé ma fille à personne,
il n'y a pas de raison pour que je commence par vous.

PAUL

Je vous remercie.

M. LEPIC

Il y a de quoi.

PAUL

Je suis heureux.

M. LEPIC

Vous avez ce que vous désirez.

PAUL

Je suis très heureux.

M. LEPIC

Vous ne tenez plus qu'à connaître le chiffre de la dot.

PAUL

Oh ! ce n'est pas la peine.

M. LEPIC

Ne point parler de dot à propos de mariage ! Vous plaisantez !

PAUL

Mme Lepic a dit quelques mots... à ma tante !

M. LEPIC

Ah ! vous savez que Mme Lepic ignore tout de mes affaires.

PAUL

Elle paraissait renseignée.

M. LEPIC

Elle a fixé un chiffre ?

PAUL

Vague !

M. LEPIC

Combien ?

PAUL

Une cinquantaine de mille.

M. LEPIC

Où a-t-elle pris ce chiffre ? Où l'a-t-elle pris ? Quelle femme !
Elle croit sérieusement que ces cinquante mille francs existent.
Elle est sûre de les avoir vus. *(Désignant le coffre-fort.)* Dans
cette boîte, qu'elle ne sait même pas ouvrir, et où je ne mets
que mes cigares. Elle est admirable. *(Il ouvre le coffre-fort.)*
Donnez-vous donc la peine de jeter un coup d'œil ! Vous voyez,
il est vide ! Monsieur, vous êtes ruiné !

PAUL, *avec un peu trop de pompe.*

Mlle Henriette, sans dot, me suffit.

M. LEPIC

Je donnerai à ma fille cent mille francs. Chiffre exact !

PAUL, *ébloui.*

C'est vous qui êtes admirable !

M. LEPIC

Et je sais où ils sont !

PAUL

Oh ! je n'en doute pas. Merci ! Je n'espérais pas tant ! Merci, merci.

M. LEPIC

Quelle joie ! Prenez garde ! On croirait que c'est pour la dot.

PAUL

C'est pour ces dames. Il me tarde de leur annoncer... la bonne nouvelle et de leur dire combien je suis, nous sommes heureux, vous et moi !

M. LEPIC

Moi !

PAUL

Oui, je m'entends, un père qui marie sa fille, c'est un homme heureux. On ne marie pas sa fille tous les jours !

M. LEPIC

Ce serait monotone !

PAUL

Vous êtes donc heureux, vous aussi. Vous l'êtes ! Vous devez l'être ! Il faut que vous le soyez.

M. LEPIC

Il le faut ?

PAUL

Eh oui !

M. LEPIC

Ça ne m'est pas désagréable.

PAUL

C'est quelque chose, mais...

M. LEPIC

C'est tout.

PAUL

Monsieur Lepic, vous ne doutez pas du bonheur futur de votre fille !

M. LEPIC

Comme il dépendra de vous désormais, je n'y pourrai plus rien.

PAUL

Elle sera très heureuse... Je vous en réponds... et moi aussi. Moi, ça vous est égal ? Cependant, je ne vous suis pas antipathique ?

M. LEPIC

Pas encore.

PAUL

Ah ! riez ! J'ai bon caractère.

M. LEPIC

Tant mieux pour ma fille.

PAUL

Et puis, j'étais prévenu... oui, maintenant que j'ai votre parole, et vous n'êtes pas homme à me la retirer, je me permets de vous dire, avec déférence, que je vous savais...

M. LEPIC

Original !

PAUL

C'est ça ! Vous dites et ne faites rien comme tout le monde.

M. LEPIC

Rien comme Mme Lepic.

PAUL

Vous êtes un peu misanthrope, un peu misogyne.

M. LEPIC

Il y a simplement des hommes et des femmes que je n'aime pas.

PAUL

Ça ne vous fâche point, ce que je vous dis ?

M. LEPIC

C'est sans importance.

PAUL

D'ailleurs, moi qui me flatte de n'être qu'un homme ordinaire, pratique, si vous aimez mieux, l'originalité ne me choque pas chez les autres et je trouve tout naturel que chacun ait ses façons, ses manières, ses manies.

M. LEPIC

Manières suffisait.

PAUL

Oh ! monsieur Lepic ! loin de moi la pensée... je vous honore et vous respecte... je ressens déjà pour vous une affection sincère.

M. LEPIC

Je tâcherai de vous rendre la pareille.

PAUL

Chacune de vos réponses, monsieur Lepic, a une saveur particulière, et je me réjouirais d'épouser Mlle Henriette rien que pour avoir un beau-père tel que vous.

M. LEPIC

Vous vous faites une singulière idée du mariage !

PAUL

Je plaisante parce que je suis heureux ce soir, et très gai...

M. LEPIC

Non.

PAUL

Si, si.

M. LEPIC

Non, pas franchement. Vous êtes déjà troublé, au fond comme l'était il y a un an votre prédécesseur, qu'on n'a jamais revu. Vous me demandez ma fille, et je vous la donne ; mais ça ne vous suffit pas, et ma façon de vous la donner vous inquiète. Il faut que je vous félicite, que je vous applaudisse, que je vous prédise du bonheur, que je vous le garantisse par contrat : vous m'en demandez trop.

PAUL

Monsieur Lepic, regardez-moi ; je suis un brave homme, je vous le jure.

M. LEPIC

Je n'en doute pas ; aussi je vous donne ma fille.

PAUL

Et une fortune, mais avec froideur. Votre façon de donner, comme vous dites, vaut moins que... enfin, vous ne marchez pas comme je voudrais !

M. LEPIC

Vous voulez que je danse : attendez le bal.

PAUL

Monsieur Lepic ! Il y a quelque chose ?

M. LEPIC

Rien. N'allez pas vous imaginer un secret de famille, des histoires de brigands... Vous seriez déçu. Il n'y a rien... rien que les scrupules d'un honnête homme en face d'un honnête homme que je n'ai pas le droit de pousser avec violence, par les épaules, au mariage : c'est une aventure !

PAUL

Oh ! bien commune !

M. LEPIC

Précisément. Pourquoi s'emballer ? Je n'avais aucune raison pour dire non. Je n'en ai aucune pour dire oui avec une gaieté folle, pour que ma joie éclate désordonnée à propos de votre mariage, pour que je vous serre dans mes bras, comme s'il n'y avait que vous au monde, dans votre cas, et comme si je ne l'étais pas, moi, marié...

PAUL

Il me semble qu'on a frappé...

(M. Lepic ne dit pas « entrez », Mme Lepic entre toute seule.)

5

LES MÊMES, Mme LEPIC.

Mme LEPIC, *visage de curiosité*.

Si ces messieurs ont besoin de se rafraîchir, avant de goûter, il y a tout ce qu'il faut à la cave. M. Lepic l'a regarnie dernièrement. Il ne pouvait pas le faire plus à propos. Que désirez-vous, monsieur Paul ? Ce que vous voudrez, sauf du muscat : la bonne a cassé la dernière bouteille ce matin et les chats n'en ont pas laissé perdre une goutte.

PAUL

Rien, madame, merci, je n'ai pas soif. Mais si M. Lepic...

Mme LEPIC

Vous dînerez avec nous, n'est-ce pas, monsieur Paul ? Naturellement, un soir comme celui-là ! C'est convenu avec votre tante... Si, si, Henriette en ferait une maladie.

(Mme Lepic fait de vains signes à Paul pour se renseigner, et sort. M. Lepic va fermer la porte.)

M. LEPIC, PAUL.

M. LEPIC, *regarde la porte*.

... Comme si je ne l'étais pas, moi, marié, depuis plus de vingt-cinq ans ! *(M. Lepic va tirer un cordon de sonnette. La bonne paraît.)* Annette, donnez-nous des biscuits et du muscat.

LA BONNE

Il n'y a plus de muscat, Monsieur ; Madame m'a fait porter, avant vêpres, la dernière bouteille à M. le curé.

M. LEPIC

Vous servirez de la bière ! Plus tard !

LA BONNE

Bien, Monsieur.

(Elle sort.)

M. LEPIC, *achevant sa phrase*.

... Depuis plus de vingt-cinq ans, monsieur, ce qui me permet de rester calme quand les autres se marient... Il n'y a pas que vous... vingt-cinq ans !... Plus exactement vingt-sept !... Près de dix mille jours !

395

PAUL

Vous les comptez ?

M. LEPIC

Dans mes insomnies... Vous savez déjà qu'on ne se marie pas pour quinze nuits.

PAUL

Oh ! une fois pour toute la vie, je le sais. Et je suis décidé ! Mais quand ça va bien, plus ça dure, plus c'est beau.

M. LEPIC

Et quand ça va mal ?

PAUL

D'accord ! Il y a cependant de bons ménages.

M. LEPIC

Chez les gens mariés, c'est bien rare !

PAUL

Mais le vôtre, par exemple... Je me contenterais d'un pareil.

M. LEPIC

Vous l'aurez sans doute.

PAUL

Il a une bonne réputation.

M. LEPIC

Et méritée, comme toutes les réputations.

PAUL

Mme Lepic ne se plaint pas !

M. LEPIC

Elle a peur de vous effrayer.

PAUL

Vous non plus, que je sache !

M. LEPIC

Moi, j'aime le silence.

PAUL

Aux yeux des étrangers, du moins, c'est le ménage modèle ; chacun de vous y tient sa place, on ne peut pas dire que vous ne soyez pas le maître, et, pour me servir d'une expression vulgaire, que ce soit Mme Lepic qui porte la culotte !

M. LEPIC

Il y a longtemps que je ne regarde plus ce qu'elle porte !

PAUL

Tout à l'heure elle parlait de vous comme une femme qui aime son mari.

M. LEPIC

Je n'aime pas mentir, et je ne pourrais en parler, moi, que comme un mari qui n'aime plus sa femme.

PAUL

Pour quelle cause grave ?... Je suis indiscret ?

M. LEPIC

Du tout ! C'est votre droit.

PAUL

Une si honnête femme !

M. LEPIC

Honnête femme ! Peuh ! L'honnêteté de certaines femmes !...
Monsieur, se savoir trompé par une femme qu'on aime, on dit
que c'est douloureux, on le dit ; mais ne pas être trompé par
une femme qu'on n'aime plus, croyez-en ma longue expérience,
ça ne fait pas le moindre plaisir. Je n'imagine pas que ce serait
un si grand malheur ! J'ai mieux que ça chez moi, et je ne sais
aucun gré à Mme Lepic de sa vertu. L'adultère ne l'intéresse
pas, ni chez les voisins, ni pour son compte. Elle a bien d'autres
soucis ! Elle a toujours laissé mon honneur intact, j'en suis sûr,
parce qu'en effet, ça m'est égal, ce qui n'empêche pas que notre
ménage ait toujours été un ménage à trois, grâce à elle !

PAUL

Comment ? Puisque Mme Lepic est une honnête femme ?

M. LEPIC

C'est tout de même, grâce à elle, un ménage à trois : le mari,
la femme et le curé !

PAUL

Le curé !

M. LEPIC

Oui, le curé ! Mais je froisse peut-être vos sentiments ?

PAUL

Ah ! vous êtes anticlérical ?

M. LEPIC

Non ; je ne sais pas ce que ça veut dire.

PAUL

Franc-maçon ?

M. LEPIC

Non, je ne sais pas ce que c'est.

PAUL

Athée ?

M. LEPIC

Non, il m'arrive même de croire en Dieu.

PAUL

Tout le monde croit en Dieu ; ce serait malheureux !

M. LEPIC

Oui, mais ça ne regarde pas les curés.

PAUL

Je ne suis pas, moi non plus, l'ami des curés.

M. LEPIC

Vous ne dites pas ça pour me faire plaisir ?

PAUL

Non, non, bien que je sois libéral.

M. LEPIC

Singulier mélange ! Je connais cet état d'esprit. Il a été le mien.

PAUL

Je suis libre penseur, monsieur Lepic !

M. LEPIC

C'est-à-dire que vous n'y pensez jamais.

PAUL

Je vous assure que, sans être un mangeur de curés, je ne peux pas les digérer, je les ai en horreur. Il ne m'ont rien fait, mais c'est d'instinct.

M. LEPIC

Vous les avez en horreur et vous ne savez pas encore pourquoi. Vous le saurez peut-être ; moi je le sais, car, depuis vingt-sept ans, monsieur, j'ai un curé dans mon ménage, et j'ai dû, peu à peu, lui céder la place : le curé !... c'est l'amant contre lequel on ne peut rien. Une femme renonce à un amant : jamais à son curé... Si ce n'est pas toujours le même, c'est toujours le curé.

PAUL

Mme Lepic me disait que le curé actuel est parfait, qu'il ne s'occupe de rien.

M. LEPIC

Mme Lepic parle comme un grelot et elle dit ça de tous les curés. Ils changent, quittent le pays ou meurent. Mais Mme Lepic reste et ne change pas. Jeune ou vieux, beau ou laid, bête ou non, dès qu'il y a un curé, elle le prend. Elle est à lui ; elle appartient au dernier venu comme un héritage du précédent. Le curé l'a tout entière, corps et âme ! Corps, non, je la calomnie. Mme Lepic est, comme vous dites, une honnête femme, bigre ! Incapable d'une erreur des sens, même avec un curé ! Et pourvu qu'elle le voie à l'église, une fois tous les jours de la semaine, deux fois le dimanche, et à la cure le reste du temps !...

PAUL

Malgré vous ?

M. LEPIC

J'ai tout fait, excepté un crime : je n'ai pas tué l'amant, le curé !... Au début, j'aimais ma femme. Je l'avais prise belle fille avec des cheveux noirs et des bandeaux ondulés ! C'était la mode en ce temps-là, avec des cheveux noirs très beaux ! Et une jolie dot ! Vous savez, quand on se marie, on ne s'occupe pas beaucoup du reste.

PAUL

On n'y fait pas attention !

M. LEPIC

C'est ça. On aime une jeune fille et on ne se préoccupe pas de ce qu'elle pense... Tant pis pour vous, monsieur ! Bientôt on s'aperçoit que tous les mariages d'amour ne deviennent pas des mariages de raison. J'ai dit d'abord : « Tu y tiens à ton curé ? Entre lui et moi, tu hésiterais ? » Elle m'a répondu : « Comment peux-tu comparer ? Toi, un esprit supérieur ! » Quand une femme nous dit : toi, un esprit supérieur, elle sous-entend : tu ne peux pas comprendre ces choses-là ! Et elle choisissait le curé ! Je disais ensuite : « Je te prie de ne plus aller chez ce curé. » Elle répondait : « Ta prière est un ordre », et, dès que j'avais l'air de ne plus y songer, elle courait chez le curé ! Puis j'ai dit : « Je te défends d'y aller ! » Elle y retournait en cachette ; ça devenait le rendez-vous. Je n'étais donc rien pour elle ? Maladroit, ne savais-je pas la prendre ? Oh ! je l'ai souvent reprise, mais presque aussitôt reperdue. Quand je la croyais avec moi, c'est qu'elle mentait, d'accord avec le curé ! Et je n'ai plus rien dit... je me suis rendu de lassitude, exténué, c'était fini !... Mme Lepic avait porté notre ménage et, comme on se marie pour être heureux, notre bonheur à l'église. Je ne suis pas allé l'y chercher, car je n'y mets jamais les pieds.

PAUL

Et lui... vient-il ici ?

M. LEPIC

Oh ! sans doute ! Quand je voyage, et même quand je suis là, malgré les têtes que je lui fais, et quelles têtes ! quelquefois il ose ! Et c'est moi qui sors. Je ne peux pourtant pas prendre mon fusil.

PAUL

On vous donnerait tort.

M. LEPIC

Et je ne suis pas si terrible ! Moi, un tyran ! Au fond, je suis plutôt un timide, un faible, une victime de la liberté que je laisse aux autres ; moi, un persécuteur ! Il ne s'agit pas de religion. Ce n'est même pas d'un prêtre que Mme Lepic, cette femme qui est la mienne, a toujours besoin ; c'est d'un curé. S'il lui fallait un directeur de conscience, comme elles disent, est-ce que je n'étais pas là ? Je ne suis pas un imbécile, peut-être ! Mais non : ce qu'il lui fallait, c'est le curé, cet individu sinistre et comique qui se mêle sournoisement, sans responsabilité, de tout ce qui ne le regarde pas. Il le lui fallait, pour quoi faire ? Je ne l'ai jamais su. Et lui, qu'est-ce qu'il en fait de Mme Lepic ? Je ne comprends pas. Et vous ?... Tenez, voilà peut-être ma vengeance, il y a des heures où elle doit bien l'embêter aussi, surtout quand elle lui parle à l'oreille. De quoi serait-il fier, s'il a quelque noblesse ? La foi de Mme Lepic, quelle plaisanterie ! Elle prend les choses de plus bas ! J'ai voulu jadis causer avec elle, discuter. Est-ce qu'on discute des choses graves avec Mme Lepic ? Elle n'a même pas essayé de me convertir ! Elle veut aller au paradis toute seule, sans moi ! C'est une bigote égoïste, avare, qui me laissera griller en enfer ! J'aime mieux ça ! Au moins je ne la retrouverai pas dans son paradis ! Ses idées, sa bonté, son amour du prochain, quelle blague !... la bigoterie, voilà tout son caractère ! Mme Lepic était une belle fille avec des cheveux noirs et très peu de front. Elle n'est pas devenue croyante ; elle est devenue ce qu'elle devait être, une grenouille de bénitier.

(Mme Lepic ouvre la porte.)

Mme LEPIC, *avec un plateau de bière.*

Je ne veux pas que la bonne vous dérange, elle est si indiscrète ! *(Elle pose la bière sur la table; aimable.)* C'est long !

PAUL

Ça va très bien, madame, une petite minute !

M. LEPIC

Elle auscultait la porte.

PAUL

Pauvre femme !

M. LEPIC

Ah ! c'est elle que vous plaignez ?

PAUL

Non, non. C'est vous, monsieur Lepic, profondément. *(Des ombres passent devant la fenêtre.)* Mais on s'impatiente.

M. LEPIC

Je le vois bien ; qu'ils attendent ! Et moi donc ! Ne m'en a-t-il pas fallu de la patience ? *(Il désigne sa poitrine.)* Ah! monsieur, si la Grande Chancellerie me connaissait !... Oh ! il y a le divorce ; ce serait une belle cause ! Mais nous ne savons pas encore nous servir de cette machine-là, dans nos campagnes. D'ailleurs, Mme Lepic est aussi tenace qu'irréprochable. On meurt où elle s'attache. En outre, je ne suis pas sans orgueil. J'aurais honte de me plaindre en public ! Et puis un divorce, pourquoi faire ?

PAUL

Une autre vie. Vous êtes toujours jeune.

M. LEPIC

Je suis un jeune homme.

PAUL

A votre âge, on aime encore.

M. LEPIC

J'ai un cœur de vingt ans.

PAUL

A vingt ans, c'est dur de se priver.

400

M. LEPIC

Je ne me prive pas du tout.

PAUL

Comment ?

M. LEPIC

J'ai ce qu'il me faut.

PAUL

Oh ! monsieur Lepic, tromperiez-vous Mme Lepic ?

M. LEPIC

Tant que je peux ! Tiens ! Parbleu ! Cette question ! Aucune compensation ? Vous ne voudriez pas ! Mieux vaudrait la mort. Oh ! dame, ici, j'accepte ce que je trouve, de petites fortunes de village. Ah ! si le curé était marié !

PAUL

Vous lui prendriez sa femme ?

M. LEPIC

Il m'a bien pris la mienne. Oh ! je ne vous conseille pas de m'imiter plus tard. Le bonheur d'un mari dans un ménage ne consiste pas à tromper sa femme le plus possible. Mais ce n'est pas moi qui ai commencé. Sans le curé, j'eusse été un époux modèle. Dans une union parfaite, je n'admettrais aucune hypocrisie, aucun mensonge, aucune excuse, pas plus pour le mari que pour la femme. A un ménage comme le mien, je préférerais un couple de saints d'accord dans la même niche, et il me répugne d'entendre un mari dire : « C'est si beau une femme à genoux qui prie ! » tandis qu'il en profite, lui, l'homme supérieur, qui ne prie jamais, pour la tromper à tour de bras ! Je vous assure, monsieur !

PAUL

Je vous remercie de me parler, avec cette confiance.

M. LEPIC

C'est le moins, mon gendre.

PAUL, *lui tendant la main.*

Mon beau-père !

M. LEPIC

Monsieur, comme vous entrez dans une famille qui se trouve être la mienne, je ne regrette pas de vous avoir dit ces quelques mots d'encouragement. Et puis, ça soulage un peu ! Je vous dois ce plaisir-là. J'ai votre parole pour ma fille au moins ! Vous ne vous sauverez pas comme M. Fontaine, à propos d'un curé ?

PAUL

Oh ! c'est pour ça que M. Fontaine ?...

M. LEPIC

Je crois ; quand il a vu clair dans mon intérieur, il a eu peur pour le sien !

PAUL

Ce devait être un homme quelconque.

M. LEPIC

Il tenait à ses idées.

PAUL

Un sectaire !

M. LEPIC

Et il ne connaissait pas le chiffre exact de la dot ?

PAUL

Tout le monde tient à ses idées, moi aussi. Mais le temps a changé.

M. LEPIC

Rien ne change.

PAUL

Depuis la séparation...

M. LEPIC

Espèce de radical-socialiste ! Ça va être le reste ! Qu'est-ce qu'elles ne feront pas pour les consoler ? Les voilà plus forts que jamais. Un homme intelligent comme vous, d'une bonne intelligence moyenne, ne pèsera pas lourd auprès d'un curé martyr.

PAUL

Ce sont de pauvres êtres inoffensifs.

M. LEPIC

Bien ! bien ! Votre affaire est bonne.

PAUL

Oh ! permettez, monsieur Lepic ! Certes, votre vie, malgré ces petits dédommagements, est une vie manquée. Mme Lepic exagère. Je ne croyais pas qu'il y eût de pareilles femmes !...

M. LEPIC

Moi non plus... Elles pullulent !... Mais n'y en aurait-il qu'une, c'est moi qui l'ai.

PAUL

Ce n'est pas une maladie contagieuse.

M. LEPIC

Peut-être héréditaire.

PAUL

Oh ! non. Et heureusement pour moi, d'après ce que vous dites, ce n'est pas Mme Lepic que j'épouse.

M. LEPIC

Évidemment !

PAUL

C'est Mlle Henriette.

402

M. LEPIC

C'est elle que je vous ai accordée ! Mais si le cœur vous dit d'emmener la mère avec la fille.

PAUL

Je vous remercie. Je ne voudrais pas manquer de respect à Mᵐᵉ Lepic... mais je peux bien dire qu'elle et sa fille, au point de vue physique, ne se ressemblent pas beaucoup ! *(Il s'adresse à un portrait pendu au mur.)* Ce visage clair, ce front net, ce regard droit, ce sourire aux lèvres...

M. LEPIC

Ces cheveux noirs !

PAUL

Oh ! magnifiques.

M. LEPIC

C'est un portrait de Mᵐᵉ Lepic à dix-huit ans que vous regardez là.

PAUL

Non !

M. LEPIC

Voyez la date derrière.

PAUL

1884 ! D'ailleurs c'est encore frappant.

M. LEPIC

Ça vous frappe ?

PAUL

Curieux !

M. LEPIC

Vous pouvez presque, d'après ce portrait, vous imaginer votre femme, quand elle aura l'âge de la mienne.

PAUL

C'est loin !

M. LEPIC

Ça viendra !

PAUL

Mᵐᵉ Lepic n'est pas encore mal...

M. LEPIC

La fraîcheur de l'église la conserve.

PAUL

Bah ! le proverbe qui dit : Tel père, tel fils, ne s'applique pas aux dames ! Vous la connaissez ?

M. LEPIC

Mᵐᵉ Lepic ?

PAUL

Mᴸˡᵉ Henriette.

M. LEPIC

C'est juste, vous pensez à vous.

PAUL

C'est mon tour.

M. LEPIC

Vous n'espérez pas que je vais vous parler de la fille comme de la mère ?

PAUL

Oh ! je sais ce que vaut Mᴸˡᵉ Henriette.

M. LEPIC

C'est ce qu'elle vaudra qui vous préoccupe ? Ayez confiance !

PAUL

Oh ! je ne crains rien.

M. LEPIC

A la bonne heure !

PAUL

Elle est charmante ! J'en ferai ce que je voudrai... malgré le curé, n'est-ce pas ? Enfin ! Vous l'avez élevée ?

M. LEPIC

Ah ! non, non ! C'est à Mᵐᵉ Lepic que revient cette responsabilité. Henriette a grandi sous les jupes de sa mère. Après huit années dans un pensionnat qui n'était pas de mon choix, elle a été reprise, à la sortie, par sa mère ; elle ne quitte pas sa mère, et sa mère ne quitte pas le curé !

PAUL

Vous avez souvent causé avec elle, un père ?

M. LEPIC

Moins souvent que le curé et Mᵐᵉ Lepic n'ont chuchoté avec Henriette. Elle m'a échappé, comme sa mère ; vous la garderez mieux !

PAUL

Je suis sûr qu'à travers les bavardages du curé vous avez semé le bon grain !

M. LEPIC

Faites la récolte. Déjà elle aime mieux vous épouser que de prendre le voile, ce n'est pas mal.

PAUL

Et puis, nous nous aimons !

M. LEPIC

Pourvu que ça dure vingt-sept ans... et plus.

PAUL

Oui, je l'aime beaucoup, Mᴸˡᵉ Henriette, et je vous la redemande.

M. LEPIC

Je n'ai qu'une parole ; mais je peux vous la donner deux fois. Ma fille est à vous, elle, sa dot et la petite leçon de mon expérience.

PAUL

Je n'ai pas peur.

M. LEPIC

Vous êtes un homme.

PAUL

Un ancien dragon !

M. LEPIC

Ce n'est pas de trop !... Et qui sait ? L'encens a empoisonné ma vie ; la vôtre n'en sera peut-être que parfumée !

PAUL, *la main tendue.*

Mon beau-père.

M. LEPIC

Monsieur...

PAUL

Oh ! mon gendre !

M. LEPIC

Mon gendre, oui, mon gendre. Excusez-moi. C'est le mot gendre Je m'y habituerai.

7

LES MÊMES, MADELEINE, FÉLIX.

MADELEINE, *cogne à la fenêtre ; Paul ouvre.*

Avez-vous fini ? Je voudrais savoir, moi ! Ça y est ?

PAUL

Oui, mademoiselle. Où est Mlle Henriette ?

MADELEINE

Là-bas, au fond du verger !

FÉLIX

Avec maman qui dit son chapelet à toute vitesse. *(A Paul.)* Mon cher beau-frère, je savais que ça irait tout seul.

MADELEINE

Oh ! que je suis contente ! C'est bien, ça, monsieur Lepic ! Il faut que je vous embrasse.

(Elle enjambe la fenêtre, suivie de Félix.)

M. LEPIC

Mais il ne s'agit pas encore de toi, demoiselle d'honneur ! *(Il l'embrasse.)* Elle est bien gentille ! Par malheur, elle donne, comme les autres, dans les curés !

MADELEINE

Voilà qu'il recommence, comme ce matin.

M. LEPIC

Ah ! toi aussi, tu vas l'embêter, ton mari, avec ton curé !

MADELEINE

Félix, votre papa s'apitoie d'avance sur votre sort. N'est-ce pas que vous serez heureux de faire toutes mes volontés quand nous nous marierons ?

FÉLIX

Rien ne presse.

MADELEINE

Tout son père !

FÉLIX

Alors, je ferai tout comme papa.

PAUL, *à M. Lepic.*

Celui-là, au moins !

M. LEPIC

Oh ! celui-là ne m'a donné aucun mal et il me dépasse !

FÉLIX

Oh ! papa, je ne fais que te suivre ! Tu ne vas pas caner ?

M. LEPIC, *à Félix.*

Triste modèle que ton papa, mon garçon ! Malheur à toi, si tu ne prends pas garde à la fleur poussée à l'ombre du clocher !

MADELEINE

Oh ! que c'est joli ! C'est moi la fleur ! Ne dirait-on pas que je ferai une vieille bigote. J'aime M. le curé, comme je vous aime, vous, faute de mieux ; je ne peux pourtant pas vous épouser.

M. LEPIC

Moi non plus ! Je le regrette. Le curé pourrait, lui. Il est libre.

MADELEINE

La messe, les vêpres, vous savez bien, mon vieil ami, que c'est une distraction, un prétexte pour essayer une toilette. Quand j'ai un chapeau neuf, j'arrive toujours en retard à l'église ; ça fait un effet ! Le curé, monsieur Paul, ça occupe. C'est pour attendre le mari. Dès qu'on a le mari, on lâche le curé.

M. LEPIC

On y retourne.

MADELEINE

Ah ! si on devient trop malheureuse ! Nous ne voulons qu'être heureuses, nous, et nous sommes toutes comme ça ; Henriette aussi, que j'oublie, qui se morfond là-bas, sous son pommier. Je cours la chercher.

PAUL

Moi aussi.

MADELEINE

Venez, par la fenêtre. Félix, amenez les autres... *(A M. Lepic.)* Elle va vous sauter au cou. *(Importante.)* Oh ! nous avons causé toutes les deux ! Je l'ai sermonnée ! Tenez-vous bien !

M. LEPIC

Je me tiendrai.

MADELEINE, *de la fenêtre.*

Oui, sérieusement ! Qu'est-ce que vous voulez qu'on fasse ici, dans ce trou, le dimanche ? Ah ! vous êtes cloué !

FÉLIX, *autoritaire.*

Avec moi, le dimanche, vous viendrez à la pêche.

MADELEINE

Mais je n'aime pas ça !

FÉLIX

Qu'est-ce que vous aimez ! La femme doit suivre son mari à la pêche.

MADELEINE

Et quand la pêche sera fermée ?

FÉLIX

On se promènera au bord de l'eau.

MADELEINE

Toute la journée ?

FÉLIX

Tout le long de la rivière.

MADELEINE

Et s'il fait mauvais temps ?

FÉLIX

On restera au lit.

(Madeleine se sauve.)

FÉLIX, *à Paul dont il serre la main.*

C'est votre mariage qui me met en goût, mon cher beau-frère. Je suis très content !... Je vais écrire à Poil de Carotte !

(Tous les trois sortent par la fenêtre. Paul enjambe le dernier. La porte d'en face s'ouvre. Mme Lepic apparaît. On aperçoit Henriette derrière elle.)

8

M. LEPIC, Mme LEPIC, HENRIETTE.

Mme LEPIC, *stupéfaite.*

Comment ? Il se sauve par la fenêtre, celui-là ! C'est un comble ! Alors, c'est encore non ? *(Figure impassible de M. Lepic.)* Tu refuses encore ? Et nous ne saurons pas encore pourquoi. Enfin, qu'est-ce que tu lui as dit, à cet homme, pour qu'il ne prenne même pas la peine de sortir comme les autres, poliment, par la porte. Tu ne veux pas me répondre ? Viens, Henriette ! Tu peux entrer. C'est fini ! Grâce à ton père, tu ne te marieras jamais ! Voilà, ma fille, voilà ton père ! Ce n'est pas un homme, c'est un original, un maniaque ! Et il rit, c'est un monstre ! Que veux-tu que j'y fasse ? A ta place, moi, je me passerais de sa permission, mais tu t'obstines à le respecter ! Tu vois ce que ça te rapporte. Et moi qui te conseillais de faire, quelques jours, des sacrifices sur la question religieuse. Voilà notre récompense ! Dieu n'est pas long à nous punir. Reste si tu veux ; je n'ai plus rien à faire ici. J'aime mieux m'en aller et mourir, si la mort veut de moi ! *(Elle sort.)* Seigneur, ne laisserez-vous pas tomber enfin sur moi un regard de miséricorde !

9

M. LEPIC, HENRIETTE.

HENRIETTE

Oh ! papa, moi qui t'aime tant, je te supplie à genoux de me le dire : qu'est-ce que j'ai fait, pourquoi me traites-tu si durement ? M. Paul et moi, nous nous aimions. Ma vie est brisée !

M. LEPIC, *la relève.*

Mais, ma fille, ton fiancé te cherche dans le jardin.

HENRIETTE

Ah !... Et ma mère qui s'imagine... !

M. LEPIC

Je n'ai rien dit.

HENRIETTE

Oh ! papa, que je suis confuse ! Je te demande pardon.

10

LES MÊMES, TANTE BACHE, MADELEINE, FÉLIX.

MADELEINE

Nous te cherchions partout !

PAUL

Mademoiselle, vous savez ?

HENRIETTE

Je sais.

TANTE BACHE, *étonnée.*

Puisque c'est oui, où va donc Mme Lepic, comme une folle ! Elle sanglote, elle agite un chapelet au bout de son bras !

HENRIETTE

Elle n'a pas compris, elle croit que papa refuse. Courez, ma tante !

TANTE BACHE

Comment ? Elle croit... ?

M. LEPIC

Nous nous entendons toujours comme ça.

TANTE BACHE, *s'élance.*

Je la ramène morte ou vive !

PAUL

Mademoiselle, votre père, qui m'effrayait un peu, a été charmant ! *(A M. Lepic.)* N'est-ce pas ?

M. LEPIC

Ça m'étonne ! Mais puisque vous le dites ! A votre service.

HENRIETTE

Merci, mon Dieu !

MADELEINE

Merci, mon Dieu !... Merci, papa !... Va donc, puisque ça y est ! Saute à son cou ! *(A Paul.)* Je la connais mieux que lui ; je l'ai approfondie ! Croyez-moi, elle fera une bonne petite femme !

HENRIETTE, *après avoir embrassé son père qui s'est tout de même penché un peu.*

Oui, papa, j'espère que je ferai une bonne petite femme.

M. LEPIC

C'est possible.

HENRIETTE

Veux-tu que je te dise comment je m'y prendrai.

M. LEPIC

Dis toujours !

HENRIETTE

Je ferai toujours exactement le contraire de ce que j'ai vu faire
ici.

M. LEPIC

Excellente idée !

MADELEINE

Bien répondu, Henriette !

HENRIETTE

Oh ! si j'osais...

MADELEINE

Ose donc ! M. Paul est là.

HENRIETTE

Écoute, papa. Écoute-moi, veux-tu ?

M. LEPIC, *étonné*.

Mais j'écoute.

FÉLIX

Oh ! ma sœur qui se lance ! Elle parle à papa !

MADELEINE, *à Félix*.

Chut ! Soyons discret...

(Elle entraîne Félix.)

FÉLIX

Je voudrais bien entendre ça, moi !

MADELEINE

Allez ! allez !

11

M. LEPIC, PAUL, HENRIETTE.

HENRIETTE

Je ne suis plus si jeune ! J'ai réfléchi depuis ma sortie de pension,
depuis quatre années que je vous observe, maman et toi, j'ai de
l'expérience.

M. LEPIC

Oh ! tu connais la vie !

HENRIETTE

Je connais la vôtre. Je ne veux pas la revivre pour mon compte.
J'en ai assez souffert !

M. LEPIC

A qui la faute ?

HENRIETTE

Je ne veux pas le rechercher ; mais je jure que mon ménage ne ressemblera pas au tien.

M. LEPIC

Cela ne dépend pas que des efforts d'un seul.

HENRIETTE

Cela dépend surtout de la femme. Je le sais bien. Je ferai de mon mieux et M. Paul m'aidera. *(Confiante, la main offerte.)* Oh ! pardon !

PAUL

Mademoiselle, votre geste était si gracieux !

HENRIETTE, *la main abandonnée.*

Je dirai toujours la vérité, quelle qu'elle soit !

M. LEPIC

Bon !

HENRIETTE

S'il m'échappe un mensonge, je ne chercherai pas à me rattraper par un autre mensonge.

M. LEPIC

Pas mal !

HENRIETTE

Si je commets une faute de ménagère, vous saurez le premier, et tout de suite, ma sottise. Je ne penserai jamais : ça ne regarde pas les maris !

M. LEPIC

Bien !

HENRIETTE

J'attendrai pour bavarder que vous ayez fini de parler. Je ne vous demanderai votre avis que pour le suivre. Je ne chercherai pas à vous être supérieure. *(Signes de tête de M. Lepic.)* Je ne dirai pas à votre enfant : ton père a tort, ou ton père n'a pas besoin de savoir ! J'aurai peut-être des amies, mais vous serez mon seul confident.

M. LEPIC

Avec le curé.

HENRIETTE

Papa, je ne dirai tout qu'à l'homme que j'aime.

M. LEPIC

C'est une déclaration !

HENRIETTE

Oui ! chacun la nôtre. M. Paul m'avait fait, un soir, la sienne. Je viens de lui répondre, et je vous aimerai, monsieur Paul, comme vous m'avez dit que vous m'aimerez.

PAUL

Oh ! mademoiselle !

M. LEPIC

Et je n'irai plus à la messe !

HENRIETTE, *à Paul hésitante.*

Je n'irai plus, si vous l'exigez.

PAUL, *ému.*

Mademoiselle, j'ai une grande liberté d'esprit !

M. LEPIC

C'est heureux, elle finirait par se marier civilement !

HENRIETTE, *violent effort.*

Si ce sacrifice était nécessaire à notre union...

PAUL

Du tout ! mademoiselle, je ne vous demande pas ça !

M. LEPIC

Au contraire !

HENRIETTE

Je l'accomplirais !...

M. LEPIC

Ah ! le beau mensonge !

HENRIETTE

Papa ! j'accomplirais ce sacrifice, tant je crois au danger inévitable des idées qui ne sont pas communes.

M. LEPIC

Des idées religieuses !

HENRIETTE

Surtout des idées religieuses qui ne sont pas partagées.

PAUL

Nous partagerons tout ce que vous voudrez, mademoiselle !

M. LEPIC

Oh ! oh ! elle est effrayante ! Où as-tu pris cette leçon ?

HENRIETTE

Sur ta figure des dimanches, papa !

PAUL

Elle est exquise, monsieur Lepic !

M. LEPIC

Aujourd'hui !

HENRIETTE

J'aurais dû parler plus tôt !... Tu ne m'aurais pas entendue !... Et puis, il fallait l'occasion. C'est la présence d'un fiancé, d'un ami, d'un protecteur, qui me donne de l'énergie. Tu ne sais pas quel homme tu es !

M. LEPIC

Je suis si imposant ?

HENRIETTE

Tu ne peux pas savoir ! *(Comique.)* Tu me ferais rentrer dans un trou de souris.

M. LEPIC

Toi aussi. Comme la tante Bache ! C'est ma spécialité : ça flatte un père !

HENRIETTE

Oh ! papa ! Désormais, je serai brave !

M. LEPIC]

Alors ? C'est ce que tu as dit qui te fait trembler ?

HENRIETTE

Je me suis énervée.

M. LEPIC

Ah ! dame ! c'était un peu fort ! Malgré le conseil de ta mère, tu n'as pas l'habitude !

HENRIETTE

Maman ignore ce qui se passe en moi !

M. LEPIC

Si le curé t'avait entendue !

HENRIETTE

Oh ! je crois qu'il m'aurait comprise, lui !

M. LEPIC, *faux jeu.*

Justement ! Il vient.

PAUL

Oh ! monsieur Lepic, vous êtes méchant.

M. LEPIC. *Il rit.*

Cruel !

HENRIETTE

Tu m'as fait peur. *(Avec reproche.)* Oh ! papa, tu me tourmentes !

PAUL

Mademoiselle ! Mon amie !... Oui, il vous tourmente ! Tout ça n'est rien. Des mots. Des mots !

M. LEPIC

En effet, ce n'est qu'une crise. Ça passera !... le temps de se marier !

HENRIETTE

Tu ne me crois pas ?

M. LEPIC

Mais si, mais si ! Ta mère m'a rendu un peu défiant !

HENRIETTE

Je suis si sincère !

M. LEPIC

Pour le moment, c'est sûr.

HENRIETTE

Pour le moment ?

M. LEPIC

Tu fais effort, comme un pauvre oiseau englué qui s'arrache d'une aile et se laissera bientôt reprendre par toutes ses plumes.

PAUL

L'essentiel est que je vous croie, mademoiselle Henriette, et je vous crois.

M. LEPIC

Mais oui, va ! c'est l'essentiel. Ne te mets pas dans cet état ! Tu te fais du mal ! et tu me fais de la peine. Je n'aime pas voir pleurer la veille d'un mariage. C'est trop tôt. *(Il l'embrasse.)* Calme-toi, ma fille, tu soupires comme une prisonnière !

HENRIETTE

Sans reproche, ce n'est pas gai, ici !

M. LEPIC

Tu vas sortir !

HENRIETTE

Oh ! oui, et je veux être heureuse ! Ne penses-tu pas que je serai heureuse ?

M. LEPIC

Nous verrons, essayez ! Mariez-vous d'abord ! *(Regard à Paul.)* Il est gentil... Quant à ton curé... je ne suis pas dupe, tu ne pourras rien. Tu ne sais pas ce que c'est qu'un curé !

12

LES MÊMES, Mme LEPIC, TANTE BACHE, FÉLIX, MADELEINE.

Mme LEPIC, *annonce, triomphale :*

M. le curé ! M. le curé !

M. LEPIC

Naturellement.

(Il prend son chapeau pour sortir.)

FÉLIX

Ça, c'est de l'aplomb !

ACHEVÉ D'IMPRIMER
LE 20 AVRIL MIL NEUF
CENT CINQUANTE-SEPT
SUR LES PRESSES DE
L'IMPRIMERIE CRÉTÉ A
PARIS, CORBEIL-ESSONNES
POUR LES ÉDITIONS
LE BÉLIER

8436-4-57. — Dépôt légal : 2ᵉ trim. 1957.

M. LEPIC, *à Paul.*

Votre rival, monsieur !

PAUL

Oh ! monsieur Lepic, restez, moi je reste !

M. LEPIC

Vous ne serez pas de force.

PAUL

Avec votre appui ?

M. LEPIC

Je crois plutôt que je vais vous gêner.

Mme LEPIC

J'ai rencontré par hasard M. le curé qui a bien voulu se détourner de sa promenade. Oh ! ma fille ! Oh ! mon gendre !

PAUL

Vous saviez donc ?

Mme LEPIC

Dès que tante Bache m'a détrompée, j'ai couru prévenir M. le curé !... Oh ! je vous l'ai dit, ce n'est pas un curé comme les autres ! Il est parfait ! Il ne s'occupe de rien, pas même de religion. Félix, mon grand, veux-tu le recevoir au bas de l'escalier ? Il sera si flatté !

FÉLIX, *à M. Lepic.*

Faut-il le remmener ?

M. LEPIC

Laisse ! *(A Henriette.)* Tu as besoin de ce monsieur ?

HENRIETTE, *craintive.*

Sa présence même te serait désagréable ?

M. LEPIC

Oui, mais tu es libre !

Mme LEPIC

Qu'est-ce que ça signifie, Henriette ? Fermer la porte à M. le curé quand je l'appelle de ta part !

M. LEPIC

Tu es libre ! Oh ! je ne te donnerai pas ma malédiction ; de moi, ça ne porterait pas !

HENRIETTE

Monsieur Paul, aidez-moi !

PAUL

Ça n'engage à rien !

HENRIETTE

Papa, toi, un esprit supérieur ! Ce ne serait qu'une simple politesse, rien de plus !

M. LEPIC, *déjà exténué.*

Qu'il entre donc, comme chez lui !

FÉLIX

D'ailleurs, le voilà !

13

LES MÊMES, LE CURÉ.

LE CURÉ, *la main timide.*

Monsieur Lepic... *(M. Lepic ne lui touche pas la main.)* Je ne fais qu'entrer et sortir ; monsieur le maire, je viens d'apprendre, par Mme Lepic, la grande nouvelle, et j'ai tenu à venir moi-même vous adresser, au père, et au premier magistrat de la commune, mes compliments respectueux.

M. LEPIC

Vous êtes trop aimable. Ce n'était pas la peine de vous déranger.

LE CURÉ

Je passais. *(A Paul.)* Je vous félicite, monsieur ! Vous épousez une jeune fille ornée de toutes les grâces, parée de toutes les vertus. Comme prêtre et comme ami, j'ai eu avec elle de longues causeries chrétiennes. Elle est ma fille spirituelle !

HENRIETTE, *s'inclinant, déjà reprise.*

Mon père !

FÉLIX

Moi, mon père, c'est papa. Mon pauvre vieux papa !

LE CURÉ

Je vous la confie, monsieur Paul, vous serez, j'en suis sûr, par votre intelligence et votre libéralisme bien connus, digne de cette âme qui est d'élite, sous le rapport humain et sous le rapport divin.

PAUL, *gêné par le regard de M. Lepic.*

Je tâcherai, monsieur le curé !

M. LEPIC

C'est déjà fait.

PAUL

Il n'est pas mal !

M. LEPIC

Pas plus mal qu'un autre. Ils sont tous pareils !

Mme LEPIC

Tante Bache, vous n'avez pas envie de pleurer, vous ?

TANTE BACHE

Je m'épanouis ! M. le curé a une voix qui pénètre et qui remue.

PAUL

C'est comique !

M. LEPIC

Profitez-en !

MADELEINE

A quand la noce ?

TANTE BACHE

Le plus tôt possible. Oh ! oui ! Ne les faites pas languir !

Mme LEPIC, *à M. Lepic.*

Mon ami ?

PAUL

Monsieur Lepic ?

FÉLIX

Monsieur le maire ?

M. LEPIC

On pourrait fixer votre mariage et celui de ce pauvre Jacquelou le même jour ! La vieille Honorine serait fière !

FÉLIX

Oh ! c'est une chic idée

MADELEINE

Oh ! que ce serait amusant !

Mme LEPIC

Mais nous aurons, nous, un mariage de première classe ! Où mettre l'autre ?

LE CURÉ

Mon église est bien petite !

M. LEPIC, *détaché, absent.*

Que M. le curé fixe donc votre mariage lui-même.

Mme LEPIC

Oui, le mariage civil, ça ne compte pas.

FÉLIX

Pour la femme d'un maire, maman !

Mme LEPIC

Je veux dire que ce n'est qu'une formalité, des paperasses, enfin je veux dire...

LE CURÉ

Respect à la loi de votre pays, madame Lepic ! Pour ma part, je propose le délai minimum, et, malgré la dureté des temps, je vous ferai cadeau d'un ban.

FÉLIX, *bas à Madeleine.*

Ça coûte trois francs !

Mᵐᵉ LEPIC

Il va de soi que la place de M. le curé est à la table d'honneur des invités.

FÉLIX

Il y sera !

LE CURÉ

Mᵐᵉ Lepic me gâte toujours ! J'ai dû, ce matin, interrompre mon jeûne pour ne pas laisser perdre ce merveilleux civet qu'elle a daigné me faire parvenir.

FÉLIX

Ah ! oui ! Le lièvre de papa qui avait tant réduit en cuisant !

Mᵐᵉ LEPIC

M. le curé exagère et Félix manque de tact. Comme cadeau de retour, M. le maire ferait bien de rétablir la subvention de la commune à M. le curé... C'est accordé ?

(M. Lepic la regarde fixement.)

LE CURÉ

Oh ! madame Lepic, je vous en supplie, pas de politique ! Je sais que, par M. Lepic, l'argent qui se détourne de moi va aux pauvres.

FÉLIX

Pas trop longue ! hein ! la messe, monsieur le curé ?

LE CURÉ, *agacé.*

Monsieur, s'il vous plaît ?

PAUL

A cause de M. Lepic.

M. LEPIC

Parlez pour vous ! Ça ne me gêne pas ! Je n'irai pas !

Mᵐᵉ LEPIC

Ce jour-là, un franc-maçon saurait se tenir ! M. le curé fera décemment les choses. Il sait son monde, comme M. Lepic. Il n'a que des délicatesses et il vient de me promettre une surprise. Après la messe, mon cher Paul, dans la sacristie, il vous récitera une allocution en vers de sa composition.

TANTE BACHE

Oh ! des vers ! On va se délecter. Un mariage d'artistes !

PAUL

Ah ! monsieur le curé taquine la muse ?

M. LEPIC

Parbleu !

LE CURÉ

Oh ! à ses heures !

FÉLIX

Et il a le temps !

LE CURÉ

Humble curé de campagne !...

M. LEPIC

Ne faites pas le modeste ! Il y a en vous l'étoffe d'un évêque !

LE CURÉ

Trop flatteur ! *(Toutes ces dames s'inclinent déjà.)* Mais vous, monsieur le maire, je vous apprécie comme il convient ! Par votre sagesse civique, la hauteur de vos idées et la rigidité de votre caractère, vous étiez digne de faire un excellent prêtre.

Mᵐᵉ LEPIC

Il a raté sa vocation !

MADELEINE

Il sait pourtant bien son catéchisme !

M. LEPIC

Un prêtre, peut-être, monsieur, mais pas un curé !

TANTE BACHE

Quelle belle journée ! Comme elle finit bien !

PAUL

Tu n'as plus la frousse, ma tante ? Ça finit par un mariage, comme dans les comédies de théâtre, mon cher beau-père !

M. LEPIC

Oui, monsieur, ça finit... comme dans la vie... ça recommence. *(Au curé.)* Une fois de plus, monsieur, vous n'aviez qu'à paraître.

(M. Lepic se couvre et s'éloigne, suivi de Félix.)

FÉLIX

Toujours comme papa !

(Moment pénible, mais Mᵐᵉ Lepic sauve la situation.)

14

LES MÊMES moins M. LEPIC et FÉLIX.

Mᵐᵉ LEPIC

M. Lepic va faire son petit tour de jardin. C'est son heure. Il ne se permettrait pas de fumer sa cigarette devant ces dames. Il reviendra. Il revient toujours. *(Elle pousse le fauteuil à M. le curé.)* Monsieur le curé, le fauteuil de M. Lepic ! *(M. le curé s'installe ; elle offre une chaise à tante Bache.)* Vous devez être fatiguée ?... Assieds-toi donc, Madeleine !... Annette, servez le goûter !... Mes enfants ! Votre mère est heureuse ! Cher Paul, embrassez notre Henriette, M. le curé vous bénira. Embrassez-la, allez ! Vous ne l'embrasserez jamais autant que M. Lepic m'a embrassée.

RIDEAU